eschreven

De grafkelder

Bezoek onze internetsite www.awbruna.nl
voor informatie over al onze boeken en dvd's.

Ruth Rendell

De grafkelder

A.W. Bruna Fictie

Oorspronkelijke titel
The Vault
© Kingsmarkham Enterprises Ltd 2011
Vertaling
Rogier van Kappel
Omslagbeeld
© Elisabeth Ansley/Trevillion Images
Omslagontwerp
Wil Immink Design
© 2013 A.W. Bruna Uitgevers, Utrecht

ISBN 978 94 005 0163 8
NUR 305

Voor Paul en Marianne, met liefde

1

'Wat leven we toch in een merkwaardige wereld,' zei Franklin Merton, 'een wereld waar iemand zich wel een huis kan veroorloven maar geen schilderij van dat huis. Daarachter gaat vast de een of andere diepzinnige waarheid schuil. Maar welke dan, vraag ik me af?'

Het schilderij waarover hij het had, was Simon Alphetons *Marc en Harriet op Orcadia Place*, dat naderhand aangeschaft zou worden door Tate Britain, dat in die dagen nog gewoon 'de Tate' werd genoemd. Het huis waarover hij het had, het huis op het schilderij, was Orcadia Cottage, en zijn opmerking over de merkwaardige wereld waarin we leven, was gericht tegen de Harriet uit de titel van het schilderij. Zij was degene voor wie hij het had gekocht en met wie hij wilde trouwen zodra zijn scheiding definitief was. Naderhand, toen de hartstocht wat bekoeld was en ze een echtpaar vormden, zou hij zeggen: 'Ik wilde eigenlijk niet trouwen. Ik ben met je getrouwd omdat ik een man van eer ben en jij mijn maîtresse was. Sommige mensen zullen zeggen dat mijn denkbeelden verouderd zijn, maar daar ben ik het niet mee eens. De verandering in maatschappelijke opvattingen gaat niet erg diep. Ik vermoedde dat niemand nog belangstelling zou hebben voor een van mijn afgelikte boterhammen, dus voor jouw bestwil heb ik besloten de situatie te reguleren.'

Zijn eerste vrouw was Anthea. Toen hij haar verliet, had hij ook hun hond O'Hara moeten verlaten, en voor hem was dat het pijnlijkste aspect van de hele kwestie geweest.

'Je houdt geen hond om dan zelf te gaan blaffen,' zei hij tegen Harriet, toen ze schrok bij de gedachte dat ze dat enorme huis ook zou moeten schoonhouden.

'Jammer dan dat ik geen Ierse setter ben,' zei ze, en het deed haar genoegen toen ze hem ineen zag krimpen.

Ze hadden vijf jaar samengewoond, en waren daarna drieëntwintig jaar met elkaar getrouwd geweest. Al die tijd hadden ze in dat huis gewoond: Orcadia Cottage ofwel Orcadia Place nummer 27, Londen NW8. Vanwege Franklins scherpe tong, sarcasme en volstrekte onverschilligheid ten aanzien van de gevoelens van anderen, en vanwege Harriets neiging om op doordeweekse middagen met jonge glazenwassers en groenteboeren het bed te delen, was het geen gelukkig huwelijk. Ze gingen afzonderlijk met vakantie: Franklin hield zeer nadrukkelijk de schijn op dat hij in zijn eentje ging, maar in werkelijkheid ging hij samen met zijn eerste echtgenote. Na de meest recente vakantie was hij alleen maar teruggekeerd om Harriet te laten weten dat hij bij haar wegging. Hij ging terug naar Anthea en haar huidige Ierse setter, De Valera, en was van plan zo snel mogelijk van Harriet te scheiden. Anthea, een genereuze vrouw, vond dat hij zijn best moest doen om Harriet te vinden, want in Orcadia Cottage was ze nergens te bekennen. De grootste koffer was verdwenen, evenals het grootste deel van haar kleren en de beste juwelen die hij voor haar had gekocht.

Franklin meende dat ze er met haar huidige jongeman vandoor was gegaan.

'Ze laat wel weer van zich horen zodra ze geld nodig heeft,' zei hij tegen Anthea. 'En dat gaat niet lang duren.'

Maar Harriet liet nooit meer van zich horen. Franklin keerde terug naar Orcadia Cottage om te kijken of daar iets te vinden was waaruit misschien zou kunnen blijken waar ze heen was gegaan, maar kwam alleen maar tot de conclusie dat het huis uitzonderlijk netjes opgeruimd en schoon was.

'Er was één ding dat ik nogal raar vond,' zei hij. 'Al die jaren dat ik daar woonde ben ik nooit de kelder in gegaan. Daar was geen reden toe. Toch had ik kunnen zweren dat er een keldertrap was, met een deur vlak naast de keukendeur. Maar die is er niet.'

Anthea was heel wat intelligenter dan Harriet. 'Als je zegt dat je dat had kunnen zweren, schat, wil je daar dan mee zeggen dat je echt een rechtszaal binnen zou durven stappen, om onder ede tegenover een jury te verklaren dat er een keldertrap in dat huis was?'

Nadat hij daar even over had nagedacht, zei Franklin: 'Ik denk van niet. Nou, nee, dat zou ik niet durven.'

Hij zette het huis te koop en kocht een huis voor Anthea en zichzelf in South Kensington. In hun advertenties beschreven de makelaars Orcadia Cottage als 'het Georgiaanse herenhuis dat onsterfelijk is geworden door het internationaal bejubelde meesterwerk van Simon Alpheton.' De kopers, een Amerikaanse verzekeringsmakelaar en zijn echtgenote, wilden er snel hun intrek in nemen, en toen Franklin hun het bouwkundig rapport aanbood dat zijn eigen inspecteurs dertig jaar geleden hadden opgesteld, constateerden ze opgelucht dat ze een eigen onderzoek nu wel achterwege konden laten. Per slot van rekening stond dat huis er nu al meer dan tweehonderd jaar dus zou het heus niet plotseling instorten.

Clay en Devora Silverman kochten het huis van Franklin Merton in 1998 en woonden er tot 2002, toen ze weer terugkeerden naar het huis in Hartford,

Connecticut dat ze al die tijd verhuurd hadden. De eerste herfst die ze doorbrachten in Orcadia Cottage werden de bladeren van de wilde wingerd, waarmee de gehele voorgevel en een groot deel van de achtergevel overdekt waren, eerst koperkleurig, toen rood en stierven vervolgens af. Clay Silverman zag hoe de bladeren neerdwarrelden in de voortuin en op de tegels in de achtertuin. Hij ergerde zich wild aan de kleverige, doorweekte bladermassa waarover Devora en hij voortdurend uitgleden, en Devora verzwikte zelfs haar enkel. Ze hadden geen flauw benul van plantkunde en al helemaal niet van tuinieren, maar Clay wist wel een heleboel over kunst en hij kende het schilderij van Alpheton. Dat was een van de redenen geweest waarom hij Orcadia Cottage had gekocht. Maar hij was ervan uitgegaan dat de groene bladeren die het huis overdekten en de achtergrond vormden voor de elkaar omhelzende geliefden, altijd groen zouden blijven, en altijd aan de plant vast zouden blijven zitten. Nadat alle bladeren van de plant waren gevallen, had hij de wingerd laten verwijderen.

Het Orcadia Cottage dat van onder dat bladerdek tevoorschijn kwam, bleek te zijn opgetrokken uit baksteen met een fraaie rode kleur. Clay had luiken voor de ramen laten plaatsen en de voordeur laten schilderen in een lichte kleur grijs met groene ondertonen. In de betegelde achtertuin lag iets wat hij beschouwde als een buitengewoon lelijk putdeksel met een langzaam afbrokkelende stenen pot erbovenop. Om de pot te vervangen liet hij een plaatselijke kwekerij een grote houten kuip vullen met allerlei soorten kruiskruid, heide en cotoneaster. Vier jaar later gingen Devora en hij weer terug naar Connecticut. Clay Silverman had achthonderdduizend pond betaald voor het huis en verkocht het voor anderhalf miljoen aan Martin en Anne Rokeby.

De Rokeby's hadden een zoon en een dochter; Orcadia Cottage had maar twee slaapkamers, maar één daarvan was groot genoeg om gesplitst te worden, en dat deden ze dan ook. Voor het eerst in bijna een halve eeuw woonden er weer kinderen in het huis. Ook deze keer werd er geen technisch bouwonderzoek verricht, want Martin en Anne betaalden cash en hadden geen hypotheek nodig. Ze namen hun intrek in Orcadia Cottage in 2002 en vier jaar later, toen hun kinderen inmiddels de tienerleeftijd hadden bereikt, stelde Martin zijn vrouw voor om ondergronds te gaan bouwen. Het begon in de mode te raken om een uitgraving te laten doen om wat extra ruimte te scheppen: voor een wijnkelder of studeerkamer bijvoorbeeld, of voor een extra woonkamer, of voor alle drie tegelijk. Je kon geen ruimte aanbouwen aan een huis van historische waarde, maar een ondergrondse ruimte wilde de gemeente vaak wel door de vingers zien. Mensen in Hall Road, niet ver van Orcadia Place, hadden iets soortgelijks gedaan, en Martin had met grote belangstelling naar de bouwvakkers staan kijken.

Een ruime kamer onder Orcadia Cottage zou een ideale plek zijn om een grote flatscreen-tv neer te zetten voor de kinderen, die daar ook hun computers en hun steeds geavanceerdere apparaten om muziek mee te maken kwijt zouden kunnen; en misschien zou er ook wel ruimte zijn voor een gymzaaltje voor Anne, die tamelijk fanatiek aan fitness deed. Aan het eind van de zomer van 2006 probeerde hij contact op te nemen met het aannemersbedrijf dat de grote slaapkamer had gesplitst, maar dat bleek inmiddels niet meer te bestaan. Een aannemer met een groot bord aan zijn pand in Hall Road, met daarop niet alleen de naam van het bedrijf, maar ook het telefoonnummer en mailadres, was de volgende. Maar de mannen die naar het huis kwamen kijken, zeiden dat het ondoenlijk was. Een van de buren raadde een andere aannemer aan. De man die kwam kijken, zei dat het godsonmogelijk was. Een andere man zei dat het wel zou kunnen als Martin het tenminste niet erg vond om alle volgroeide bomen in de tuin te laten kappen. Toch vroeg hij een vergunning aan om een kelder onder het huis aan te leggen.

Martin, Anne en de kinderen gingen ondertussen met z'n allen een maand naar Australië. Het huis was te oud, zeiden de aannemers die ze om een offerte vroegen. Het zou niet verstandig zijn om aan de fundering te gaan knoeien. Andere aannemers zeiden dat het wel te doen viel, maar dat het twee keer zoveel zou gaan kosten als Martin had ingeschat. En dat zeiden ze allemaal tijdens telefoongesprekken, zonder het huis ook maar gezien te hebben. Het project werd gestaakt toen de gemeente een vergunning weigerde, omdat het plan tot protesten van alle buren had geleid, behalve van de buurman die een aannemer had aanbevolen.

Dit alles nam ongeveer een jaar in beslag. De zoon van de Rokeby's, die binnen het gezin de grootste voorstander van de ondergrondse ruimte was geweest, ging in het najaar van 2007 studeren en in de loop der tijd werd het plan vrijwel vergeten. Het huis voelde ruimer aan nu hun dochter ook op kostschool zat. In het voorjaar van 2009 gingen Martin en Anne op vakantie naar Florence. Daar, in een winkeltje aan de Arno, werd Anne verliefd op een grote amfoor in de etalageruimte. Kennelijk was die opgevist uit de Middellandse Zee. Er zat een fries onder de rand met ronddansende nimfen en satyrs die elkaar bloemenkransen omhingen.

'Die moet ik hebben,' zei Anne. 'Die kunnen we mooi in de tuin zetten, in plaats van die lelijke ouwe bak.'

'Doe maar,' zei Martin. 'Waarom niet? Als je maar niet probeert dat ding mee te nemen in het vliegtuig.'

De winkel stuurde de amfoor op, zorgvuldig ingepakt in een grote kist en via een of andere omslachtige route waar geen vliegtuigen bij betrokken waren, kwam de grote kruik in mei 2009 eindelijk aan in St. John's Wood. Mensen van een plaatselijke kwekerij zouden er Afrikaanse lelie en roze hemelsleutel in planten, maar voordat ze kwamen, haalde Martin de planten en aarde weg uit de kuip, trapte die kapot en stopte de losse stukken hout in een zwarte plastic zak, die hij vervolgens bij de garage achter het huis bij het vuilnis zette.

'Ik heb me vaak afgevraagd wat er onder dat deksel zit, maar nooit de moeite genomen om te kijken.'

'Nou, dan zou ik maar van de gelegenheid gebruikmaken,' zei Anne, zonder veel belangstelling.

'Waarschijnlijk is het ding zo zwaar dat ik het niet omhoog krijg.'

Maar dat viel wel mee. Martin tilde het putdeksel op en zag daaronder een grote, donkere holte. Afgezien van een plastic zak of zeil ergens in de diepte, viel er niet veel te zien. Ik kan maar beter een zaklantaarn halen, dacht hij, en dat deed hij dan ook, en daarmee maakt hij zijn leven voor lange tijd tot een hel.

Overdreven? Misschien, maar niet heel overdreven. Door in die donkere holte te schijnen, bezorgde hij zijn vrouw, zichzelf en hun huis een plaats op alle voorpagina's. Hij beroofde zijn gezin en zichzelf maandenlang van alle rust, lokte hele drommen dagjesmensen naar zijn straat en zijn garage, zag de waarde van zijn huis met ongeveer een miljoen pond verminderen en maakte dat Orcadia Cottage al net zo berucht en beroemd werd als Christies huis in Notting Hill en het huis van meneer en mevrouw West in Gloucester.

2

Hoofdinspecteur Wexford, die geen hoofdinspecteur meer was, niet meer bij de politie werkte, noch permanent gevestigd was in Kingsmarkham in het graafschap Sussex, zat in de woonkamer van zijn tweede huis in Hampstead het boek van de Bookerprijswinnaar van vorig jaar te lezen. Al die andere dingen mocht hij dan niet meer zijn, maar een lezer was hij nog steeds. En voor boeken had hij nu alle tijd.

Natuurlijk had hij nog vele andere interesses. Hij hield van muziek: Bach, Händel, een heleboel opera. Wandelen had hij vervelend gevonden toen hij in Kingsmarkham altijd dezelfde route moest lopen, maar in Londen lag dat anders; zijn Londense wandelingen waren een oneindige bron van interessante en soms zelfs opwindende ervaringen. Galeries bezocht hij over het algemeen samen met zijn vrouw Dora. Het was een zachte winter en hij ging met haar de rivier op: een boottochtje over het kanaal van Paddington Basin naar Camden Lock en weer terug. Ze gingen naar Kew Gardens en naar Hampton Court. Maar ondanks alles, ondanks al die weelde, miste hij wat voor hem de kern van zijn leven had gevormd: zijn bestaan als politieman.

Daarom leidde een toevallige ontmoeting met Tom Ede toen hij door Finchley Road wandelde tot een verandering. Ze hadden elkaar jaren geleden voor het eerst ontmoet, toen Tom een heel jonge politieman was en Wexford bij zijn neef, hoofdinspecteur Howard Fortune, in Chelsea logeerde. Wexford had belangstelling voor een van de zaken waar Howard mee bezig was en Tom was hem opgevallen als een politieman die over uitzonderlijke intelligentie en doorzettingsvermogen beschikte. Dat was meer dan dertig jaar geleden geweest, maar hij had Tom onmiddellijk herkend. De man zag er natuurlijk ouder uit, maar zijn gezicht was weinig veranderd, ook al was het inmiddels diep doorgroefd. Ook zijn haar was nog even dik als vroeger, al was het nu grijs in plaats van bruin. Hij lijkt maar zo weinig veranderd omdat hij niet is aangekomen, had Wexford destijds gedacht, met een wat treurig gevoel over zijn eigen, flink uitgedijde buikomvang.

Hij had Tom aangekeken, even geaarzeld en toen gezegd: 'U bent toch Thomas Ede? U zult me wel niet meer herkennen.'

Maar Tom herkende hem wel, zij het pas nadat hij Wexford lang en aandachtig had opgenomen. Inmiddels was hij hoofdinspecteur bij de recherche en gestationeerd op het nieuwe hoofdbureau van politie in Cricklewood. Ze hadden telefoonnummers uitgewisseld. Wexford was doorgelopen met wat meer energie en veerkracht dan gebruikelijk, en nu hoopte hij dat Tom hem zou bellen. Waarom? Om een afspraak te maken voor een gezellig samenzijn? Nee, hou jezelf niet voor de gek, dacht hij. Je wilt iets onwaarschijnlijks: je wilt dat hij je om hulp vraagt. Hij richtte zijn aandacht weer op de Bookerprijswinnaar van vorig jaar. Hij genoot van het boek, maar misschien was hij met een miniem deel van zijn aandacht wel bij de telefoon, en bij die opmerking van Tom dat hij 'rond lunchtijd' zou bellen.

Het was inmiddels zes maanden geleden dat hij met pensioen was gegaan en een fraaie tafelklok had gekregen, die op de schoorsteenmantel in de woonkamer van het koetshuis was gezet, en die hem nu duidelijk maakte dat wat hij als lunchtijd beschouwde inmiddels allang was aangebroken. Hij had de lunch opgegeten die Dora voor hem had klaargezet; of in elk geval het vlees en de ciabatta, want het grootste deel van de salade had hij laten staan. Maar zelfs nu moest hij denken aan wat er gebeurd zou kunnen zijn, wat er gebeurd zóu zijn, als Sheila hun dit huis niet had aangeboden.

'Natuurlijk vragen we geen huur, papa. Mama en jij bewijzen ons een gunst door in het koetshuis te gaan wonen.'

Wat het werkelijk inhield om met pensioen te zijn, was al op de eerste dag tot hem doorgedrongen. Als het niet uitmaakte hoe laat hij opstond, kon hij de hele dag in bed blijven liggen. Dat deed hij natuurlijk niet. Die eerste dagen leken al zijn interesses plotseling onbenullig, niet de moeite waard. Hij had het gevoel dat hij alle boeken die hij wilde lezen al had gelezen, en alle muziek waar hij naar wilde luisteren al had gehoord. Hij had erover gedacht om zijn ogen dicht te doen en met zijn gezicht naar de muur toe te gaan liggen. Dat was de eerste dagen zo geweest, en omwille van Dora had hij nadrukkelijk gedaan alsof hij ervan genoot om niets omhanden te hebben. Hij had zelfs gezegd dat hij genoot van al die tijd waarin hij niets te doen had. Dat had ze wel doorzien; ze kende hem te goed. Na een week of zo had hij gezegd dat hij graag in Londen zou willen wonen. Niet de hele tijd, want hij was dol op hun huis in Kingsmarkham, en geen van beiden zou dat willen opgeven.

'Een tweede huis in Londen, bedoel je?'

'Ik denk van wel.'

'Kunnen we ons dat veroorloven?'

'Ik weet het niet.'

Een studio, had hij gedacht. Dat was een elegante term voor een éénkamerappartement met een keuken in een hoekje en een tot douchecabine omgebouwde bergkast. Terwijl hij geleidelijk aan leerde hoe hij internet moest gebruiken, vond hij onlinemakelaars en zag wat ze te bieden hadden. Dora vroeg het nog eens.

'Kunnen we ons dat veroorloven?'

En deze keer had hij zonder voorbehoud nee moeten zeggen.

Ze hadden er niets over gezegd tegen hun beide dochters. Een rijk kind laten weten dat je je iets niet kunt veroorloven staat bijna gelijk aan financiële steun vragen. Hun oudste dochter, Sylvia, was in goeden doen maar niet rijk. Sheila, die veel succes had als actrice op het toneel en op tv, had een al even succesvolle echtgenoot. Hun grote victoriaanse huis aan de rand van Hampstead Heath zou als het te koop werd aangeboden, een van die huizen zijn die op makelaarswebsites staan voor meer dan acht miljoen. Dus zeiden ze niets tegen Sheila, en deden ze zelfs alsof ze een stuk gelukkiger waren nu hij met pensioen was. Maar Sheila kende hem bijna net zo goed als zijn vrouw.

'Neem het koetshuis als pied-à-terre, papa.'

Zo noemde ze het. Het was een soort garage voor koetsen geweest, in de tijd dat mensen in zulke dingen rondreden, met een stal voor het paard en een appartement erboven voor de koetsier. Het was zorgvuldig verbouwd tot een klein huisje met twee slaapkamers en – ongehoorde luxe – twee badkamers.

'Ik kan het nog steeds nauwelijks geloven,' zei Dora op hun eerste avond daar.

'Ik wel,' zei Wexford. 'Vergeet niet dat ik in een wereld heb geleefd waar het onwaarschijnlijke voortdurend plaatsvindt. Wat doe je morgen het liefst: met de trein naar Kew Gardens of met een boot naar de Thames Barrier?'

'Kunnen we het niet allebei doen?'

In de loop van de maanden waren ze twee keer een weekje terug geweest naar Kingsmarkham, en ook dat was heel prettig geweest, alsof je terugkwam van een vakantie, die je een tijdje later weer kon voortzetten. Maar een onverdeeld genoegen was het niet: Kingsmarkham was zijn district geweest, de plek waar hij lange tijd het gezicht van het bevoegd gezag was geweest en als hij daar weer terug was, drong het tot hem door hoezeer hij dat miste.

In Londen wandelde hij zoveel dat hij begon af te vallen en er inmiddels ook zonder TomTom of plattegrond redelijk goed de weg wist. Hij had zijn auto meegenomen, en reed er zo nu en dan nog wel wat mee, maar niet vaak. Rijden en gereden worden miste hij niet, maar zijn bestaan als politieman wel. Zou dat altijd zo blijven?

Hij pakte de Bookerprijswinnaar weer op en terwijl hij het boek opensloeg op de plek waar hij een stukje papier tussen de bladzijden had gelegd, ging de telefoon. Er werden beleefdheden uitgewisseld, het 'Hoe gaat het?' waar niemand werkelijk antwoord op wilde, maar dat bij elke ontmoeting verplicht leek. Hoewel hij daar net nog over had zitten fantaseren, kon Wexford zijn oren nauwelijks geloven toen Tom, nadat hij had verteld dat het heel goed met hem ging, zei dat hij hulp nodig had.

'In welke hoedanigheid?'

'Nou, ik zat te denken. Ik bedoel, misschien heb je er helemaal geen zin in. Ik kan me voorstellen dat je helemaal niets met dit geval te maken wilt hebben. Je bent per slot van rekening met pensioen, en daar zul je ongetwijfeld zielsblij mee zijn, maar... als je zou willen helpen, als je dat in elk geval in overweging zou willen nemen, dan zou je adviseur kunnen worden. Externe deskundigen zijn tegenwoordig heel populair, trendy zelfs, en ik beschouw jou als uiterst deskundig. Misschien houd ik mezelf daarmee voor de gek, maar ik heb het idee dat je jaren en jaren geleden een bepaalde aanleg voor politiewerk in mij hebt opgemerkt en ik herinner me van jou dat jij daar echt een groot talent voor had. Als mijn adviseur zou je overal met mij mee naartoe kunnen gaan, en overal toegang toe kunnen krijgen, nou ja, bíjna overal. Ik neem aan dat je nu druk bezig bent, maar als dat niet het geval is...'

'Ik heb het helemaal niet druk,' zei Wexford.

'Het gaat over die zaak in Orcadia Place, en als...'

'Zit je in het nieuwe hoofdbureau in Cricklewood?'

'Precies. Mapesbury Road. Laten we het ijzer maar smeden terwijl het heet is...' Tom liet een korte stilte vallen en zei toen wat gegeneerd: 'Er zijn geen... emolumenten, vrees ik. We moeten de broekriem strakker aanhalen in deze zware tijden.'

Dat verbaasde Wexford niets.

Hij had ernaartoe willen lopen, maar het was verder dan hij dacht en nadat hij met veel zorg en aandacht een kaartje had gekocht bij een automaat, stapte hij in de bus. Het was een prachtige junidag, een junidag zoals een junidag hoorde te zijn maar in de praktijk zo zelden was: de hemel strakblauw en de zon warm, maar onder de bomen was het koel. En dan te bedenken dat hij voor zijn komst hier, ondanks alle keren dat hij de stad had bezocht, had gedacht dat Londen geen tuinen had, en dat de weinige tuinen die er misschien wel waren, bestonden uit droge gazonnetjes en wat stoffig struikgewas. De bloemen verbaasden hem. Overal rozen: rozenstruiken, stokrozen en klimrozen.

Zelfs in Shoot-up Hill waren nog bloemen te zien. De bus stopte aan het einde van Mapesbury Road waar het nieuwe hoofdbureau van politie was gevestigd: een grote getrapte glazen piramide in een straat vol met riante victoriaanse villa's. Hij was blij dat hij hier alleen maar op bezoek was en er niet hoefde te werken. Bij dat woord, 'werken', voelde hij plotseling een scheut adrenaline door zijn aderen stromen en hij versnelde zijn pas.

Automatische schuifdeuren natuurlijk, en een reusachtige foyer die voornamelijk uit vensters en een marmeren vloer leek te bestaan. Het had ook een ziekenhuis kunnen zijn, of het hoofdkantoor van een groot bedrijf. De kamerplanten die her en der in bakken van zwart aardewerk stonden, waren van het soort waarvan je pas kunt zeggen of ze echt of nep zijn als je aan de blaadjes voelt.

Een jonge vrouw zat achter een lange balie in de vorm van een boemerang, en was volkomen verdiept in de beeldschermen van drie desktopcomputers. Hij was er zo aan gewend om zijn politie-identiteitskaart te laten zien dat hij al in zijn zakken stond te zoeken voordat hij zich herinnerde dat hij die niet langer had, dat hij daar geen recht meer op had. Hij noemde zijn naam en zei dat hoofdinspecteur Ede hem verwachtte.

'Neemt u de lift maar,' zei ze, vrijwel zonder op te kijken. 'Derde verdieping, linksaf, derde deur rechts.'

Terwijl hij op de lift stond te wachten, gingen zijn gedachten terug naar die keer dat hij onder heel andere omstandigheden bij de politie van Brighton aan zijn eerste dag als rechercheur was begonnen. Dat was jaren geleden, tientallen jaren zelfs, maar toch voelde hij zich grotendeels hetzelfde: angstig, opgewonden en benieuwd naar wat de komende weken zouden brengen.

3

'Je hebt er waarschijnlijk wel iets over gelezen of gezien op de tv. Het is echt enorm veel in het nieuws geweest. Het is een van die gevallen waarbij de mensen beginnen te vragen of er nog meer lijken zijn gevonden.'

'Maar deze lijken lagen allemaal op dezelfde plek,' zei Wexford.

'Dat is zo. We weten niet eens zeker of ze wel vermoord zijn. Nou, van één staat dat wel vast. Waarschijnlijk.'

'Waarschijnlijk?'

'Drie van de lijken hebben daar al zo lang gelegen dat niet is vast te stellen hoe lang ze al dood zijn, laat staan waaraan ze zijn overleden.'

Hoofdinspecteur Thomas Ede zat achter zijn bureau in de glazen doos die zijn werkkamer vormde. Het glas was van dat soort waardoor je wel naar buiten kon kijken, maar niet naar binnen. Op de laminaatvloer lag een synthetische vacht van iets wat vermoedelijk een kruising tussen een tijger en een giraffe was. Ede was een lange, magere man met een klein hoofd en gespannen, scherpe gelaatstrekken. Hij droeg een donkergrijs pak en een wit overhemd, maar geen das; een kledingstijl die inmiddels in alle lagen van de bevolking populair begon te worden, en die Wexford prima vond voor vrouwen maar minder 'gepast' voor mannen. Wexford ging tegenover hem zitten, in de stoel die bestemd was voor cliënten en sollicitanten. Dit was nieuw voor hem, iets waar hij maar aan zou moeten wennen. Maar dat zou wel lukken. Het was wel in orde zo. Het kon nou eenmaal niet anders. 'Ik heb erover gelezen,' zei hij, 'maar vertel het nog maar eens. Dan weet ik tenminste zeker dat ik het allemaal goed begrepen heb.'

'Nou, zoals je weet, is dit een maand geleden allemaal begonnen. Begin mei zijn we erbij geroepen. De locatie is een straat in St. John's Wood, die Orcadia Place heet, maar dat heeft niet in de kranten gestaan, toch? Je kijkt alsof je plotseling iets te binnen schiet.'

'Dat vertel ik straks wel,' zei Wexford. 'Ga verder.'

'Het huis zelf heet Orcadia Cottage. Het is natuurlijk geen cottage, geen landarbeiderswoninkje, maar een groot vrijstaand huis. Heel mooi, als dat je smaak is. De voortuin staat vol met bloemen en bomen, en de achtertuin is een soort patio. Orcadia Place is een van die straten in St. John's Wood die meer weg hebben van een plattelandsweggetje. Heggen, hoge bomen, kasseien, je weet wel. Orcadia Cottage is eigendom van een zekere Martin Rokeby. Hij heeft het een jaar of zeven geleden gekocht voor anderhalf miljoen. Het zou nu vier miljoen opbrengen, of liever gezegd, dat zou het opgebracht hebben vóór de vondst in die kolenkelder. We noemen het tegenwoordig de "patio-graftombe". Het beestje moet nou eenmaal een naam hebben, hè?

Die patio zit wonderlijk in elkaar, en dat is nog zacht uitgedrukt. Op het eerste gezicht is het een behoorlijk grote en uiterst simpele achterplaats, met een soort plavuizen erop en een border eromheen. De patio is te bereiken via een keukendeur en twee openslaande deuren vanuit de woonkamer. Een deur in de tuinmuur biedt toegang tot een achterstraatje. Min of meer in het midden van de patio bevindt zich het putdeksel, dat als het dicht is precies op hetzelfde niveau ligt als de plavuizen, en dat deksel is altijd dicht geweest. Er stond een houten plantenbak op die hem volledig aan het zicht onttrok.

Rokeby had het putdeksel nog nooit opgetild... dat zegt hij in elk geval. Hij heeft geen technisch bouwonderzoek laten doen toen hij het huis kocht, want hij hoefde geen hypotheek te nemen en heeft weinig vertrouwen in technisch onderzoek van oude huizen. Zijn redenering was dat er in zulke huizen altijd een heleboel mankementen worden aangetroffen, maar dat ze nooit instorten. En daar valt iets voor te zeggen. Je kunt een fortuin spenderen aan technisch onderzoek en negen van de tien keer is dat weggegooid geld. Maar goed, Rokeby beweert dat hij niet eens wist dat daar een gat in de grond zat. De plantenbak die eroverheen stond was een doormidden gezaagde ton met ijzeren hoepels eromheen. Niet bijzonder mooi, en mevrouw Rokeby had gezegd dat ze graag een nieuwe plantenbak wilde. Zij is de tuinier van de twee. Nou, ze waren samen op vakantie in Italië – die twee maken vaak dure reizen – en in een winkel in Florence zag ze deze, ik citeer: "verbazingwekkend mooie amfoor" wat dat dan ook mag zijn, die door de een of andere boot was opgevist uit de Middellandse Zee. Ik heb geen verstand van zulke dingen. Jij wel misschien. Maar goed, ze moest en zou het ding hebben. Die twee hoeven niet op een houtje te bijten, dat zul je inmiddels wel geraden hebben. Het spreekt vanzelf dat ze het niet in het vliegtuig met zich mee konden nemen, dus hebben ze het laten opsturen. Joost mag weten wat dat allemaal gekost heeft, maar dat doet niet ter zake.'

Wexford merkte op dat de man 'Joost' zei waar veel andere mensen het woord 'God' gebruikt zouden hebben. Hij vroeg zich af wat dat betekende, als het al iets te betekenen had, en meende zich vaag te herinneren dat Tom Ede in zijn jonge jaren iets te maken had gehad met een of ander tamelijk onorthodox kerkgenootschap.

'Toen ze die halve ton hadden leeggeschept en het ding hadden wegge-haald,' vervolgde Ede, 'troffen ze daar tot hun grote verrassing een putdeksel aan. Rokeby ging ervan uit dat het inderdaad wel een putdeksel zou zijn, dat wil zeggen een deksel dat een rioolbuis afsloot die niet langer in gebruik was, en aanvankelijk was hij van plan om het ding daar maar gewoon te laten zitten en de amfoor erbovenop te zetten, met wat bloemetjes erin.'

'Waarom heeft hij dat dan niet gedaan?' zei Wexford.

'Nieuwsgierigheid, zegt hij. Het was geen zwaar deksel. Hij tilde het op en in plaats van de riool- of regenwaterbuis die hij had verwacht, die water af-voerde in de richting van het achterstraatje, keek hij in een diep, zwart gat. Op de bodem daarvan lag iets wat hij niet goed kon zien. Het glom een beetje en het leek hem een stuk plastic zeil. Onder dat zeil lag een heleboel narigheid verborgen, maar dat wist hij toen nog niet.

Voordat hij verder iets deed, liep hij het huis binnen en haalde zijn vrouw erbij. Ze keken allebei in dat donkere gat, zagen dat glimmende ding en iets wat eruitzag – hij zei dat ze het nauwelijks konden zien – als een vrouwen-schoen. Als je die ruimte binnenkwam door dat gat in de grond, hoe kwam je er dan weer uit? Was er wel een andere uitgang? Rokeby heeft zijn vrouw zelfs gevraagd of ze een kelder hadden waarvan hij geen weet had. Natuurlijk niet, zei ze. Dan zou er ergens in huis wel een deur zitten, met een keldertrap er-achter.

Nou, Rokeby ging naar binnen en pakte een zaklantaarn. Een grote, krach-tige halogeenstraler kennelijk. Gezien de omstandigheden zou het voor die twee misschien beter zijn geweest als het een armzalig dingetje was geweest met een halflege batterij. Hij scheen ermee in het gat en zag daar een grote plastic zak met iets wat hij omschreef als "iets afschuwelijks" erin, met daaromheen twee schedels, het gebeente van een skelet en een zwaar verrot lijk. Anne Roke-by zag het ook en ging van haar stokje. Hij nam haar mee naar binnen, en nadat hij had overgegeven, heeft hij ons erbij geroepen.'

Wexford knikte. 'Geloof je dat geen van beiden weet had van het bestaan van die kelder en dat het gat in de bodem van hun achterplaats voor hen een volslagen verrassing was?'

'Ik ben geneigd dat te geloven, maar ik ben best bereid om van mening te veranderen.'

'Wat was het voor een gat?'

'Toen mensen nog kolenkachels hadden, kwam de kolenboer via het achter-straatje de patio op, en werden de kolen door dat gat in de kelder gestort.'

'En de bewoners van Orcadia Cottage haalden de kolen dan uit de kelder door de keldertrap af te lopen en naar dat stortgat toe te lopen?'

'Ja, dat zou je wel verwachten,' zei Tom Ede, 'maar dat kunnen ze niet gedaan hebben, want hoewel dat stortgat uitkomt in een kolenkelder, is die vanuit het huis niet te bereiken.'

'Geen keldertrap?'

'Wel een trap, maar geen deur die er toegang toe biedt. We kunnen er wel even een kijkje nemen.'

'Morgen?' vroeg Wexford.

'Uitstekend. Twee zielen, één gedachte. Maar voordat we iets afspreken: ik ging erheen met een rechercheur van me, die je nog zult leren kennen. Tegen de tijd dat we daar aankwamen, was er al een ladder in het stortgat gezet, maar natuurlijk was er nog niets aangeraakt. Ik ging de ladder af. Als eerste. Het stonk er niet. Het was er alleen een beetje bedompt, al was er tegen die tijd natuurlijk al een heleboel lucht in en uit gestroomd.

Het was... nou, het was behoorlijk grimmig. Je weet wat we in ons werk allemaal te zien krijgen, maar volgens mij kan ik wel zeggen dat ik nooit eerder iets heb gezien wat dit ook maar benaderde. In die grote plastic zak troffen we het zwaar verrotte lijk aan van een man. Ook het lijk van de oudere vrouw was zwaar verrot, ik weet niet waarom, maar ik neem aan dat de mensen van het gerechtelijk laboratorium dat wel kunnen verklaren. De jongeman was een skelet, en zijn schedel zat bijna helemaal los van de rest van het lijk. De jonge vrouw was er nog het beste aan toe, maar ook zij verkeerde in staat van ontbinding. Ze had er ook heel wat minder lang gelegen dan de anderen. Dat kon de patholoog-anatoom zonder moeite vaststellen. Alle lijken waren volledig gekleed; er was maar één enkele aanwijzing voor hun identiteit, en die was tamelijk zwak: geen van hen had een identiteitsbewijs bij zich. De kleding van de vrouwen zag eruit alsof ze gekleed waren voor binnenshuis. Ze hadden geen handtasjes bij zich en vrouwen doen nou eenmaal geen spullen in hun zakken. De jongeman had wat munten in de zak van zijn spijkerbroek en een velletje papier met het woord "Francine" erop, en daaronder *"La Punaise"*, gevolgd door een nummer van vier cijfers. En hij had een hoop kostbare juwelen bij zich. Niet alleen in de zak van zijn spijkerbroek, maar ook in de zakken van zijn jasje dat nog steeds om zijn skelet heen zat: parelkettingen, een halsketting met diamant en saffier, een of ander ding van goud voor om de nek, armbanden, ringen en andere spullen, je kunt het zo gek niet bedenken of het zat erbij. In totaal is het getaxeerd op ongeveer veertigduizend pond. De lijken zijn gefotografeerd waar ze waren aangetroffen. De patholoog-anatoom heeft ze ter plekke bekeken en pas na dat hele proces zijn ze weggehaald. Daarna zijn rechercheur Blanch en ik pas goed gaan rondkijken bij de stortplaats en in de rest van de kelder. De deur van de stortplaats naar de kelder was dicht, maar we hebben die geopend – uiteraard – om te zien of er nog meer lijken aan de andere kant lagen, maar dat bleek niet het geval. Er lag helemaal niets: geen kolen of hout, noch het soort rommel dat mensen in kelders opbergen. Helemaal niets. Behalve die trap natuurlijk. De trap liep van de kelder omhoog naar een blinde muur.'

'De lijken?' vroeg Wexford. 'Er heeft verder niets over in de kranten gestaan, behalve dat ze gevonden zijn, en zo hoort dat ook. Maar weten jullie al iets over DNA?'

'Dat bewaar ik nog maar even voor morgen, Reg. Ik kom je wel ophalen, oké? We beginnen lekker vroeg. Is negen uur te vroeg voor je?'

'Negen uur is prima. Het adres is The Coachhouse, 2 Vale of Health Lane, Hampstead.'

Hij vond het wat gênant om Tom Ede dit deftige adres te geven. Hij wist dat Tom in een flat in Finchley woonde. Wexford begon de fijnere nuances van welke plekken in Londen chic en minder chic zijn al aardig onder de knie te krijgen en was inmiddels gaan beseffen dat het prima is om in W2 en NW8 te wonen, en dat adressen met W1, NW3 of SW3 in de postcode zelfs heel chic zijn, maar minder deftig dan N11 of SW12. Het is beter om een telefoonnummer te hebben met een zeven als eerste cijfer dan een nummer dat met een acht begint. Hij vond al dat snobisme met postcodes en telefoonnummers op een bepaalde manier fascinerend, terwijl het hem ook tegenstond. Hij vond het lastig dat hij iemand als Tom een adres in het beste deel van Hampstead moest geven. Het huis was niet van hem. Hij had het alleen maar te leen, en op een gegeven moment zou hij moeten uitleggen hoe het kwam dat Dora en hij daar logeerden. Hij kon zichzelf er nog niet toe brengen om te zeggen dat ze daar woonden.

'Eerlijkheid duurt het langst,' zei Tom. 'Dus ik zal maar eerlijk bekennen dat ik je om hulp heb gevraagd omdat het onderzoek in hoog tempo dreigt vast te lopen.'

Hij ging naar huis – het voelde inmiddels toch wel een beetje aan als thuis – met de bus. Hij moest een keer overstappen, waarbij de tweede bus Haverstock Hill opreed, want een minder ingewikkelde route kende hij niet. Hij gebruikte zijn nieuwe seniorenpasje. De schoonheid van Hampstead trok nog steeds zijn aandacht: de kerk waar Constable begraven lag, Holly Mount en de Everyman Cinema, maar in gedachten was hij nog steeds bij Tom Ede in Orcadia Place. Dat moest hetzelfde huis wel zijn, dacht hij. Zou Tom dat weten? Maakte het wat uit of hij dat wist of niet? Het moest wel een van de allerberoemdste moderne schilderijen zijn, maar toch waren er een hoop mensen die het niet kenden. Hij stapte uit en liep de Vale of Health in.

De keuken en het woongedeelte bevonden zich op de begane grond, waar ooit de koets van een victoriaanse familie had gestaan, en waar het paard zijn stal had gehad. Er liep een trap naar de eerste verdieping, waar niet alleen de twee badkamers maar ook twee slaapkamers te vinden waren. Het was allemaal heel licht, met witte wanden en grote ramen, maar niet streng. Dora had Anoushka op schoot en las voor uit *Het verhaal van Ronald Rat.*

'Ik ben vandaag alleen gekomen, opa. Vind je dat niet leuk?'

Wexford gaf eerst zijn kleindochter een kus, en daarna kuste hij Dora. 'Als ik zeg dat ik dat leuk vind, zeg jij het tegen Amy, en dan gaat zij denken dat ik jou aardiger vind dan haar.'

'Je vindt mij ook aardiger,' zei Anoushka.

'Ik vind jullie allebei even aardig, maar om verschillende redenen. Waar is ze eigenlijk?'

'Ze is naar dansles. Ik háát dansen.'

'Ik ook,' zei Wexford, 'maar zeg dat maar niet tegen Amy.' En tegen zijn vrouw zei hij: 'Al die boeken en kranten die we hebben meegenomen van thuis,' Kingsmarkham was nog steeds zijn echte thuis, 'wat is daarmee gebeurd?'

'Je hebt ze in die grote kast in de logeerkamer gestopt. Je zei dat je ze nog weleens zou opruimen of in de boekenkast zou zetten, maar het ligt er allemaal nog steeds.'

Wexford trok een treurig gezicht, en Anoushka moest daarom lachen. 'Ik wil iets opzoeken.'

'Mag ik mee?'

'Natuurlijk. Je kunt me helpen.'

Dat wekte bij Dora een spottend gelach op. Wexford en Anoushka liepen de trap op naar de logeerkamer, en Wexford trok de dubbele deuren van de kast open. De boeken lagen op de onderste plank, en de twee bovenste planken werden in beslag genomen door een grote massa papier, die de kast uit dreigde te vallen maar gelukkig toch op zijn plaats bleef liggen. Hij kon al dat spul daar maar beter weghalen. Hij trok twee armen vol tijdschriften, kranten, vellen papier, formulieren en catalogi uit de kast en liet alles zachtjes op de vloer vallen.

'Waar zoeken we naar, opa?'

'Een plaatje van een huis. Weet je wat een kalender is?'

'Iets wat je aan de muur hangt, met plaatjes en cijfers erop.'

'Precies.'

'Ik ga wel zoeken!'

Hij liet haar zoeken, want hij wist dat als een kind wil helpen, je het geduldig moet laten helpen en het soms zelfs moet aanmoedigen, maar dat je nooit maar dan ook nooit tussenbeide moet komen omdat je weet dat je het zelf sneller kunt. Anoushka vond twee kalenders, maar niet de kalender die hij zocht. Hij zag hem liggen, half onder een oud exemplaar van de *New States-man*, maar niets had hem ertoe kunnen bewegen om die te pakken terwijl zij nog in de kamer was. Ze begon zich te vervelen en nadat ze zijn uitvoerige dankbetuigingen bevallig in ontvangst had genomen, zei ze dat ze terug naar oma ging voor meer avonturen van de twee ratten en een gezin met jonge katjes. Zodra hij hoorde dat het voorlezen weer begon, pakte hij de kalender en bladerde die door. Waterhouse voor januari, Laura Knight voor februari, Sargent voor maart en bij april vond hij wat hij zocht: een reproductie van een schilderij waarvan de naam hem had doen opschrikken toen Tom Ede een straat in St. John's Wood noemde. Het was een schilderij van een man en een vrouw die voor een huis stonden, zij in een jurk in dezelfde kleur rood als haar haar, hij in een donkerblauw pak. Ze leken hartstochtelijk verliefd op elkaar. Achter hen bevond zich een levende muur van groene bladeren en onder het schilderij stond het onderschrift: Simon Alpheton (1973), *Marc en Harriet op Orcadia Place*. Die rode jurk, zo meende hij ooit ergens gelezen te hebben, was ontworpen door de Italiaanse ontwerper Mariano Fortuny, en hij meende zich te herinneren dat het tot 'schilderij van het jaar' was verkozen door de Royal Academy. Sindsdien was het gereproduceerd op talloze prentbriefkaarten, kalenders en posters, en bovendien werd het regelmatig gebruikt in advertenties.

Het was zesendertig jaar geleden geschilderd. Marc Syre was een popster geweest, en een beroemde societyfiguur. Harriet was gewoon zijn vriendinnetje. Zij zou hoogstwaarschijnlijk nog wel in leven zijn, maar Marc Syre was dood. Wexford herinnerde zich gehoord of gelezen te hebben dat hij was gestorven toen hij lsd had geslikt en van de steile rotskliffen bij Beachy Head was gesprongen. Maar ooit was hij eigenaar of huurder van Orcadia Cottage geweest, voordat zijn kelder een knekelhuis was geworden: een plek waar de stoffelijke overschotten van twee mannen en twee vrouwen waren aangetroffen die hij niet had gekend of die bij zijn leven nog niet eens geboren waren.

Ik zal het niet omschrijven als knekelhuis, besloot hij, en al evenmin als patio-graftombe. Ik zal het 'de grafkelder' noemen. Hij liep met de kalender naar de keuken, waar hij zijn koffertje had laten staan, en stopte de kalender erin, zodat Anoushka die niet zou zien. Vervolgens stapte hij de woonkamer binnen met de twee andere kalenders die zij had gevonden in de hand, alsof die voor hem van immens grote waarde waren.

4

Dus dat was hij nu: de externe deskundige van de hoofdinspecteur. Elke keer dat die gedachte bij hem opkwam, moest hij erom lachen. Hij lachte ook nu, terwijl hij zijn koffertje oppakte, Dora een kus gaf en naar buiten liep om daar te wachten tot Toms auto de straat in zou rijden. Wexford wist dat Tom stipt op tijd zou zijn, en dat klopte. Tom kwam aanrijden in een onopvallende burgerauto – als politieman in burger sprak dat ook vanzelf – die werd bestuurd door een jonge vrouw die hij voorstelde als zijn hoofdagent-rechercheur Lucy Blanch. Rechercheur Blanch, die zich voorstelde en zei dat hij haar maar Lucy moest noemen, was een slanke zwarte vrouw met een knap gezicht en haar zo zwart als ebbenhout. Hij had haar graag willen vragen of ze haar haar zelf had ingevlochten of dat aan een kapper had overgelaten, maar hij was zich altijd sterk bewust van alles wat als racistisch beschouwd zou kunnen worden. Tom had naast haar gezeten, maar nu ging hij naast Wexford op de achterbank zitten.

'Dan kunnen we het nog even over de zaak hebben.'

Tom gaf geen commentaar op Sheila's prachtige herenhuis, en al evenmin op de brede tuin en het kleine koetshuis met puntdak bij de toegangspoort. Wexford was bezoekers inmiddels als sympathiek of onsympathiek gaan beoordelen aan de hand van hoe ze daarop reageerden: of ze zeiden dat hij kennelijk goed geboerd had, en dat dat huis hem een lieve duit gekost moest hebben, of ze reageerden op zijn tweede huisje met niet meer afgunstige eerbied dan wanneer het een tweekamerflatje in Tooting was geweest. Het was een test waarvoor Mike Burden cum laude geslaagd was, maar Mike had ook al met hem samengewerkt sinds Sheila een klein meisje was, en wist hoe de verhoudingen lagen.

Op Fitzjohn's Avenue kwamen ze vast te zitten in een verkeersopstopping. Ook hier lag de rijweg weer half open. Wexford verbaasde zich elke dag weer over de enorme aantallen oranje kegels en wegversperringen die overal uit de grond leken te schieten terwijl er grote kuilen werden gegraven, pijpleidingen bloot kwamen te liggen en er allerlei werkzaamheden werden uitgevoerd. Kennelijk was het allemaal absoluut noodzakelijk om te voorkomen dat Londen piepend en krakend tot stilstand kwam. Hier waren tijdelijke verkeerslichten opgesteld, die veel langer rood bleven dan onder normale omstandigheden het geval was.

'Voordat we beginnen,' zei Wexford, 'wil ik je iets laten zien.' Hij maakte zijn koffertje open en haalde de kalender tevoorschijn. '*Marc en Harriet op Orcadia Place.* Maar misschien had je daar al van gehoord?' Tom Ede pakte de kalender met beide handen vast. 'Wel van gehoord, maar nog niet gezien. De schilder was toch Simon Alpheton?'

Het deed Wexford genoegen dat hij dat wist. 'Kijk, hier zie je dat het schilderij uit 1973 dateert. Is het huis sterk veranderd?'

'Een vorige eigenaar, een zekere Clay Silverman, heeft de wingerd laten weghalen. Wie waren of zijn Marc en Harriet?'

'Marc was Marc Syre. Hij speelde in de rockgroep Come Hither. De vrouw in de rode jurk was zijn vriendinnetje. Volgens mij heette ze Harriet Oxenholme. Hij is overleden, of liever gezegd, hij heeft zelfmoord gepleegd, nadat hij lsd had geslikt. Wat er van haar is geworden, weet ik niet.'

Tom liet dat even tot zich doordringen. Het tijdelijke stoplicht sprong op groen en Lucy reed een eindje verder in de lange rij auto's en bestelwagens, met daartussenin een enkele bus. 'Die Syre zal het wel gehuurd hebben. Het is tot 1974 eigendom geweest van ene John Walton, die het in dat jaar heeft verkocht aan een zekere Franklin Merton, die een technische bouwkeuring heeft laten uitvoeren. Dat is belangrijk, zoals je natuurlijk ook wel begrijpt.' Tom zweeg even en keek in de stapel aantekeningen die hij had meegenomen. 'Merton heeft het huis in 1998 verkocht aan twee Amerikanen, Clay en Devora Silverman. Die hebben geen bouwkeuring laten doen en zich verlaten op het door Merton overgelegde keuringsrapport. Kennelijk was het huis destijds zeer gewild, en in 2002, toen Silverman plotseling terug moest naar de Verenigde Staten, wilde hij het snel van de hand doen. De Rokeby's hebben al evenmin de moeite genomen om een eigen bouwkeuring te laten doen. Ze hebben cash betaald en hebben er binnen vijf weken hun intrek ingenomen.'

Wexford liet dat even tot zich doordringen. 'Dat wil zeggen dat drie van de lijken, de twee mannen en de oudere vrouw, waarschijnlijk al in de graftombe hebben gelegen' – het was de eerste keer dat hij dat woord gebruikte – 'terwijl Merton er woonde. Is het al bekend hoe lang ze daar gelegen hebben?'

'Het probleem is,' zei Tom, 'dat hoe lang ze daar ook gelegen mogen hebben, het in elk geval heel lang is. Tussen de tien en vijftien jaar, luidde de eerste schatting, en naderhand is dat toegespitst tot tussen de elf en dertien jaar. Laten we het dus maar op een jaar of twaalf houden. Zoals je al opmerkte, zijn ze daar dan waarschijnlijk terechtgekomen aan het einde van de periode dat Merton daar woonde. Maar Merton is dood. Hij was in de zeventig toen hij het huis verkocht, en vorig jaar is hij gestorven.'

'En die jongere vrouw?'

'Dat is moeilijk. Ze is tussen de twee en tweeënhalf jaar geleden gestorven. Laten we het maar op twee tot drie jaar houden. We gaan ervan uit dat ze al die tijd in de graftombe heeft gelegen, maar het is mogelijk dat het wat korter is.'

'Het zal er wel van afhangen, neem ik aan,' zei Wexford, 'of de moordenaar al aan de graftombe had gedacht voordat hij haar vermoordde, of er pas later aan heeft gedacht om het lijk daar te dumpen.'

Ze waren er nu bijna. Lucy kon goed rijden. Nauwgezet maar toch met flair manoeuvreerde ze door de smalle ruimte tussen een bus en vrachtwagen, met een vaardigheid waarvan Wexford zeker wist dat hij die niet zou kunnen evenaren. Toen trapte ze hard op de rem om drie tieners de gelegenheid te geven om midden op het zebrapad te blijven staan en zich op de foto te laten zetten, en wees naar de Abbey Road-studio's, waar de Beatles hun platen hadden opgenomen.

'Het is heel merkwaardig, meneer,' zei ze, 'dat geen enkele chauffeur die voor zoiets moet stoppen ooit begint te toeteren of te schreeuwen of zo, zelfs al steken hele drommen kinderen dat zebrapad over. Het is een eerbetoon aan de Beatles, vindt u ook niet?'

Wexford lachte. 'Daar zou je weleens gelijk in kunnen hebben.'

Ze reden verder door Grove End Road, gingen rechtsaf, staken Melina Place over en reden vervolgens Orcadia Place op. Het mocht dan veel weg hebben van een plattelandsweggetje, maar dan wel een plattelandsweggetje waar alle bomen uiterst deskundig waren gesnoeid, waar alle onkruid keurig was verwijderd en elke wilde bloem was vervangen door een plukje viooltjes of sleutelbloemen. Een hoge muur onttrok Orcadia Cottage vrijwel geheel aan het zicht, met uitzondering van de bovenste verdieping en het vrijwel platte dak. Er zat een smeedijzeren hek in de muur, tussen twee pilaren met een terracotta valk erop. Toen hij uitstapte zag Wexford rozen in vele vormen en kleuren door de smeedijzeren krullen en tierlantijnen heen, maar voor zover hij kon uitmaken, was er niets te ruiken. Tom bleef even staan om een blauwe das met rode strepen om te doen, die er nogal verfomfaaid uitzag.

Een stuk of zes mensen stonden bij elkaar voor de hekken. Misschien hoopten ze dat er iets bijzonders ging gebeuren, zoals hun aankomst bijvoorbeeld. Een zeer forsgebouwde jonge vrouw met een dik kind dat met een veiligheidsgordeltje om in een buggy was neergezet, deed met duidelijk zichtbare tegenzin een stapje naar achteren om Lucy de gelegenheid te geven het hek open te maken en Tom en Wexford binnen te laten. De in een driedelig kostuum geklede man met een zonnebril op, zag eruit alsof hij elk ogenblik naar hen toe kon komen om hun handtekening te vragen, maar stak toen snel zijn opschrijfboekje in zijn zak, alsof hij bang was dat hij daarmee misschien iets illegaals zou doen.

Een trap leidde naar de lichtgrijs geschilderde voordeur. Aan de zijkant van de lage treden stonden stenen potten met laurierboompjes, viooltjes en roze petunia's. Weelderige wit gevlekte ranken dropen van de randen van urnen en vazen. Maar, zoals Tom al had gezegd, de wingerd was verdwenen en in afwezigheid ervan was niet alleen de lichte rode baksteen zichtbaar geworden, maar ook een kopie van een medaillon van Della Robbia. Onder de nokbalken zat een daklijst van groene en blauwe tegels. Het mocht dan cottage genoemd worden, maar in Wexfords ogen was het een kast van een huis, met een voortuin van waaruit geen andere huizen te zien waren. Die werden stuk voor stuk aan het zicht onttrokken door struikgewas, coniferen, heggen en struiken met rozen in allerlei kleuren. En het was hier heel stil. Alleen als je ingespannen luisterde, hoorde je in de verte het zachte gedruis van St. John's Wood Road en Hamilton Terrace.

Lucy haalde een sleutel uit de zak van haar jasje en maakte de voordeur open. De inrichting was teleurstellend. Meubels die rechtstreeks uit een of ander warenhuis kwamen, en uiterst conventionele bruine en crèmekleurige gordijnen. Geen boeken. Precies in het midden van elke wand hing een schilderij in een zwaar vergulde lijst met een hoop tierlantijnen. Het geheel maakte een levenloze indruk, en er hing een bedompte lucht.

'Wonen de Rokeby's hier niet meer?'

'Anne Rokeby hield het hier niet meer uit. Ze huren nu een flat in Maida Vale. Ze komen ongetwijfeld wel weer terug als het onderzoek is afgerond. Als we erachter zijn gekomen wat zich hier heeft afgespeeld dus, wanneer dat dan ook mag zijn.'

Tom ging hem voor door een gang die naar de keuken leidde. De keukendeur was dicht. Links daarvan zagen ze een deel van de muur waar een schilderij hing, een reproductie van Manets *Bar in de Folies-Bergère*.

'De kelder en de keldertrap zijn recht hieronder,' zei Tom. 'De trap – twaalf treden – komt hier uit, precies waar we nu staan. Er zou hier een deur moeten zijn, maar die is er niet. Maar er heeft hier ooit een deur gezeten, dat kan niet anders. Dat moet wel. Laten we maar eens buiten gaan kijken.'

Ze liepen door de keuken en stapten de tuin in. Die was eigenlijk te groot om patio genoemd te kunnen worden. Het was meer een soort achterplaats, geplaveid met plavuizen van leisteen en met smalle borders aan drie zijden, die waren beplant met lavendel en heideplanten die nog niet in bloei stonden. In de hoge achterwand zat een zware, zwart geschilderde deur, en Lucy vertelde

Wexford dat die toegang bood tot het straatje achter de huizen. Tom maakte de deur open en Wexford zag garages met appartementen erboven en iets waarvan Lucy hem vertelde dat het een appartementencomplex was, al leek het eigenlijk meer op een reeks eengezinswoningen met balkons op de boven-verdieping en een erker op de begane grond.

Iets links van het exacte middelpunt van de patio, zat een rechthoekig gat in het plaveisel. In het metalen putdeksel dat ernaast lag stonden de woorden PAULSON AND GRIEVE, IRONSMITHS, STOKE gegraveerd. De zon scheen, en toen Wexford neerknielde om in het gat te kijken, voelde de platte, enigszins onre-gelmatige steen warm aan onder zijn handen. Er viel niets te zien daar bene-den, en inmiddels ook niets meer te ruiken. Hij kon nog net de bakstenen muren onderscheiden, en de vorm van de deur tussen het kolenhok en de kelder.

'Daar lagen ze,' zei Lucy. 'Ze waren min of meer op elkaar gestapeld.'

Ze liepen het huis weer binnen en bleven in de gang staan, naast de keuken-deur. Wexford keek nog eens naar de blinde muur en legde er een hand op, alsof de muur plotseling open zou kunnen zwaaien, zodat de trap zichtbaar werd.

Tom zei: 'Het valt te begrijpen dat iemand een deuropening dichtmetselt als die geen nuttig doel dient, maar deze deuropening – en er moet een deurope-ning geweest zijn – had wél een nuttig doel. Hij bood toegang tot de kelder-trap.'

'Ik heb de indruk,' zei Wexford, 'dat degene die de lijken van die twee man-nen en die oudere vrouw in dat kolenhok heeft neergelegd, ook deze deurope-ning heeft dichtgemetseld. Op die manier was dat kolenhok alleen nog te bereiken via het stortgat in de patio.'

'Wil dat zeggen dat het een bouwvakker is geweest? Of een goede klusjes-man? Ik zou zoiets niet kunnen. Zou jij het kunnen?'

'Nee, Tom, dat zou ik niet kunnen. Het idee dat ik een muurtje zou kunnen metselen, is gewoon lachwekkend. Maar dat brengt me weer bij die opening in de patio. Als diegene handig genoeg was om een deur weg te kunnen halen en een deuropening dicht te metselen, en vervolgens de muur ook nog zo goed te pleisteren dat je niet eens meer ziet dat daar ooit een deur heeft geze-ten, waarom heeft hij dan dat stortgat niet dichtgemaakt?'

'Misschien was hij dat wel van plan,' zei Lucy, 'maar werd hij gestoord in zijn werk of misschien lukte het hem niet om het materiaal dat hij nodig had in handen te krijgen.'

'Als hij in staat was om bakstenen en pleisterkalk in handen te krijgen, dan kon hij ook wel wat tegels bemachtigen. En als hij in zijn werk is gestoord, moet er wel iets heel belangrijks zijn gebeurd, want zodra hij dat stortgat had dichtgemaakt, zou hij volkomen veilig zijn geweest: niet voor elf of twaalf jaar, maar voor altijd. Die lijken zouden dan in een hermetisch van de buitenwereld afgesloten graftombe hebben gelegen.'

'En niemand zou daar dan twee jaar geleden nog een vierde lijk hebben kunnen dumpen. Want dat is toch twee jaar geleden gebeurd?'

'Ze is twee jaar geleden om het leven gekomen. We kunnen er niet zeker van zijn dat haar lijk daar onmiddellijk na haar dood is terechtgekomen, maar iemand moet haar wel in dat kolenhok hebben gegooid,' zei Tom. 'Dat lijdt geen twijfel.' Ze stapten de keuken binnen en gingen om de tafel zitten. 'Rokeby kan het niet geweest zijn. Dat lijkt me in elk geval heel onwaarschijnlijk. Als hij dat vierde lijk daar had achtergelaten, had hij ons heus niet gemeld wat hij daar in die kelder had aangetroffen.'

'Je zei gisteren iets over DNA,' zei Wexford.

'Ja, klopt. Onderzoek van de monsters die we hebben genomen, heeft uitgewezen dat de oudere en de jongere man familie van elkaar waren. Geen vader en zoon of oom en neefje, maar misschien wel neven van elkaar. De vrouwen waren niet verwant met elkaar of met hen. Het... tja, verbijsterende is dat geen van deze vier beantwoordt aan het signalement van iemand die een jaar of twaalf geleden als vermist is opgegeven. En dat is werkelijk hoogst merkwaardig. Niet wat de mannen betreft trouwens. Voor een man is de kans dat hij als vermist wordt opgegeven veel kleiner dan voor een vrouw. Misschien waren ze allebei alleenstaand. Er is geen reden om aan te nemen dat ze hebben samengewoond.

Hoe zijn ze om het leven gekomen? Dat weten we niet. Op de lijken zijn geen sporen aangetroffen waaruit we kunnen opmaken hoe ze zijn gestorven. Met de vrouwen is het een ander verhaal. Beide vrouwen hadden een ernstige schedelbasisfractuur. Volgens de patholoog-anatoom zijn die allebei dodelijk geweest.' Tom keek op zijn horloge. 'Goed. Om halfelf heb ik een afspraak met mevrouw Anthea Gardner in Bolton Mews. Ze is al eerder ondervraagd, maar niet door mij. Zij is de enige persoon die we in verband hebben kunnen brengen met Orcadia Cottage in de tijd dat meneer en mevrouw Merton er woonden. Dus dan moeten we nu weg. Lucy, rijd jij ons even naar Boltons Grove?'

'Wie is Anthea Gardner?' vroeg Wexford toen ze weer in de auto zaten.

'Ze is min of meer de weduwe van Franklin Merton, de eigenaar van Orcadia Cottage vanaf een bepaald moment in de jaren zeventig tot 1998.'

'Ah, dat is dus inclusief de relevante periode. Wat bedoel je met "min of meer"?'

'Hij is met haar getrouwd geweest voordat hij een zekere Harriet trouwde, die vermoedelijk de Harriet op het schilderij is. Om de een of andere reden is hij nooit van haar gescheiden, maar in 1998 weer gaan samenwonen met Anthea, en tot zijn overlijden vorig jaar is hij bij haar gebleven.'

Toen Lucy wegreed, keek Wexford om naar Orcadia Cottage. Het huis straalde iets sereens uit, een rust en stilte die de indruk wekten dat niets ooit de vredigheid daar had verstoord. Geen enkel briesje deed de boomtakken heen en weer zwaaien of de bladeren ruisen. Hoewel hij wist dat hij zich dat maar verbeeldde, kreeg hij sterk de indruk dat het huis rustig glimlachte, en dat het als het kon spreken, de volgende woorden zou laten horen: 'Ik sta hier nu al tweehonderd jaar en heb vele dwaze mensen zien komen en gaan, en over tweehonderd jaar, als al die lijken in mijn kelder zijn vergeten, sta ik hier nog steeds.'

De auto draaide Grove End Road in en begon aan zijn reis door files en langs wegversperringen en grillig afgestelde verkeerslichten naar South Kensington.

5

Aan de vele Georgiaanse huizen in Londen zou hij nooit helemaal gewend raken. Wat hem er zo aan trof was niet hun ouderdom – een groot deel ervan was pas halverwege de regeringsperiode van koningin Victoria gebouwd – en ook niet alleen hun schoonheid, maar vooral hun enorme rijkdom aan erkers, zuilen, bogen en balkonnetjes, in alle soorten, maten en combinaties. Hij had er nog niet zo heel veel gezien in de Georgiaanse stijl, maar wel voldoende om tot de conclusie te komen dat ze allemaal uniek waren, stuk voor stuk een verrassing, allemaal overdekt met een dikke laag ivoorwit stucwerk alsof ze waren uitgesneden uit een blok vanille-ijs, en met vele schoorstenen die als een soort kammen dwars over hun lage, met leisteen bedekte daken stonden en tegenwoordig niet meer in gebruik waren. Terwijl ze over Old Brompton Road reden, kreeg hij de indruk dat ze alleen in Bayswater in nog grotere drommen bij elkaar stonden. Hier in The Boltons stonden ze aangetreden in fraaie, welverzorgde gelederen, het romige wit van hun façades alleen maar verstoord door zwart geschilderde balkonhekken vol met gietijzeren krullen en tierlantijnen die zo ingewikkeld waren dat ze nog het meeste weg hadden van *broderie anglaise*.

Anthea Gardner woonde in een van die huizen, of liever gezegd, een huisje, dat mooi genoeg was om niet het onderspit te delven tegenover de statige paleizen waar het tussenin stond. De voordeur had dezelfde kleur grijs met groene ondertonen als die van Orcadia Cottage, en Wexford besloot dat hij die kleur zou kiezen als hij zijn huis in Kingsmarkham weer eens liet schilderen. Tom viste opnieuw zijn tamelijk gekreukte blauwe das met rode strepen uit zijn jaszak en deed die om. Wexford drukte op de bel, en onmiddellijk begon een hond in huis rustig en bedaard te blaffen.

'O, alsjeblieft,' zei Tom. 'Niet zo'n vervelende hond.'

Dat 'vervelende' viel Wexford op, net zoals hij de man de vorige dag 'Joost' had horen zeggen. Iemand anders zou 'rotbeest' hebben gezegd, of een echte krachtterm hebben gebruikt. Het interesseerde hem, en terwijl hij daarover stond na te denken ging de deur open, en verscheen de inmiddels niet langer blaffende hond in de deuropening. Hij was samen met zijn baasje, dat hem nu stevig vasthield bij de band om zijn kastanjekleurige hals. Misschien was 'kastanjekleurig' niet helemaal het juiste woord; de vacht van de hond was meer roodbruin, met zoveel rood erin dat je het ook gewoon rood zou kunnen noemen. Hoewel dat eigenlijk nergens op sloeg, kwam de gedachte bij hem op dat die vacht precies dezelfde kleur had als het haar van Harriet Oxenholme op het schilderij.

'Komt u toch binnen,' zei Anthea Gardner. 'Dit is Kildare. Hij is een lieve hond, en hij bijt niet.'

Haar korte, keurig bijgehouden haar was niet rood maar grijs; de stugge, zilvergrijze kap van een dame op leeftijd. Ze had een gezet postuur maar was niet dik, en ze ging gekleed in een plooirok en blouse. Ze had een prettig en intelligent gezicht, van het soort dat nooit knap is geweest maar dat waarschijnlijk een heel prettige aanblik zou bieden als je er 's ochtends aan de ontbijttafel tegenover zat. Binnen was het huis al even fraai als buiten. Het was ingericht met mooie stukken antiek en charmante schilderijtjes, waaronder een stilleven van fruit en kaas. Een muis in een hoekje van het schilderij keek met een wat beteuterde blik naar de kaas alsof hij daar heel graag een hapje van zou willen nemen, maar het niet echt durfde.

Wexford, die tot zijn lichte gêne werd voorgesteld als Toms adviseur, maakte daar een opmerking over en vroeg of het een schilderij van Alpheton was.

'Ja, inderdaad,' zei ze. 'Wijlen mijn partner heeft het meegenomen vanuit dat huis.' Het was overduidelijk welk huis ze bedoelde. Ze trok haar neus op. 'Nou, hij heeft het grootste deel van dit meubilair daarvandaan gehaald. O ja, ook de spiegel. Hij was erg gesteld op die spiegel.'

Dus zo loste ze het probleem op: ze verwees naar de man met wie ze had samengewoond als wijlen haar partner.

'Dat was een tamelijk merkwaardige toestand, mevrouw Gardner,' zei Wexford. 'Wat denkt u dat er van uw... van wijlen uw partners echtgenote geworden is? Mevrouw Harriet Merton, bedoel ik.'

Anthea Gardner legde haar hand op de gladde, bijna rode kop van de setter, aarzelde en zei: 'Ik heb haar nooit ontmoet, weet u. Franklin is er met haar vandoor gegaan en wij zijn gescheiden. Nou, na verloop van tijd dan. Ik heb hem vijf jaar laten wachten. Tegen die tijd had ik Roger Gardner ontmoet, en dus zijn Franklin en ik gescheiden en ben ik met Roger getrouwd. Ik ben bij hem gebleven tot aan zijn dood, en daarna kwamen Franklin en ik elkaar toevallig tegen in St. James's Park. Toen zijn we weer gaan samenwonen, maar Harriet heb ik nooit ontmoet. Er was geen reden voor.'

'Ik meende uit uw woorden te kunnen opmaken dat meneer Merton heeft geprobeerd haar te vinden?'

'Tja, ja en nee. Eerlijk gezegd dacht hij dat ze uit zichzelf wel weer zou komen opdagen en dat zij dan haar best zou doen om hém te vinden. Hij ging naar Orcadia Cottage en kwam erachter dat ze het grootste deel van haar kleren en sieraden had meegenomen. Van de buren hoorde hij dat ze ervandoor was gegaan met een zekere Keith Hill.'

'Maar u bent niet samen met hem naar Orcadia Cottage geweest?' vroeg Wexford na een knikje van Tom.

'Nee, ik ben daar nooit geweest. Ik heb me er zelfs nooit in de buurt gewaagd. Het enige wat ik ervan weet, is wat ik heb gezien op de tv en in de krant. Maar er is nog wel iets raars wat u misschien zal interesseren. Toen Franklin terugkwam, zei hij dat hij had kunnen zweren dat er een keldertrap was, achter een deur in de gang, maar die was er niet. Ik zei tegen hem: "Hoe bedoel je dat je 'zou kunnen zweren'? Zou je daar voor de rechter een eed op durven doen?" En daarop moest hij wel zeggen dat hij dat niet zou durven.'

'Hij zal toch zeker wel geweten hebben of er een keldertrap was of niet? Hij had dertig jaar in dat huis gewoond.'

'Ik vertel u alleen maar wat ik toen van hem gehoord heb,' zei Anthea Gardner.

Wexford dacht terug aan het DNA-onderzoek. 'Hebt u ooit gehoord van bloedverwanten van Harriet? Broers, zussen, misschien zelfs neven en nichten?'

'Haar ouders zijn allebei dood,' zei Tom. 'En dat is ook niet zo vreemd, want als ze nog leeft, is Harriet nu zestig jaar of ouder.'

'Ik denk van niet. Ik bedoel, ik heb nooit iets gehoord over familie van haar. Volgens mij had ze geen familie, maar als ze wel familieleden had, zouden die het natuurlijk wel uit hun hoofd laten om mij te benaderen.'

Wexford wierp nog een laatste blik op de spiegel waar Franklin Merton zo op gesteld was geweest. De lijst was een fraaie mengeling van verschillende tinten ingelegd hout: niet alleen licht en grijs, maar ook verguld en turquoise gekleurd. Het glas weerspiegelde zijn bewonderende blik. Anthea Gardner sloot de hond op in de woonkamer en liep met hen naar de deur. Buiten zat Lucy te wachten in de auto. Toen hij weer op de achterbank zat, zei Wexford: 'Het skelet van de oudste vrouw, zat daar nog haar op of lag er wat omheen?' En in gedachten voegde hij daaraan toe: *een krans felrood haar om het kale gebeente...*

Er was haar aangetroffen, maar dat was niet felrood geweest. Tom zei: 'Er is wat haar gevonden dat oorspronkelijk grijs was geweest maar rood geverfd was. Dat zegt ons niet veel.'

Dat zei niet veel, dacht Wexford. Vrouwen die rood haar hadden gehad, verfden het rood als het grijs werd, maar er waren ook vrouwen met grijs haar die hun haar rood verfden terwijl het vroeger blond of donker was geweest.

'Hoe zit het met de buren in Orcadia Cottage? Sommigen van hen moeten haar toch gekend hebben.'

'Dit is Londen,' zei Tom. 'De mensen hier kennen hun buren niet. Je kunt in Londen jarenlang naast iemand wonen zonder zelfs maar te weten hoe hij heet. En bovendien moeten we twaalf jaar terug. De weinige buren die er toen al woonden, hebben verklaard Harriet alleen maar van gezicht gekend te hebben. Een vrouw in de appartementen boven de garages achter het huis schijnt haar gekend te hebben. Ze is inmiddels gescheiden en zit nu in Zuid-Afrika. Ik bedoel niet dat ze daar woont, maar ze verblijft er wel regelmatig een tijd. Ik heb haar aan de lijn gehad en ze heeft meer informatie verschaft over Harriet dan wie dan ook, maar veel is het niet. Over een week of zo komt ze thuis en dan hoop ik haar wat... diepgaander te kunnen ondervragen.'

'Hoe heet ze?'

'Mildred Jones. Is het je opgevallen dat Anthea Gardner Keith Hill heeft genoemd als de man met wie Harriet er misschien vandoor is gegaan? Nou, Mildred Jones vertelde me dat ze die Keith had ontmoet, en dat zij degene is die dat tegen Franklin Merton heeft gezegd. Een jonge jongen, zei ze, die in een of andere antieke auto reed, een grote Amerikaanse slee. Een Edsel noemde ze die. Ze heeft hem dat ding een paar keer in de garage zien zetten. Twaalf of dertien jaar geleden was het volgens haar.'

'"Een jonge jongen", zei je. Hoe jong dan?'

'Volgens Mildred Jones "een jaar of twintig". O, ik weet wat je nu denkt. Mannen van een jaar of twintig gaan er over het algemeen niet vandoor met vrouwen van vijftig. Ik wil die Mildred weleens in levenden lijve spreken.'

Tom rukte zijn das los en bestelde koffie. Ze gingen in zijn glazen kantoorruimte zitten. Een paar mannen en vrouwen, in uniform en in burger, kwamen langsgelopen. Het had iets griezeligs om hen te kunnen zien, en te weten dat zij niet naar binnen konden kijken.

Plotseling zei Tom: 'Woon jij in de buurt van de begraafplaats van West Hampstead?' Hij dacht van niet, zei Wexford.

'Daar staat de graftombe van groothertog Michael van Rusland. Hij was een familielid van de laatste tsaar, maar hij is verbannen omdat hij een ongepast huwelijk had gesloten. Die vrouw was een gravin, maar voor de keizerlijke familie was dat te min, en dus werd hij gedwongen Rusland te verlaten. Daar heeft hij geluk mee gehad, of hij had een goed oordeelsvermogen, of je zou ook kunnen zeggen dat God soms langs ondoorgrondelijke wegen zijn wonderen verricht. Als Michael in Rusland was gebleven zou hij op dezelfde manier aan zijn einde zijn gekomen als de rest van de keizerlijke familie. In plaats daarvan is hij zo verstandig geweest om toch met die vrouw te trouwen, en heeft hij zijn hele leven rustig in Hampstead gewoond, tot hij daar een natuurlijke dood stierf.'

'Ik zal eens naar zijn graf gaan kijken,' zei Wexford. Hij begon in de gaten te krijgen dat Tom soms plotseling wat kon afdwalen. Toen schoot hem opeens iets te binnen: 'Tanden!'

'Ja, tanden natuurlijk,' zei Tom. 'De tanden waren het eerste identificatiemiddel waar we aan dachten. Maar zal ik jou eens iets vertellen? Tanden – of liever gezegd, gebitten – zijn lang niet zo'n onfeilbaar middel meer om iemands identiteit te achterhalen als vroeger. We hebben tegenwoordig zo enorm veel immigranten, en dan ook nog asielzoekers. En tot mijn verdriet ook een heleboel vrouwen die het slachtoffer zijn geworden van vrouwenhandel. Een heleboel mensen die hier uit Azië of zelfs Oost-Europa naartoe komen, hebben nooit een tandartspraktijk vanbinnen gezien. Of als ze wel door een tandarts zijn behandeld, dan weten we die niet te vinden. En omdat er tegenwoordig maar weinig tandartsen zijn die via de National Health Service werken, zijn er duizenden mensen die het niet breed hebben en die bezuinigen door niets aan hun gebit te laten doen.'

'En dat geldt ook voor de vier mensen in de kolenkelder?'

'De patio-graftombe noem ik het,' zei Tom.

De grafkelder, dacht Wexford zwijgend. Hij herhaalde zijn vraag.

'Voor drie van hen wel. Het gebit van de oudste man zou je een ruïne kunnen noemen. Hij miste een paar tanden en kiezen, en de tanden en kiezen die hij nog over had, moeten hem veel pijn gedaan hebben, maar het lijkt erop dat hij nooit bij de tandarts is geweest. Zijn gebit was op geen enkele manier behandeld. Nooit. De jongere man was al evenmin naar de tandarts geweest, maar hij was nog jong, en afgezien van een kies met een gat erin, was zijn gebit volkomen gaaf. De jongste vrouw had tamelijk slechte tanden, waar ze last van gehad moet hebben, maar ook zij was niet door een tandarts behandeld, terwijl voor de oudere vrouw juist het tegenovergestelde gold. Die had een aantal implantaten, kronen en bruggen, heel duur spul, maar tot dusverre zijn we er niet in geslaagd om de tandarts te achterhalen die dat gedaan heeft. Het kan zelfs een Amerikaanse tandarts geweest zijn. Daar komen we dan nog wel achter, maar het is een tijdrovend proces.'

'Ook dat wijst erop dat zij Harriet Merton was.'

Tom knikte wat verstrooid, keek op zijn horloge en zei: 'Nou, over een halfuurtje heb ik een vergadering, maar we nemen nog wel contact op. Ik bel je. Lucy rijdt je wel even naar huis.'

Wexford hield zichzelf voor dat hij niet het gevoel moest krijgen dat hem wat hooghartig te kennen was gegeven dat Tom hem niet langer nodig had. Als de man een vergadering had – en Wexford wist maar al te goed aan hoe-

veel vergaderingen, seminars, symposia, lezingen en werkgroepjes een politieman tegenwoordig dient deel te nemen – dan was dat nou eenmaal zo. Hij
mocht niet klagen. Ze hadden alles besproken wat er te bespreken viel. Tom
zou nog wel bellen. Maar hij weigerde de lift naar huis. Hij zou de bus nemen
en het mooiste deel van de route lopen.

Hij liep in de zon door Pattison Road naar de West Heath. Iemand had hem
verteld dat de vroegere koning van Griekenland daar woonde, en hij keek met
toeristische belangstelling naar het huis waarvan hij dacht dat dat het moest
zijn. Maar er was nergens iemand van koninklijken bloede te bekennen en
Wexford voelde zich licht teleurgesteld, want hij had nog nooit een koning
gezien. Hij bleef even staan om aan een tak met witte bloesem te ruiken, maar
ook die gewaarwording stelde teleur. De boom waaraan die bloesem was ont-
sproten, was zo fraai van vorm dat het kennelijk te veel gevraagd was dat die
ook nog lekker zou ruiken.

Vroeg in de avond, terwijl de zon nog hoog aan de hemel stond en de sche-
mering nog lang op zich zou laten wachten, ging hij terug naar Orcadia Place,
deze keer samen met Dora. Ze weigerde om te lopen en zei tegen hem dat hij
'een van die obsessies van jou' begon te ontwikkelen over alles te voet doen.
Ze had anderhalf uur in de fitnessclub doorgebracht waarvan ze kortgeleden
lid was geworden, en dat was voor één dag wel weer voldoende lichaamsbeweging. Wexford keek in de spiegel en realiseerde zich dat hij iets begon te ontwikkelen wat erger was dan een eenvoudige obsessie met lichaamsbeweging:
hij was bang dat hij onmiddellijk een paar kilo aan zou komen als hij een bus
of taxi nam. Ze namen een taxi.

Er stond nog steeds een groepje mensen voor het hek. Het waren niet allemaal dezelfde mensen. De jonge vrouw met het kind was weg, maar de man
met de grote zonnebril was er nog steeds, of wat Wexford waarschijnlijker
leek, hij was weer teruggekomen. De vrouw die hij bij zich had, en die eveneens een zonnebril droeg, was waarschijnlijk zijn echtgenote. De kauwgum-
kauwende jongen in een sweater met capuchon was ook een nieuwkomer.
Misschien ging de man met de zonnebril elke keer dat hij op weg naar zijn
werk en weer terug langs het huis kwam, hier even kijken. Wexford en Dora
liepen de hoek om naar het straatje achter de huizen, maar daar was niemand
te bekennen.

'Ik vind het moeilijk te geloven,' zei Wexford terwijl hij naar het apparte-
mentenblok keek dat Orcadia Court heette, 'dat niemand in die flats of in de
huizen in de straten hier in de buurt ons – de Londense politie, bedoel ik –
ook maar iets kan vertellen over Harriet Merton.' Toen hij nog politieman
was, had hij zijn werk altijd zorgvuldig gescheiden gehouden van zijn privé-
leven, maar nu lag dat anders. Hij had Dora verteld wat er die ochtend was

gebeurd. 'Tom zegt dat buren in Londen elkaar niet kennen. Tot op zekere hoogte zal dat best waar zijn, maar de mensen kunnen toch niet zo heel anders zijn dan de mensen elders? Ze zullen heus wel van gezelschap houden, en ze zijn ongetwijfeld verzot op roddelen.'

Ze knikte. 'Dat zal misschien best zo zijn, maar dit is allemaal twaalf jaar geleden gebeurd, en ik verwacht dat de meeste flats hier in de tussentijd al een paar keer in andere handen zijn overgegaan.'

'Ik zou willen dat ik daar binnen kon gaan om met die mensen te praten. Zoals een van die amateurdetectives in detectiveromans.'

Ze zei niets, maar gaf hem een kneepje in zijn hand.

'Dezer dagen zijn er niet meer zoveel van dat soort boeken,' zei Wexford, die zich er plotseling van bewust werd dat 'dezer dagen' erg ouderwets klonk. 'Tegenwoordig, bedoel ik. Iedere detectiveschrijver had een amateurdetective die slimmer was dan de politie. Sherlock Holmes natuurlijk. Lord Peter Wimsey...'

'Albert Campion.'

'Roderick Alleyn.'

'Alan Grant.'

'Nooit van gehoord. Wie was dat dan?'

'De detective van Josephine Tey. Maar nee, dat herinnerde ik me verkeerd. Hij was een bonafide politieman.'

'Wat ik ermee wil zeggen, is dat die mensen door de politie enorm gerespecteerd werden. Ze liepen voortdurend met de rechercheurs mee, ondervroegen verdachten, hadden toegang tot alle geheimen, ze lazen de lijkschouwingsverslagen en kwamen er uiteindelijk altijd als eersten achter wie het gedaan had. En het waren beroemdheden. Niet alleen had iedereen van hen gehoord, maar ze waren heel populair.'

'Ik neem aan dat het in werkelijkheid nooit zo geweest is.'

'Waarschijnlijk niet. Maar waar het mij om gaat, is dat ik op dit moment een amateurdetective ben, maar dat ik anders dan Lord Peter niet bevoegd ben om het huis van een verdachte binnen te gaan, en al evenmin om hem of haar te verhoren.'

Ze keek hem aan, maar hij glimlachte en klonk opgewekt. Hij liep naar een deur in de hoge, bakstenen muur en morrelde aan de deurkruk. Tot zijn verrassing ging de deur open. 'We zijn hier vanochtend geweest,' zei hij, 'en toen we weggingen, is iemand vergeten deze deur op slot te doen. Maar dat is niet mijn verantwoordelijkheid, en dat is eigenlijk best een prettig gevoel.'

Er was niets te zien. Het deksel lag weer op het gat in de grond. PAULSON AND GRIEVE, IRONSMITHS, STOKE. De bladeren van de lavendelstruik wiegden zachtjes heen en weer in de avondwind. In een van de tuinen zong de merel een liedje waarin hij aankondigde dat hij zo ging slapen. Wexford dacht aan een gedicht van Auden, 'Musée des Beaux Arts', over het leven dat gewoon doorgaat ook al is er allerlei verschrikkelijks gebeurd. 'Het beulspaard,' herinnerde hij zich, 'schuurt met zijn onnozele kont langs een paal.'

'Lagen de lijken daarbinnen?' Dora wees naar het ijzeren deksel van Paulson and Grieve. 'In een kelder onder dat ding?'

'In een kelder onder dat ding,' zei Wexford haar na. 'En het was een samengeraapt zootje. Twee mannen, twee vrouwen, van wie twee jong en twee een stuk ouder. Laten we maar gaan. Er valt hier niets te zien.'

Ze liepen naar West Hampstead. Het was woensdagavond en morgen zou Tom hem bellen. Hij beschikte over het vaste nummer van het koetshuis en over Wexfords mobiele nummer. Tom had hem gevraagd om als adviseur te fungeren, en hij zou morgen bellen. Er kwam een taxi langsrijden en ze stapten in. Hij was telkens weer verbaasd over de enorme bedragen die je voor een taxiritje moest neertellen, en hij was er inmiddels achtergekomen dat ze na acht uur 's avonds nog duurder waren. Tien pond om van de ene kant van Hampstead naar de andere te rijden, en dat zelfs voor achten...

Het begon donker te worden. Sheila's kat Bettina zat op de drempel toen ze terugkwamen. 'Terug', en niet 'thuis'. Daar was hij toch nog niet aan toe, en misschien zou hij daar nooit aan toe zijn. De kat liet een luid gemauw horen en rende snel naar binnen toen Dora de voordeur opendeed.

'Zal ik haar een schoteltje melk geven?'

Dora keek geschrokken. 'O nee, dat moet je niet doen. Dat schijnt heel slecht te zijn voor katten. Ze kunnen het niet verteren.'

Dat moest Wexford eerst zelf even verteren, en toen zei hij: 'De mensheid heeft katten eeuwenlang schoteltjes melk gegeven, zowel in het leven als in de literatuur.

In elk boek of verhaal waarin een kat voorkomt, zie je die vroeg of laat melk drinken. Katten drinken melk, daar leven ze van, daar genieten ze van. Als jij een van die proefjes zou moeten doen waarbij je een woord te horen krijgt en dan het eerste andere woord moet zeggen dat in je opkomt, en je zou "kat" te horen krijgen, dan zou je waarschijnlijk onmiddellijk "melk" zeggen. En nou ga je me vertellen dat melk slecht is voor katten?'

'Dat kan ik allemaal ook niet helpen, Reg. Ik heb het van Sheila, en die heeft het weer van de dierenarts.'

'Straks ga je nog vertellen dat botten slecht zijn voor honden.'

'Nou, een heleboel mensen zeggen dat inderdaad. Er kunnen splinters van een bot afspringen, snap je?'

De kat leek echter ook wel tevreden met niets meer dan hun gezelschap. Ze bleef bij hen zitten totdat Wexford het avondjournaal aanzette, en ging er toen vandoor, een slanke, soepele verschijning met een dikke blauwzwarte vacht, die in het invallende duister door het grote huis schoot. Kennelijk hield ze niet van televisie.

Hij was niet van plan om donderdag thuis te blijven wachten tot Tom belde, maar toen hij de deur uit ging, nam hij wel zijn mobieltje mee. Hij liep langs de Heath naar Kenwood. Hij was van plan geweest om van daaruit door te lopen naar Highgate, maar dan zou hij wel een manier moeten vinden om weer terug te komen. Het was te ver om heen en terug te lopen. Highgate kon eigenlijk nog wel even wachten, besloot hij nu. St. Michael's Church, waar Coleridge een gedenksteen had, zou er ook volgende week nog wel zijn, en dat gold ook voor Highgate Hill, waar Dick Whittington en zijn kat, de hoofdpersonen uit de bekende negentiende-eeuwse musichall-klucht *Dick Whittington and his Cat*, zich hadden omgedraaid om neer te kijken op Londen en zijn met goud geplaveide straten. 'Ik durf er alles om te verwedden,' zei Wexford tegen niemand in het bijzonder, 'dat Dick die kat melk gaf.'

Tom belde niet. En toen hij thuiskwam, was er al evenmin iets ingesproken op de voicemail van het vaste nummer. Maar daar maalde hij niet om. Die avond gingen Dora en hij naar de film *Slumdog Millionaire*. Toen hij de volgende ochtend nog steeds niet gebeld was en Tom ook verder niets van zich had laten horen, zei hij tegen Dora: 'Laten we dit weekend naar huis gaan.'

'Dit is ons huis.'

'Nee, niet echt. Als we voor drieën weggaan, zijn we de avondspits nog voor.'

6

Het was de eerste keer dat hij als gewoon burger en niet als politieman in de bar van de Olive and Dove zat. 'Waarom gaan we niet in de gelagkamer zitten?' zei hij tegen Mike Burden.

'Die is weg. Ze hebben er een *ladies only*-bar van gemaakt.'

Wexford keek hem strak aan. 'Kan dat zomaar? Is dat geen seksuele discriminatie, zoals we dat tegenwoordig moeten noemen?'

'Waarschijnlijk wel. Er is enorme ruzie over. De afgelopen week haalt die telkens weer de voorpagina van de *Courier*. Rode wijn?'

'Dat is niet veranderd.'

Dora en hij waren gisteren aan het eind van de middag thuisgekomen. Net zoals de vorige keer had het wel iets weg van terugkomen van twee weken vakantie, maar wel in het besef dat je zodra je maar wilde weer op vakantie kon. Binnen een uur had Dora Sylvia gebeld en nu was ze bij haar op bezoek in haar grote en ruime huis op het platteland. Wexford vond het een tamelijk prettige gedachte dat zijn beide dochters grotere huizen hadden dan hij, al had hij er nu natuurlijk twee. Hij maakte tegenwoordig deel uit van het selecte gezelschap mensen met een tweede huis. Hij was nu een van die helden die zich door nachtmerrieachtige verkeersopstoppingen heen worstelen om een huis op het platteland te bereiken, waar het koud en onbehaaglijk is. Maar in de lente ligt dat anders, en deze keer, na even de ramen open te hebben gezet, was de bedompte lucht snel uit huis verdwenen.

Het was heel warm en hij zat nu bij een ander open raam en keek naar het gazon. Je kon het gras gewoon zien groeien. Toen hij Burden belde, had hij eigenlijk niet verwacht dat de nieuwe hoofdinspecteur vrij zou zijn op zaterdagavond, maar Mike had snel ja gezegd. Hij zou het leuk vinden om even wat te drinken.

Terwijl Burden met twee glazen rode wijn terugliep naar hun tafeltje, merkte Wexford dat hij zijn oude vriend en voormalige ondergeschikte aandachtig opnam. Het was alsof hij had verwacht dat Mike er anders uit zou zien, langer of zwaarder zou zijn geworden of meer waardigheid zou uitstralen. Absurd natuurlijk. Er waren nog maar een paar maanden verstreken sinds ze elkaar gezien hadden, en Burden was nog steeds slank, en nog steeds perfect gekleed voor elke gelegenheid. Een drankje op zaterdagavond in een hotelbar? Burden droeg een pantalon van grijze scheerwol met een grijs tweedjasje, en een donkergroen overhemd zonder stropdas. Zijn ooit karamelkleurige haar was nu net zo grijs als zijn jasje. Maar ook dat was niet anders dan de vorige keer dat ze elkaar hadden gezien.

Zoals vrijwel onvermijdelijk was, vroeg hij Wexford wat die de afgelopen tijd allemaal had uitgevoerd. De lichte bezorgdheid die in zijn stem doorklonk, was wat irritant. Wexford vertelde hem over zijn onorthodoxe benoeming tot adviseur van Tom Ede, en over wat er in de grafkelder was aangetroffen: vier lijken, waarvan één half in een plastic zak van het soort dat als hoes voor een fiets of motor werd gebruikt, en een hoop juwelen. Het meeste daarvan was algemeen bekend, want afgelopen mei had de zaak een week lang met grote koppen in de landelijke dagbladen gestaan. Wexford had even geaarzeld of hij Burden dit wel zou vertellen, maar niets ervan hoefde geheimgehouden te worden, en zeker niet tegenover een hoofdinspecteur van politie.

'Het is een intrigerende zaak.' Zelfs in niet meer dan vijf woorden klonk Burden opgelucht. Wat had hij dan verwacht? Dat Wexford zich zou vervelen in zijn nieuwe bestaan, en vol frustratie en weemoed zou terugkijken op het verleden? 'Ik neem aan dat valt uit te sluiten dat die Rokeby de dader is?'

'Ede denkt dat de man het niet heeft gedaan. En het is ook moeilijk voorstelbaar dat iemand een vergunning aanvraagt om een ondergrondse ruimte aan te leggen als dat ertoe zou leiden dat er een kelder vol met lijken wordt gevonden, want als hij de dader was, kan dat toch zeker de bedoeling niet geweest zijn. Hij heeft een vergunning aangevraagd en kennelijk is zijn aanvraag afgewezen vanwege protesten van de buren. En je moet niet vergeten dat hij degene is die dat deksel van het stortgat heeft getrokken. Waarom zou hij dat doen? En als hij dat heeft gedaan terwijl hij wist wat hij daaronder zou vinden, waarom zou hij dan naar de politie zijn gestapt?'

'Waar was hij twaalf jaar geleden? Je zei toch twaalf jaar?'

'Zijn vrouw en kinderen en hij hadden een huis in West Hampstead. Acht jaar geleden hebben ze het voor anderhalf miljoen pond verkocht, en dat was net voldoende voor Orcadia Cottage. Het is me niet goed duidelijk hoe hij drie lijken in een kelder gelegd kan hebben onder een huis waarvan hij twaalf jaar geleden vermoedelijk het bestaan niet eens wist.'

'Dus jij wilt daarmee zeggen,' zei Burden, 'dat degene die dit gedaan heeft, destijds wel in dat huis gewoond moet hebben?'

'Nee, Mike, dat bedoelde ik eigenlijk niet. Dat stortgat bevindt zich op een soort achterplaats of patio met in de achtermuur een deur naar het straatje achter de huizen. Die deur is af te sluiten met slot en grendel, maar volgens mij wordt dat in de praktijk vaak vergeten. Hij was niet afgesloten toen ik daar samen met Tom Ede en zijn rechercheur ging kijken. Het is heel goed mogelijk dat iemand die lijken in een auto daarheen heeft gebracht, en een buurvrouw heeft iets gezegd over een man in een oude Amerikaanse slee, een zogenaamde Edsel, die daar rond die tijd een paar keer gesignaleerd is.'

Burden hield van auto's, en er verscheen een bijna nostalgische uitdrukking op zijn gezicht. Dromerig tuurde hij naar een punt ergens in de verte, als iemand die een visioen heeft. 'Een Ford Edsel Corsair,' zei hij. 'Dat is best bijzonder. Het is een auto uit het eind van de jaren vijftig. Een prachtig model, maar het sloeg niet echt aan en er zijn er maar betrekkelijk weinig van verkocht.'

'Hoe weet je dat?'

'Mijn vader was een autofanaat. Hij heeft me verteld dat de Edsel werd gelanceerd op E-day, 4 september 1957. En dat heb ik altijd onthouden.'

'Dat is duidelijk,' zei Wexford droogjes.

Zijn ironie werd niet opgemerkt. 'Ik vraag me af of het een tweedeursmodel was of een vierdeurs? Potentiële kopers kunnen heel stupide zijn in zulke dingen. Het radiateurscherm beviel ze niet. Het is bijna niet te geloven, maar het schijnt dat ze het een beetje te veel op twee getuite lippen vonden lijken in plaats van op een brede grijns. En het begin van de recessie van 1957 werkte ook niet in het voordeel van de Edsel...'

'Het is al goed, Mike. Ik ben niet van plan er een te kopen.'

'Het ding was leverbaar in rood natuurlijk, en in blauw, en in een eigenlijk best wel mooie, heel discrete kleur grijs, met ook iets groens of geels erin. En in andere kleuren...'

Wexford was nu weer helemaal in vorm en gromde bijna: 'Lichtgeel voor mijn part. Wat maakt dat nou uit? Het ding was groot genoeg om lijken in te vervoeren. En wie de eigenaar ook geweest mag zijn, hij heeft die wagen in het straatje achter de huizen geparkeerd en hem daar soms de hele nacht laten staan. Het moet een bijzonder opvallende auto geweest zijn, en daarom vraag ik me af waarom de dader die heeft gebruikt. Als hij van plan was een stel lijken te verbergen, waarom heeft hij dan geen busje gehuurd?'

'Wie zegt dat hij lijken wilde verbergen? Maar goed, laten we daar even van uitgaan. Als hij de Edsel gebruikte om lijken mee te vervoeren, dan zal hij dat wel gedaan hebben omdat hij geen andere mogelijkheid had. Was die auto van hemzelf of had hij die geleend? Waarom heeft hij dan niet iets anders gehuurd? Omdat hij arm was, en zich dat niet kon veroorloven misschien. Kun jij een betere reden bedenken?'

'Nee, maar ik kan me heel goed voorstellen dat iemand die een jaar of twaalf geleden een Ford Edsel in het straatje achter de huizen daar geparkeerd heeft, niets te maken heeft gehad met de lijken in die kolenkelder. Zelf noem ik het trouwens de "grafkelder". En hoe zit het met het vierde lijk?'

'O ja, de jonge vrouw. Volgens jou ligt die daar nog maar twee jaar.'

'Een jaar of twee, vermoeden ze. Ze was nog maar een jaar of twintig, misschien zelfs jonger. Ze had een slecht gebit maar was nooit naar de tandarts geweest. Dat is iets wat je bij oude mensen veel ziet, niet bij jongeren. Maar als je goed naar foto's van menigten in Azië of zelfs in Oost-Europa kijkt, kun je zien dat een heleboel mensen daar, zelfs jonge vrouwen, verkleurde tanden hebben, of tanden die veel te ver naar voren staan of waar grote spleten tussen zitten. Ik vraag me af of ze soms uit die contreien kwam en misschien een asielzoekster of een illegale immigrant is geweest. Maar ik moet natuurlijk geen overhaaste conclusies trekken.'

'Wie haar ook in de... eh, graftombe heeft gelegd, en wie weet was dat wel de eigenaar van die Edsel, moet toch hebben geweten dat daar een grote kolenkelder was. Ik denk dat hij hier twaalf jaar geleden met drie lijken naartoe is gekomen, en toen hij opnieuw een moord pleegde, heeft gedacht dat dat de ideale plek zou zijn om nog een lijk te verbergen.'

'Dan moest hij er natuurlijk wel op kunnen rekenen dat de deur naar de patio niet op slot zat.'

'Voor zover wij weten, was die nooit op slot, Reg. Heeft iemand dat aan Rokeby gevraagd?'

Wexford schudde van nee, maar eigenlijk wist hij het niet. Hij dacht eraan hoe veel hij eigenlijk niet wist, en realiseerde zich ook weer dat hij misschien helemaal niet de kans zou krijgen om dat uit te zoeken. Hij kon niet naar Rokeby toe stappen om het te vragen. Hij kon de man niet eens bellen. Hij was geen Lord Peter Wimsey of Hercule Poirot. Hij was zelfs geen politieman meer. Wat hij wel kon doen, dacht hij, was een Edsel-dealer opzoeken, of een ander garagebedrijf waar ze in het verleden Edsels hadden verkocht. Zelfs twaalf jaar geleden konden dat er niet veel geweest zijn. Hij herinnerde zich dat Burden had gezegd dat die auto's uit het eind van de jaren vijftig stamden en begon de moed te verliezen. Maar nee, dit moest ook in de jaren negentig al een echte oldtimer zijn geweest, en zo'n auto zou niemand zomaar vergeten...

'Fijn je weer eens gezien te hebben,' zei Burden bij het afscheid.

Terwijl hij nog in Kingsmarkham was, bladerde hij de Gouden Gids van Londen door om naar autodealers te zoeken, maar vreemd genoeg bleken die niet te vinden; hij zag alleen maar rubrieken voor autoverhuur en autoaccessoires. Daarna zocht hij op 'Edsel', maar ook daar was niets te vinden. Tegenwoordig zouden de meeste mensen op internet gaan zoeken. 'Online gaan' noemden ze dat. Dora was daar beter in dan hij. Ze vertelde hem dat ze het zou opzoeken in Google, en al heel snel had ze iets gevonden. Het verbaasde hem dat er zoveel Edsels uit de periode 1958–1960 te koop werden aangeboden. Er stonden ook plaatjes bij, en voor het eerst kreeg hij die grote – en in zijn ogen monsterlijk lelijke – voertuigen te zien. Ze waren rood en groen, en er zat ook een foto bij van een in chocoladebruin leer uitgevoerd interieur. Al die auto's werden te koop aangeboden door privépersonen of door iemand die zich kennelijk specialiseerde in Edsels, en de prijzen varieerden van 2.500 tot 25.000 dollar. Alle prijzen luidden in dollars, en omdat de woonplaats van de eigenaar in de advertenties vermeld stond, kon hij zien dat de auto's zich bevonden in Tennessee, Georgia, Indiana en Virginia.

Daar schoot hij niets mee op. Hij wilde de identiteit achterhalen van iemand die twaalf jaar geleden een Edsel in bezit had gehad. Hij bestudeerde de foto's, de beschrijvingen en de prijzen aandachtig. Hoewel deze auto's kennelijk aan het eind van de jaren vijftig en het begin van de jaren zestig niet goed verkocht waren, leken ze door hun huidige eigenaren als een zeer geliefd bezit beschouwd te worden. Een advertentie verklaarde: 'één eigenaar, nooit een ongeluk gehad en niet meer dan 100.000 op de teller' en in een andere stond 'altijd in garage gestaan, perfect exemplaar'. Jammer genoeg, voor hem, waren nadere inlichtingen alleen maar te krijgen door te mailen. Er stonden geen telefoonnummers bij, wat eigenlijk maar goed was ook, want hij had geen zin om op te draaien voor de kosten van god mocht weten hoeveel telefoontjes met de Verenigde Staten, en hij zou die toch echt zelf moeten betalen. Hij had geen beroep meer waarin hij dergelijke kosten vergoed kon krijgen.

Maar hij had wel iets geleerd van die pagina's vol advertenties. Edsels werden waardevol geacht. Het waren niet zomaar oude auto's, maar klassieke oldtimers. Aan het eind van de jaren negentig zou de Edsel die hij zocht al een jaar of veertig oud zijn geweest. Al die jaren lang had iemand heel veel waarde aan dat ding gehecht, het in een garage laten staan, waarin het was vertroeteld en regelmatig van reserveonderdelen en accessoires was voorzien. Het leek onwaarschijnlijk, en gezien de huidige omstandigheden vrijwel onmogelijk, dat een dergelijke auto ergens op een autokerkhof was beland, om samengeperst te worden tot een blok metaal en te worden omgesmolten. Als de eigenaar arm was, zoals Burden had geopperd, dan zou hij misschien geprobeerd hebben het ding te verkopen, en misschien was hij daar ook wel in geslaagd. Het zou zelfs een van die auto's op de foto's kunnen zijn... maar nee, al die auto's bevonden zich in Canada en de Verenigde Staten. Zou deze auto dus nog steeds hier in het land zijn? Zou die ergens in een garage staan, waar hij zorgvuldig onderhouden werd door de een of andere nieuwe eigenaar?

Na een hoop onhandig gedoe, waarbij hij eerst het mailprogramma kwijtraakte en toen zijn verbinding met internet verloor, hield hij zichzelf voor dat hij het langzaam en geduldig moest aanpakken, en een hele tijd later slaagde hij erin om een vraag te stellen over Edsel-dealers in het Verenigd Koninkrijk en om de naam te vragen van een Engelse deskundige die hem verder kon helpen; en toen hij daarmee klaar was, lukte het hem zowaar om zijn allereerste mailtje te versturen. Of dat dacht hij in elk geval, totdat er een mailtje binnenkwam waarin te lezen stond dat iemand die zich 'postmaster' noemde, hem wilde melden dat het niet gelukt was om zijn berichtje te bestellen. Hoe kon hij erachter komen wat er was misgegaan? Hij klikte op VERZONDEN en het mislukte mailtje verscheen. Geen wonder dat het niet ontvangen was door Jonathan Green in Minneapolis, die kennelijk de trotse eigenaar was van vijftien Edsels. Wexford had jonathangrene@greenco.com getypt. Hij probeerde het opnieuw en deze keer ging alles goed.

Zijn mailtje zou wel niet beantwoord worden, hield hij zichzelf voor. Wat kon deze Amerikaan Jonathan Green nou weten over Edsel-dealers in Engeland? Gesteld dat die er überhaupt waren. Wat kon zo'n man nou weten over een Engelsman met wie Wexford een persoonlijk gesprek zou kunnen voeren in plaats van zich genoodzaakt te zien tot een ontmoeting in cyberspace?

Zondag verstreek zoals zondagen over het algemeen verstrijken: rustig, stil en leeg. Hoewel Wexford en Dora niet regelmatig naar de kerk gingen, werden ze beide beïnvloed door die typisch zondagse sfeer van apathie en rusteloosheid. Op zaterdag kun je zonder aarzelen je vrienden bellen, maar bellen op zondag is opdringerig. Bij de buren langsgaan, zonder dat een paar dagen van tevoren aangekondigd te hebben, is zelfs ronduit onbehoorlijk. Misschien was het ook wel ongepast om mailtjes te versturen op zondag. Als het maandag weer heel haastig en druk wordt, omdat je een verantwoordelijke baan hebt, kan de zondag als rustdag genoten worden, maar wat nou als maandag waarschijnlijk min of meer hetzelfde zal zijn als zondag? Wat dan?

Het had anders kunnen zijn dacht hij, als Tom eerder had gebeld. Maar de man had niets meer van zich laten horen en Wexford, die nooit eerder in een dergelijke positie had verkeerd, begon te denken dat het misschien voor alle betrokkenen beter zou zijn als hij Tom halverwege de komende week zelf maar zou bellen om te zeggen dat dat adviseurschap van hem waarschijnlijk geen succes zou worden en vriendelijk bedankt dan maar, ook al viel er niet veel te danken. In de loop van de dag keek hij twee keer in zijn inbox, maar er was niets van Jonathan Green, en dat verraste hem niet. Waarom zou de man reageren als er voor hem niets te verkopen viel?

Aan het einde van de middag kwam Sylvia langs, samen met Mary. Wexfords beide kleinzoons werkten nog niet: de oudste studeerde en de jongste zat nog op de middelbare school. Mary vertelde opgewonden over haar nieuwe konijnenhok, dat van onderen open was, zodat het konijn gras kon eten zonder weg te lopen.

'Mammie zei dat ik hem een naam mocht geven, dus heb ik hem Reginald genoemd, net zoals jij, opa.'

'Dat is heel aardig van je,' zei Wexford. 'Noem je hem weleens Reg?'

'Nee, nooit,' zei Mary diep geschokt.

Vlak voor het slapengaan, keek Dora even in zijn inbox. 'Twee mailtjes voor je, Reg.'

'Van nu af aan zul je me Reginald moeten noemen. Naar het konijn.'

Het eerste mailtje was van Tom Ede, en hij schreef dat hij Wexford dinsdag hoopte te zien. Wexford was vergeten dat hij Tom zijn mailadres had gegeven, maar natuurlijk had hij dat gedaan, zij het aarzelend, samen met zijn telefoonnummer. Toen Wexford de naam 'Jonathan Green' op het beeldscherm zag, drong het tot hem door dat er een tijdsverschil van zes uur was tussen Minneapolis en de Britse zomertijd. Dat wilde zeggen dat toen hij zijn mailtje verstuurde, het daar vier uur 's ochtends was geweest. Om halftien 's ochtends, plaatselijke tijd in Minneapolis, had Green gereageerd, en hij schreef dat Miracle Motors in Balham, Londen, de enige Edsel-dealer in Groot-Brittannië was waarvan hij ooit gehoord had, maar dat ze daar voor zover hij wist hun laatste exemplaar in 2001 hadden verkocht. Wexford kon eens bij hen informeren. Het was goed mogelijk dat ze daar alle Edsels in het Verenigd Koninkrijk wel wisten te vinden.

Die nacht sliep hij uitstekend en de volgende ochtend gingen ze om negen uur weer op weg naar Londen.

7

Miracle Motors stond in de telefoongids. Maar hij zou ze niet bellen; hij ging er maandagmiddag wel naartoe. Hij was in het verleden weleens eerder in Zuid-Londen geweest, maar niet vaak. Om er te komen was de Northern Line van de metro de meest voor de hand liggende keuze, want het idee om zich door allerlei verkeersopstoppingen te moeten wurmen had hij al van de hand gewezen. Miracle Motors was gevestigd in High Street, niet ver van metrostation Balham.

Tegen de tijd dat hij op pad ging had hij op Wikipedia al een heleboel gelezen over Edsels, want aanvankelijk was hij van plan geweest om zichzelf voor te doen als een Edsel-liefhebber. Inmiddels was hem echter wel duidelijk dat dat niet zou werken, want van zo'n expert mocht verwacht worden dat hij meer zou weten over de verkrijgbaarheid van dit model Ford in het Verenigd Koninkrijk dan welke verkoper in een showroom dan ook. In plaats van een verkoper trof hij echter een receptioniste van een jaar of twintig (wat hem enigszins verraste) in een klein glazen hokje, en hij vertelde haar eenvoudigweg de waarheid, of in elk geval de halve waarheid. Hij was op zoek naar een Edsel die twaalf jaar geleden voor het laatst gesignaleerd was in St. John's Wood. Noch zij, noch de manager die ze erbij haalde, toonde ook maar enige belangstelling voor de reden van zijn onderzoek, al scheen de manager te denken dat hij een soort privédetective was, en in zekere zin was dat natuurlijk ook zo.

'Ik ben hier nog maar twee jaar manager, maar ik kan u zo al vertellen dat we – nou, al een jaar of acht, negen – geen Edsel meer verkocht hebben. Verzamelaars kopen en verkopen die online. Maar u bent geloof ik op zoek naar één Edsel in het bijzonder.'

'Het was een lichtgeel of groengeel model, bouwjaar 1958 of '59, al is dat alleen maar een vermoeden. Ik weet niet of het een tweedeursmodel was of een vierdeurs. In 1998 schijnt de eigenaar of bestuurder een heel jonge man geweest te zijn.'

De manager dacht even na. 'U kunt het waarschijnlijk het beste aan Mick vragen.'

Wexford keek hem vragend aan.

'Mick heeft hier jarenlang gewerkt. Mick Bestwood. Drie jaar geleden is hij met pensioen gegaan, maar hij weet alles over Edsels. Hij heeft er zelf ook een paar staan. Hij woont hier vlak om de hoek, in Crowswood Road. Ik kan u zijn telefoonnummer geven. Ik weet zeker dat hij daar geen bezwaar tegen heeft.'

Het kostte hem geen moeite om het huis van Mick Bestwood te vinden. Een met beton volgestorte voortuin fungeerde als parkeerplaats voor een reusachtige auto, die Wexford herkende van foto's van Wikipedia. Het was een Edsel Citation convertible, waarschijnlijk bouwjaar 1958. Hij was lichtblauw, en niet lichtgeel of -groen, en zo groot en lang dat het toch al vrij kleine huisje met de aangebouwde garage, er volkomen bij in het niet viel.

De deur werd geopend door een jonge vrouw in een roze joggingpak van wie hij aannam dat ze Bestwoods dochter was, maar die zijn echtgenote bleek te zijn. Bestwood was een kleine, kwieke man, die vijfenzestig zou kunnen zijn, maar er vanwege zijn nog steeds donkere haar een stuk jonger uitzag. Te oordelen naar het opzichtige gezwaai met trouw- en verlovingsringen van de vrouw, die hij aansprak met Cassandra, waren ze nog maar heel kort getrouwd. Wexford vroeg zich af of het feit dat zoveel stellen tegenwoordig gewoon gingen samenwonen ertoe had geleid dat een huwelijk, in tegenstelling tot een jaar of veertig geleden, als iets speciaals werd beschouwd.

Het leek Mick Bestwood niet erg te verrassen dat iemand vragen kwam stellen over Edsels. Het eerste wat hij vroeg, was of Wexford zijn eigen Edsel in de voortuin had zien staan. Wexford zei maar niet dat het onmogelijk zou zijn geweest om het gevaarte over het hoofd te zien en dat Bestwood beter had kunnen vragen of hij het huisje erachter wel had opgemerkt. Hij antwoordde eenvoudigweg dat het een mooie auto was en zo te zien in perfecte staat van onderhoud.

'Dat is hij ook,' zei Bestwood. 'Die auto is maar tien jaar jonger dan ik. Zag ik er maar zo goed uit.'

'O, Mick,' zei Cassandra. 'Je ziet er geweldig uit, en dat weet je best.'

Bestwood pakte haar zwaaiende, beringde hand vast en glimlachte. 'Ik heb er nog een in de garage staan, al is die niet van mij. Daar zorg ik voor in opdracht van een klant.' En vervolgens zei hij, net als een arts: 'Nou, wat kan ik voor u doen?'

Wexford herhaalde wat hij tegen de man van Miracle Motors had gezegd. Bestwood liet Cassandra's hand los en stond op.

'Komt u maar met mij mee,' zei hij. 'Ik wil u iets laten zien.' Ze liepen naar buiten via dezelfde weg waardoor Wexford zojuist was binnengekomen. 'Die man heette Gray of Greig... zoiets in elk geval, al weet ik niet meer hoe precies. Hij had een Edsel, en die bracht hij regelmatig naar ons toe voor onderhoud en reparatie. Hij was echt dol op die auto. Toen kregen we te horen dat hij die bij zijn neef had achtergelaten en dat hij naar Liphook was verhuisd. Maar dat hoorden we van die neef. Gray zelf heeft nooit meer iets van zich laten horen.'

Bestwood tilde de garagedeur op. Het eerste wat Wexford opviel, was dat de auto die erin stond zoveel ruimte in beslag nam dat iemand enorm zorgvuldig had moeten manoeuvreren om hem de garage binnen te rijden; het was een gigantisch gevaarte, groengeel van kleur, gestroomlijnd en smetteloos schoon, met reusachtige staartvinnen.

'Waar zijn de nummerborden?'

'Dat zou ik echt niet weten. Die waren al gestolen voordat ik deze auto ooit onder ogen kreeg.' Bestwood klopte even op de carrosserie, zoals hij dat ook zou kunnen doen bij een geliefd troeteldier dat een onbelangrijke verwonding had opgelopen. 'Miracle Motors weet heel goed dat het ding hier staat,' zei hij. 'Maar die nieuwe manager heeft een geheugen als een zeef. Het is zo gegaan: die neef probeerde het ding aan ons te verkopen, maar daar trapten we niet in, niet zonder dat de eigenaar erbij was, of op zijn minst een briefje van hem, en niet zonder kentekenbewijs. Ik heb toen tegen hem gezegd dat hij zijn oom zelf maar moest laten komen, en verder hebben we van geen van beiden ooit nog wat gehoord. Maar op een dag – dat moet in '97 of '98 zijn geweest, in de herfst of de winter – reed ik vanuit Shepherd's Bush door Notting Hill, en toen zag ik plotseling deze auto geparkeerd staan, op een plek waar je niet mocht parkeren. De voorruit was helemaal dichtgeplakt met parkeerbonnen, en de nummerborden waren verdwenen. Ik kon toen niet stoppen, maar naderhand ben ik teruggegaan om nog eens goed te kijken, en vervolgens heb ik met de manager overlegd. Dat was de voorganger van de huidige. We hadden het adres van de neef niet, en het enige wat we van meneer Gray of Greig wisten, was dat hij ergens in Liphook zat. Je zou het een dilemma kunnen noemen. Uiteindelijk besloten we maar om die auto te gaan halen. We hadden geen sleutels, maar zoals u vermoedelijk wel zult weten, is daar wel een oplossing voor te vinden. We hebben hem teruggereden naar Miracle Motors en geprobeerd om contact op te nemen met meneer Gray of Greig. En we hebben trouwens ook de boetes betaald.'

'En dat hebt u allemaal gedaan omdat u ergens de auto van iemand anders onbeheerd zag staan?'

Bestwood wierp Wexford een blik toe die ook bestemd had kunnen zijn voor iemand die net een kind een ijsje heeft afgepakt of een hond een schop heeft gegeven. 'Ik heb het over déze auto. Dit is een heel bijzondere auto, een droomauto. Toch?'

'Als u het zegt.'

'Nou, meneer MacKenzie en ik – MacKenzie was destijds de manager – we hebben het erover gehad, en erover zitten denken wat we moesten doen. Kent u Liphook? Het is maar een klein plaatsje, maar we wisten niet waar we moesten beginnen. We hadden het adres van die jongen niet. Het enige wat hij had gezegd, was dat zijn familielid in Liphook was gaan wonen. Die jongen kwam uit St. John's Wood. Hoe zag hij er ook weer uit?'

'Dat weet ik niet.' Wexford dacht aan het lijk van de jongste man in de graftombe. Hij had het niet gezien, maar kon zich er wel een voorstelling van maken. Hij had echter geen enkele reden om die man in verband te brengen met de man die was gesignaleerd in de Edsel. Het enige wat hij van de jongste man in de graftombe wist, was dat hij nooit naar de tandarts was geweest en dringend een van zijn kiezen had moeten laten vullen, dat hij een spijkerbroek en een jasje had gedragen, en dat de zakken van het jasje vol hadden gezeten met juwelen ter waarde van veertigduizend pond, plus een velletje papier met 'Francine' erop en daaronder de woorden 'La Punaise'. O, ja, en een getal, een getal van vier cijfers. Maar niets van dat alles hoefde Bestwood te weten. 'Wat wilde u gaan zeggen over Liphook?'

'Alleen maar dat die jongeman hem zijn "familielid" noemde. Dat is toch raar? "Mijn familielid", dat zeg je toch niet zo?'

'Zijn naam kunt u zich niet herinneren?'

'Alleen maar dat ze dezelfde achternaam hadden. Gray of Greig.'

'Hij heette niet toevallig Keith Hill?'

'Gray of Greig, dat heb ik al gezegd. Weet u wat? Misschien weet Wally MacKenzie het wel. Hij was toen de manager, en hij was volledig op de hoogte. Hij vond toen dat we die auto maar in bewaring moesten nemen, maar hij wist niet waar, want bij Miracle Motors was niet veel ruimte, en dus zei ik dat hij het ding maar zolang aan mij moest geven, en hij zei: "Waarom niet?" Het was allemaal volkomen open en eerlijk. En sindsdien heb ik het ding altijd gehad en goed verzorgd. Hij is perfect onderhouden voor meneer Gray of Greig, als die hem ooit nog komt ophalen. Al is de kans daarop inmiddels niet erg groot meer, hè?'

'Weet u waar meneer MacKenzie te vinden is?'

'Ik weet waar hij woont, of waar hij vroeger woonde in elk geval. Ergens in Streatham.'

'Het kentekenbewijs zou nuttig zijn,' zei Wexford.

'Het zou zeker nuttig zijn, maar waar is het? Ik heb het nooit gezien.' Bestwood liep terug naar de open voordeur en riep: 'Cassandra, schatje, wees eens lief en geef me even het telefoonboek aan.'

Cassandra was eens lief en kwam hem het telefoonboek brengen. 'Nou, kijk eens aan,' zei Bestwood. 'W. P. H. MacKenzie, 27 Villiers Road, Streatham. Dat moet hem zijn. Niemand anders heeft drie voorletters.'

'Vindt u het erg als ik even in de achterbak kijk?' zei Wexford.

'U mag best even kijken, maar er is niets te vinden hoor. Het is allemaal brandschoon.'

Wexford tilde de klep op. De achterbak was leeg.

'Waar zoekt u naar? Een lijk?'

Bestwood lachte om zijn eigen grapje.

Walter MacKenzie woonde nog steeds in Streatham. Twee jaar geleden had hij ontslag genomen bij Miracle Motors om samen met een vriend oldtimers te gaan verkopen vanuit een garage in Norbury. Die bedrijfstak had ernstig te lijden onder de recessie, zei hij tegen Wexford toen die nog maar net binnen was. Hij was een kleine, magere man, een stuk jonger dan Bestwood. Een man met een scherpe stem, waarin iets van verbittering doorklonk. Van de huiselijke, zelfs gezellige sfeer bij Bestwood was hier geen spoor te bekennen. Het huis was kaal en leeg, voorzien van niet meer dan de elementaire noodzakelijkheden, maar overal lagen grote stapels kranten, tijdschriften en documenten die vermoedelijk onbetaalde rekeningen waren.

'Ik herinner me hem nog,' begon hij. 'Hij had die auto gejat van zijn oom. Dat was zo duidelijk als wat. Hij wilde het ding aan ons verpatsen, maar ik had hem wel door. Ik ben niet achterlijk.'

'Ze waren oom en neef? Weet u dat zeker?'

'Hoe kun je nou zeker zijn van zoiets? Hij zei dat die man zijn oom was. Waarom zou hij dat zeggen als het niet zo was?'

'Juist. Waarom dacht u dat hij die auto had gestolen?'

'Ik heb zijn oom gekend. Hoe heette die man ook weer? Bray dacht ik, of Breck. Zoiets in elk geval. Zijn eerste naam was Kenneth. Ken Gray. Die man was dol op die auto. Het was een Edsel Corsair. Hij wilde niet eens hebben dat iemand anders daarmee een blokje om reed. Laat staan dat hij die ooit zou verkopen.'

'De voornaam van die oom was Kenneth?' Maar het kon die oom niet geweest zijn... 'Het was toch niet toevallig Kenneth of Keith Hill?'

'Nee, Hill was het niet. Het kan wel Keith in plaats van Ken zijn geweest. De achternaam van die neef zou best Hill geweest kunnen zijn. Dat zou ik echt niet weten. Maar wie het ook geweest mag zijn, ik had hem wel door.'

'U hebt het toch zeker wel aan de politie gemeld?'

'Wat? Dat is een geintje, hoop ik? Dit was toch een familiekwestie? Die jongen had die auto gegapt terwijl zijn oom op reis was of zo. Volgens die neef zat hij in Liphook. Op vakantie, denk ik, en als de kat van huis is, dansen de muizen op tafel. Meer had het niet om het lijf. Hij probeerde ons gewoon te belazeren. Als jij die auto wilt verkopen, zei ik tegen hem, dan moet je Ken of Keith hier even langs laten komen. En natuurlijk heeft hij dat nooit gedaan.'

'U weet dus niet zeker hoe hij heette,' zei Wexford. 'Maar misschien hebt u wel een idee waar die jongeman of zijn oom woonde?'

'Nee, dát zou ik echt niet weten.' MacKenzie zei het alsof hij Wexford al een heleboel waardevolle informatie had verschaft. 'Maar ik kan wel een beredeneerde schatting maken.' Wexford hield zijn gezicht zorgvuldig in de plooi, om te verhullen dat hij weinig vertrouwen had in MacKenzies redeneervermogen. 'Volgens mij kwam hij uit Noord- of Noordwest-Londen. Aan de zuidkant van de rivier leek hij niet goed de weg te weten.'

Het was niet bij Wexford opgekomen om Keith of Ken Hill op te sporen via internet. Maar wel bij Tom Ede. Hij had rechercheur Garrison opdracht gegeven om de kiesregisters in Noord- en Noordwest-Londen te doorzoeken, en toen daar niemand van de juiste leeftijd werd gevonden, had hij de rechercheur ook in andere delen van de stad laten zoeken.

'Er is een Keith Hill die voor Labour in het parlement zit,' zei Tom. 'Die man is vrij bekend.' Wexford en hij zaten in Edes kantoor. 'Zelfs ik heb van hem gehoord, dus dat kan niet anders. Er was ook een voetballer met die naam, maar die is dood. En er is iemand die muziekinstrumenten maakt. Er zijn honderden Keith en Kenneth Hills. Het is een veelvoorkomende combinatie.'

'Die van ons,' zei Wexford, 'als hij tenminste degene is die we zoeken, wordt nu vermist. Hij is niet dood verklaard, maar wordt wel vermist.'

'Inderdaad, maar twaalf jaar geleden werd er nog geen register van vermiste personen bijgehouden. Die oudere man en de jongere man, heetten die allebei Keith Hill? Of Kenneth Hill natuurlijk? Of zou de ene Keith hebben geheten en de andere Kenneth?'

'Ik weet het niet, Tom. We weten niet eens of de jonge man die tegen Mildred Jones heeft gezegd dat hij Kenneth Hill heette, die naam heeft genoemd omdat het zijn eigen naam was, of omdat zijn oom zo heette. Misschien heeft hij ook wel ter plekke iets verzonnen. En hoewel we weten dat de jonge man die zei dat hij Kenneth Hill heette, rondreed in een auto waarvan we weten dat die eigendom was van een zekere Ken of Keith of iets dergelijks, die in Liphook woont of daar ooit gewoond heeft, weten we niet of dat dezelfde man was die heeft geprobeerd die auto aan Miracle Motors te verkopen. Misschien heeft hij de auto ook wel van die andere man gekocht. Of gestolen.'

Kiesregisters, daar heb je niets aan, dacht Wexford. Daarin zullen we ze alleen maar vinden als ze nog leven, en dan zijn het niet degenen die wij zoeken. Kiesregisters zijn alleen maar handig om mogelijkheden te elimineren.

Als er in de stem van Walter MacKenzie iets van verbittering had doorgeklonken, dan was dat nog niets vergeleken met de stem van Martin Rokeby. Rokeby was duidelijk een man die vond dat zijn hele leven geruïneerd was door een kleine en onschuldige handeling van twee maanden geleden. Of, dacht Wexford, hij was een bijzonder goede toneelspeler, en hij besefte dat hij heel wat minder verdacht zou overkomen als hij deed alsof zijn bestaan geruïneerd was, zijn gezin uit elkaar was gevallen en zijn financiële positie nu rampzalig slecht was, en dat allemaal ten gevolge van een volkomen onschuldige actie.

Rokeby kwam Tom Edes hypermoderne kantoor binnen, met al dat laminaat, zwarte glas en al die stalen buizen, en onmiddellijk nadat hij was gaan zitten begon hij zijn nood te klagen.

'Misschien kan ik dat beter niet zeggen tegen een politieman, maar u hebt geen idee hoe vaak ik heb gewenst dat ik dat deksel nooit van dat stortgat had getild, of dat ik het onmiddellijk weer terug had gelegd zodra ik eenmaal had gezien wat er in die kolenkelder lag. Wat zou dat nou voor kwaad hebben gekund? Het zou niets om het lijf hebben gehad vergeleken bij alle ellende die ik nu over me uitgestort heb gekregen. Ik ben mijn huis kwijt, ik betaal een belachelijk hoge huur voor een armzalige flat die min of meer onder een viaduct staat, en hoewel ze binnenkort vakantie hebben, willen mijn kinderen niet naar huis komen – zelfs al zou er voor hen ook maar iets zijn om naartoe te komen – want ze gaan liever bij vrienden logeren. Nou vraag ik u: is het denkbaar dat iemand zichzelf nóg meer ellende op de hals had kunnen halen door gewoon een deksel van een stortgat te tillen en er even in te kijken?'

'Nou, meneer Rokeby,' zei Ede, 'denkt u dat u ook maar één rustige nacht in Orcadia Cottage zou hebben gehad als u dat deksel weer terug had gelegd? Denkt u dat u jarenlang stil had kunnen houden wat er onder dat huis lag? Volgens mij was dat u niet gelukt.'

'Ik heb het niet gedaan en dat is het enige wat nu ter zake doet. Waarom hebt u me laten komen?'

Onvriendelijker had de man het nauwelijks kunnen zeggen, maar als hij onschuldig was, kon Wexford zich zijn verbolgenheid en ergernis goed voorstellen. Ede stelde Wexford voor als zijn 'adviseur geweldsmisdrijven', en Rokeby gaf met een minuscuul knikje te kennen dat hij dat gehoord had. Hij was een knappe man, lang van stuk en met een rechte rug, regelmatige gelaatstrekken en grijzend blond haar, maar op Wexford maakte hij een magere indruk, alsof hij de afgelopen twee maanden veel was afgevallen. De kleine huidplooi onder zijn kin leek aan te geven dat hij vroeger een dikke nek had gehad. Maar dat zei niets over zijn schuld of onschuld.

Het was vrijwel uitgesloten dat Rokeby degene was die de lijken van de oudere man, de vrouw en de jonge man in de graftombe had gelegd, maar met het lijk van de jonge vrouw lag dat anders. Voor een bewoner van Orcadia Cottage – die het meisje bijvoorbeeld per ongeluk gedood had – zou niets gemakkelijker zijn geweest dan het deksel van het stortgat tillen en haar lijk bij de andere drie dumpen. Dat zou natuurlijk wel inhouden dat de man sindsdien geweten moest hebben dat er nog drie andere lijken lagen, maar dat had hij gemakkelijk kunnen doen. Hij zou het precies zo aangepakt kunnen hebben als hij zojuist had gezegd. Maar waarom zou hij dan een paar jaar later naar de politie zijn gestapt?

Ede nam rustig de tijd om op Rokeby's vraag te antwoorden. 'Ik zou graag willen dat u een verklaring aflegt, meneer Rokeby. Dat is niets om van te schrikken. Het gaat niet over uw gezin of buren. Ik zou graag willen dat u een lijst maakt van iedereen van wie u zich kunt herinneren dat hij, laten we zeggen de afgelopen vier jaar, op de achterplaats, de patio bedoel ik, van Orcadia Cottage is geweest. Het gaat ons daarbij vooral om mensen die de patio bekeken hebben in verband met uw aanvraag voor een vergunning voor het aanleggen van een ondergrondse-ruimte. Landmeters, aannemers, en misschien ook medewerkers van de dienst Ruimtelijke Ordening.'

'Dat kan ik wel doen,' zei Rokeby. 'Als u er maar rekening mee houdt dat ik me niet alle namen herinner.'

'Doet u maar gewoon uw best.'

Wexford wierp Ede een veelbetekenende blik toe en Ede gaf een nauwelijks waarneembaar knikje. 'Bent u zich ervan bewust, meneer Rokeby, dat er een trap in de ondergrondse ruimte aanwezig is?'

Rokeby haalde zijn schouders op. 'Ik heb gehoord dat er een trap is, maar die heb ik nooit gezien.'

'Er is inderdaad een trap. En omdat die trap naar de begane grond leidt, moet er ooit een deur zijn geweest. Die moet aan het einde van de gang gezeten hebben, waarschijnlijk naast de keukendeur. Tegenwoordig is daar echter geen deur. De deuropening is dichtgemetseld. Weet u daar iets van?'

'Er was geen deur toen ik het huis kocht.'

Rokeby klemde zijn lippen op elkaar en wendde zijn ogen af, en daarmee gaf hij duidelijk te kennen dat hij niet van plan was om verder nog iets te zeggen over de keldertrap en de ontbrekende deur. Maar hij beloofde een lijstje te maken van de mensen die vier jaar geleden het huis hadden bekeken of opgemeten. En hij vertelde dat er ook nog een aannemer was geweest, die acht jaar geleden de grootste slaapkamer had omgebouwd tot twee kleinere slaapkamers.

Zodra de deur achter hem in het slot viel, zuchtte Ede en zei: 'Aan Liphook zullen we nog een zware dobber hebben.'

'Internet?' Wexford waagde zich nu op een terrein waarvan hij weinig benul had. Hij had nooit helemaal begrepen wat er met internet of een zoekmachine nou wel of niet te doen viel.

'We hebben de naam Keith of Kenneth Hill. Hoe die neef zichzelf ook ge-noemd mag hebben, we zijn er behoorlijk zeker van dat de eigenaar van de Edsel Ken of Kenneth Hill heeft geheten, en dat zijn achternaam Hill of Gray geweest kan zijn. Als die oom de Edsel in zijn bezit zou hebben, was het mak-kelijker geweest. Volgens de jongeman die probeerde de auto te verkopen, is zijn oom Ken of Kenneth twaalf jaar geleden in Liphook gaan wonen. Zijn adres daar kennen we niet. We weten zelfs niet hoe hij heette, want meer dan een paar vermoedelijke namen hebben we niet. Je hebt toch niet toevallig de auto gevonden?'

Wexford vertelde het hem. 'De Edsel staat in Balham, in een garage, en wordt daar vol liefde en toewijding verzorgd door een autofanaat, een zekere Mick Bestwood. Het ding is zo grondig schoongemaakt en gepoetst dat je van de motorkap kunt eten.'

De lach waarmee dit werd begroet, was kenmerkend voor Tom, die, zoals hij dat zelf omschreef, mensen altijd de eer van hun werk gunde. 'Uitstekend. Goed werk. We laten de dienst Forensisch Onderzoek er toch nog maar even overheen gaan. Zoals je weet, beweren die lui dat het onmogelijk is om alle bewijsmateriaal te verwijderen. Er zal vast wel iets te vinden zijn. We laten in Liphook al navraag doen bij benzinestations, parkeerterreinen en garages. Het is maar een klein plaatsje, dus zoveel werk is dat niet, maar dat hoeft nu niet meer.' En nogmaals: 'Uitstekend werk, Reg.'

'Maar toch, misschien woont hij nog wel in Liphook.' Tom was kennelijk vergeten dat Wexfords huis in Kingsmarkham stond, niet zo ver van Liphook. 'Het is niet veel meer dan een uit de kluiten gewassen dorp.'

'De vrouw die de televisieserie *Lark Rise to Candleford* schreef, woonde daar vroeger,' zei Tom. 'Flora Thomson. Ik heb er iets over gezien toen de serie werd uitgezonden.' En hij begon aan een van die langdurige uitweidingen van hem, waarbij hij zich deze keer afvroeg of Candleford soms Liphook was, en die hij afrondde met een korte levensbeschrijving van de auteur.

Wexford wachtte geduldig tot de man klaar was voordat hij vroeg of het onderzoek in Liphook iets had opgeleverd.

Tom haalde zijn schouders op. 'Misschien heeft Kenneth Hill daar ge-woond, maar dan heeft hij daar niet veel indruk gemaakt. Lucy Blanch en Garrison hebben een groot deel van de bewoners gesproken en niemand her-innert zich een man die Hill heette.'

'Medische centra?' vroeg Wexford. 'Wat we vroeger huisartsenpraktijken noemden? Hotels? Pubs?'

'Lucy heeft overal navraag gedaan, maar zonder resultaat. Het feit dat Hill daar niet te vinden is, vormt geen bewijs voor wat dan ook, maar stelt ons wel in staat om die mogelijkheid uit te sluiten. Ik vermoed dat hij nooit in Liphook gewoond heeft. Volgens mij heeft die jongen gewoon maar iets gezegd tegen de mensen van Miracle Motors, omdat hij dacht dat ze dat wel een goede reden zouden vinden waarom zijn oom zelf niet met de Edsel langskwam. Liphook was waarschijnlijk het eerste wat bij hem opkwam. Hij kende er iemand of hij heeft die naam ergens zien staan.'

'Ik ben bang dat je gelijk hebt.'

'Mildred Jones is terug uit Zuid-Afrika,' zei Tom. 'Laten we eens bij haar op bezoek gaan. Zij is onze enige bron voor de naam Keith Hill. Laten we hopen dat ze een goed geheugen heeft, en zich nog iets weet te herinneren over dat gesprek dat ze naar eigen zeggen twaalf jaar geleden met hem gevoerd heeft.'

8

Ze woonde in een van de appartementen met tuin in het blok aan Orcadia Mews. Haar voordeur bevond zich recht tegenover de deur in de muur van de achterplaats van Orcadia Cottage. Drie voordeuren daar waren zwart, maar die van Mildred Jones was fuchsiaroze. Een klimplant slingerde zich over het metselwerk van de flats, en onttrok een deel daarvan volledig aan het oog. Wexford dacht aan de klimplant op het schilderij van Simon Alpheton, die Rokeby had laten weghalen. Om de een of andere reden vroeg hij zich af of de klimplant in dit geval misschien iets betekende, maar hij had geen idee wat die betekenis dan zou kunnen zijn.

Tom was vergeten zijn das om te doen, of had die opzettelijk niet omgedaan, maar toen de voordeur openging viste hij die uit zijn zak en trok hem haastig over zijn hoofd. De vrouw in de deuropening was een kleine, tamelijk gezette vrouw in een groen broekpak, die Tom en zijn das een snelle, van weerzin vervulde blik toewierp. Ze was een van die mensen met een hoofd dat veel te groot lijkt voor hun lijf, en haar gelaatstrekken waren op zich niet onaantrekkelijk, maar hadden iets intimiderends. De zware gouden juwelen die ze droeg, leken als ballast om haar nek te hangen en haar grijze haar was zo gekapt dat het leek alsof het in metaal was gegoten of in steen was uitgehakt. Haar gezicht ging schuil onder een dikke laag make-up, en de wenkbrauwen waren met overdreven zorgvuldigheid gestileerd.

De kamer waar ze voor hen uit heen was gelopen, stond vol met zware meubelen, bekleed met stoffen met tamelijk opzichtige dessins. Aan weerszijden van de openslaande tuindeuren hingen zware, al te rijk met brokaat versierde gordijnen, vol borduurwerk en plooien, en er hingen kwastjes aan de gordijnkap. Het van hieruit zichtbare deel van de tuin was echter net een hooiveld.

'Ik heb u aan de telefoon al gezegd dat we hem gesproken hebben,' zei Mildred Jones. 'Hij zei dat hij Keith Hill heette. Dat heb ik ook al gezegd.'

'Heeft hij zijn adres niet genoemd?' zei Wexford.

'Nee, waarom zou hij ook? Tegen iemand die je zojuist hebt ontmoet, zeg je toch niet: "Ik ben Keith Hill, en ik woon in de zus en zo straat op nummer zoveel." Of wel soms?'

Geen van beide politiemensen gaf haar antwoord. 'Hoe zag hij eruit?'

'Jong, een jaar of twintig. Heel aantrekkelijk, als je van norse types houdt. Het was er duidelijk een van Harriet.'

'Hoe bedoelt u?' vroeg Tom.

'Een van haar vriendjes, een van die jongens met wie ze de koffer in dook. O, ik wist er alles van. Ze kreeg een heleboel jonge mannen op bezoek, loodgieters, elektriciens, en terwijl Franklin van huis was liet ze die allerlei klusjes doen. En reken maar dat ze zich goed van hun taak hebben geweten.'

Toms gezicht vertrok van walging. Het deed Wexford denken aan een portret van John Knox dat hij ooit had gezien, waarvoor de bekende strenge Schotse reformator een van zijn meest misprijzende gezichten had getrokken. Terwijl hij zijn best deed om niet te laten merken hoe grappig hij dat vond, zei hij: 'U zei dat "we" hem gesproken hadden. Wie waren die "we"?'

'O, mijn man en ik. Heb ik dat niet gezegd?'

Wexford vond het niet prettig om te moeten vragen of haar man was overleden. Maar dat bleek ook niet nodig.

'We zijn een paar jaar geleden uit elkaar gegaan.' Mildred Jones liet een geluid horen dat het midden hield tussen grinniken en minachtend gesnuif. 'Het was vlak nadat dat meisje Vlad zijn overhemd had verbrand. Niet dat het daardoor kwam, trouwens. Hij had altijd wel oog voor de meisjes, maar hij viel niet op magere blondjes.'

'Vlad?'

'De schoonmaakster. Ze heette Vladlena maar ik noemde haar altijd Vlad de Spietser. Ik had haar beter "Vlad de Verschroeister" kunnen noemen.'

Tom wilde terug naar het oorspronkelijke onderwerp van gesprek.

'Over Keith Hill: kunt u ons alles vertellen wat u zich maar herinnert? Wat heeft hij precies gezegd toen uw ex en u hem spraken?'

'Nou, de eerste keer zeiden we gewoon goedenavond of zo, en hij zei gewoon goedenavond terug. Ik was een ommetje aan het maken met mijn hondje. Ik had een hondje toen, maar dat is nu dood. De tweede keer dat ik hem zag, zat ik in de auto van mijn vriendin. Ik zwaaide, maar hij zwaaide niet terug. De volgende keer kwam ik terug in de auto met Colin – mijn ex, bedoel ik – en toen stond die Keith Hill in het straatje achter de huizen, maar die keer zonder zijn auto, en ik vond dat hij eruitzag alsof hij iets te verbergen had, alsof hij iets had uitgespookt. "Jij weer," zei ik, of "Daar zijn we weer" of iets dergelijks, en hij zei: "ja" of "precies". Hij zei dat zijn auto in de garage stond voor een onderhoudsbeurt. Er lagen overal bladeren die kletsnat waren geworden, dus ik zei tegen hem dat iemand die ik kende daarover was uitgegleden en haar been had gebroken. En toen dacht ik dat ik hem maar moest laten merken dat ik wist wat hij uitspookte met een vrouw die drie keer zo oud was als hij en ik vroeg hoe het met Harriet ging. Met haar ging het prima, zei hij, en ik zei dat hij haar maar de groeten moest doen van Mildred, of zoiets. En daarna gingen we naar binnen.

Ik heb voor het raam nog naar hem staan kijken. Ik weet niet wat hij daar uitspookte. Toch ging ik weer naar buiten, om de vuilniszak buiten te zetten voor de volgende ochtend. Toen ik weer binnen was, zag ik hem door de deur in de achtermuur de achterplaats van Harriets huis op lopen. Ik zei tegen Colin dat hij daar rondliep alsof het huis van hem was, alsof hij er woonde.'

'Dank u wel, mevrouw Jones. Dat is heel nuttig. Kunt u zich herinneren hoe hij gekleed ging?'

'Zoals ze er allemaal bijlopen. De jongeren, bedoel ik. Zo'n jack met een rits, een spijkerbroek en een zwart T-shirt volgens mij. Hij had dan wel die auto, maar hij reed er nogal onzeker mee. Ik dacht dat hij elk ogenblik per ongeluk met de carrosserie langs de muur zou kunnen schrapen. Hij was zenuwachtig, en niet alleen vanwege die auto.'

'En hij is door de deur in de achtermuur de patio van Orcadia Cottage op gelopen?'

'Dat heb ik u net gezegd.'

'Mevrouw Jones,' zei Wexford, 'zegt de naam Francine u iets? En wat is La Punaise?'

Hij had vooral op die eerste vraag wel enige reactie verwacht, al was het maar dat ze zou zeggen dat ze die naam weleens gehoord had maar niet meer wist waar. Wat hij niet had verwacht, was een volledig en uiterst informatief antwoord op zijn tweede vraag.

'La Punaise, ja dat kan ik u wel vertellen.' Ze leek ergens aan terug te denken en begon te lachen. 'Harriet heeft het me verteld. Ze heeft het me zelfs laten zien. Het was een manier om haar pincode te onthouden. Want een punaise is een soort "pin" en ze had een heleboel restaurants in haar adresboekje staan. Franklin en zij aten voortdurend buiten de deur. Ze had La Punaise erin gezet, met een hoofdletter, alsof het een restaurant was, en er een telefoonnummer onder geschreven, alleen was dat geen telefoonnummer, maar een Londens netnummer gevolgd door de vier cijfers van haar pincode. Harriet vond dat reuze slim van zichzelf. Neemt u dat maar van mij aan.'

Dus die jongen, Keith Hill, of hoe hij ook geheten mag hebben, heeft Harriet Mertons adresboekje ingezien, en was ook nog slim genoeg om de manier waarop ze haar pincode had genoteerd door te hebben. Hij moet het huis goed gekend hebben. Van haar pincode heeft hij waarschijnlijk ongeoorloofd gebruik willen maken, om het maar heel netjes te zeggen. Maar waarom had hij die op dat papiertje gezet onder de naam Francine? Omdat Francine een

Française was, en zij hem wel zou kunnen vertellen of die naam in het Frans nog iets anders betekende misschien?

'Dat is heel nuttig, mevrouw Jones,' zei hij.

'Bent u weleens in het huis van... Harriet geweest? In Orcadia Cottage, bedoel ik?'

'Natuurlijk,' zei Mildred Jones. 'Hoe denkt u dat ik anders haar adresboekje te zien had gekregen? Die meid verveelde zich dood. Als er niet toevallig een van haar jongemannen op bezoek was, had ze niets te doen. Soms vroeg ze of ik een borreltje kwam drinken. Dat was dan rond lunchtijd, en dan ging ik meestal wel, maar ik ben niet zo'n zware drinker, en al helemaal niet aan het begin van de middag.'

'Hoe zag het huis er vanbinnen uit?' vroeg Wexford.

'Het meubilair, de schilderijen, dat soort dingen? Het was prachtig. Ze hadden echt heel mooie spullen. Natuurlijk was het allemaal van Franklin. Hij was een kenner.'

'Mevrouw Jones, ik wil dat u heel zorgvuldig nadenkt. Stelt u zich voor dat u voor de ingang staat, met uw gezicht naar de keuken. Kunt u dat?'

'Goed hoor. Ik zie het voor me.'

'Kunt u de keukendeur zien?'

'Natuurlijk.'

'Kijkt u dan nu naar links en vertelt u eens: is daar nog een deur of is er een blinde muur?'

'Wat heeft dit te betekenen?' zei Mildred Jones verontwaardigd. 'Bent u daar dan helemaal niet binnen geweest? Natuurlijk is er een deur. Die geeft toegang tot de trap naar de kelder, waar al die afschuwelijke verrotte lijken zijn aangetroffen. De rillingen lopen me over de rug als ik eraan denk.'

'Er is daar geen deur meer, mevrouw Jones,' zei Tom.

Ze keek hem strak aan. 'Maar ik heb het zelf gezien. De eerste keer dat ik daarbinnen was, stond de deur open. Harriet was even naar beneden gegaan om iets te halen, een gasfles of zo. Ze moest het allemaal zelf doen. Franklin stak nooit een poot uit. Ik keek in het trapgat, gewoon om haar kelder even te zien, maar er stond niets in, behalve wat gasflessen. U kunt daar maar beter zelf eens een keer een kijkje gaan nemen.'

'We hebben graag dat u met ons meegaat om daar even rond te kijken,' zei Tom.

Mildred Jones had er weinig zin in. Tom legde haar uit dat de lijken inmiddels allang waren weggehaald. In het huis zelf was geen spoor van Harriet te bekennen, en al evenmin van Franklin Merton. Zoals ze ongetwijfeld wel zou weten, hadden er inmiddels twee andere echtparen gewoond.

'Het is het idee van al die lijken die daar jarenlang hebben gelegen, onder de grond... U zult toch moeten toegeven dat het allemaal doodeng is.'

'Het zou heel nuttig kunnen zijn als u even met ons mee zou willen lopen om er een paar minuten rond te kijken. Een paar minuten maar.'

'Ik zie niet helemaal waarom dat zo nuttig zou kunnen zijn, maar goed, als ik u daar echt mee help.'

Ze liepen het straatje uit. Mildred Jones droeg schoenen met hoge hakken en het kostte haar enige moeite om niet op de kasseien onderuit te gaan, maar toen ze de hoek om liepen, maakten de kasseien plaats voor een effen stenen trottoir. 'Het viel me op dat u wilde wingerd op uw huis hebt,' zei Wexford, terwijl Tom de voordeur van Orcadia Cottage openmaakte. 'Is dat dezelfde soort wingerd als die hier vroeger groeide?'

'Voor zover ik weet wel. Maar ik heb eigenlijk helemaal geen verstand van planten en dergelijke.'

'Als de bladeren vallen, geeft dat dan veel rommel?'

'O ja, vreselijk. De schoonmaakster moet het allemaal opvegen, en daar maakt ze altijd veel kabaal over. Dat is trouwens niet die Vlad, die is allang weg. En de schoonmaakster die daarna kwam ook. Natuurlijk houd ik ze niet aan als ik in Zuid-Afrika zit, en dat bevalt de dames niet.'

Mildred Jones stapte angstig over de drempel, maar toen ze een paar stappen gedaan had, viel haar zenuwachtigheid van haar af en tuurde ze aandachtig naar de blinde muur links van de keukendeur.

'Iemand heeft hier een muur gemaakt!'

'Ja.'

'Misschien een van Harriets jongens. Dat waren allemaal bouwvakkers en zo.'

Tom en Wexford dachten allebei tegelijk aan de jongeman die al of niet Keith Hill had geheten, maar pas toen Mildred weer thuis was, zij weer in de auto zaten en Tom moeizaam zijn das loswrikte, zei hij er iets over. 'We hebben toch geen reden om aan te nemen dat hij een bouwvakker was, of een vriend van Harriet Merton, of dat hij die muur heeft gebouwd?'

'Behalve dat we allebei het gevoel hebben dat die drie vermoedens alle drie waar zijn,' zei Wexford. 'Maar meer is het niet. Het zijn alleen maar vermoedens.'

De rest van zijn leven zou Wexford dat moment nooit meer vergeten. Op de straathoek waar Abbey Road uitkomt op West End Lane, daar was hij geweest toen Dora belde. Hij had net 'vermoedens' gezegd, toen zijn telefoon ging. Terwijl de chauffeur Quex Road in reed, hoorde hij Dora's trillende, diep geschokte stem, en het nieuws dat ze had.

'Ik ben over vijf minuten terug... nou, tien misschien,' zei hij. 'Zo snel ik maar kan. En dan gaan we naar huis. Meteen.'

'Wat is er?' vroeg de chauffeuse.

Hij vertelde het haar. 'Mijn dochter... Mijn dochter Sylvia...'

'Vijf minuten,' zei ze. 'Geen tien. En misschien lukt het me nog wel sneller.'

9

De zon ging onder en alle lichten waren uit. Ze zaten aan Sylvia's bed. 'Hooguit vijf minuten,' zei de zuster van de intensive care. Na een minuut of vier kwam ze terug en leidde hen met zachte drang naar de familiekamer, een ruimte met vaste vloerbedekking, leunstoelen en een televisie. Wie zou er in zo'n situatie nou televisie willen kijken? Dora, die met droge ogen aan het bed had gezeten, begon stilletjes te huilen. Toen de deur dicht was, nam hij haar in zijn armen en hield haar zwijgend vast.

Sylvia's ex, Neil Fairfax, zat er ook, al had hij geen toestemming gekregen om haar te zien. En dat gold ook voor Mike Burden, die hun had opgewacht bij hun huis toen ze daar aankwamen, en die Wexford en Dora naar het ziekenhuis had gereden. Alles kan als je kind tussen leven en dood balanceert, dacht Wexford. Alle andere zaken die je aandacht in beslag nemen, zorg, hoop en angst, vallen dan plotseling allemaal weg. Zij is alles. Je merkt niet eens meer op of het regent of zonnig is. Niets anders doet ter zake, en hoe vernederend dat ook mag zijn, je bidt. Je bidt tot een God in wie je niet gelooft en nooit geloofd hebt. Het is een raadsel hoe je weet wat te doen, wat te zeggen, hoe een gebed te formuleren.

Heel voorzichtig liet hij Dora los, ging naast haar zitten en pakte haar hand vast. 'Is er iets veranderd?' zei Burden.

Wexford haalde zijn schouders op. 'Alles is hetzelfde. Ze zeggen dat haar toestand stabiel is. Ze maken zich ongerust over haar bloeddruk. Nou, dat denk ik tenminste... Zo af en toe is het moeilijk om erachter te komen wat ze allemaal doen.'

Burden was degene die had gebeld en het hun had verteld. Sylvia had haar dochtertje Mary van de kleuterschool gehaald. Het huis was een oude pastorie, die absurd groot was voor een vrouw, een kind en twee jongemannen die het grootste deel van de tijd van huis waren omdat de ene op kostschool zat en de andere studeerde. Sylvia had de auto geparkeerd op de lange, kronkelende oprijlaan, die half overwoekerd was door struikgewas en omzoomd met bomen die vol in blad stonden. Ze had het portier opengeduwd, zodat Mary kon uitstappen, was toen zelf uitgestapt en vervolgens, voordat ze ook maar één stap had kunnen zetten, neergestoken door een man die onverwachts uit het struikgewas was komen opduiken en haar een mes in de borst had gestoken. Het mes had haar hart gemist, maar wel een long geschampt.

Terwijl Neil voor iedereen koffie uit de koffieautomaat haalde, vertelde Burden het verhaal weer helemaal opnieuw. 'Mary heeft zich kranig gehouden,' zei hij terwijl hij zijn koffie in ontvangst nam, en hij glimlachte naar Mary's vader. 'Ze is snel naar het huis van Mary Beaumont gelopen. U weet wie ik bedoel?'

Wexford knikte. Hij had de eerste keer ook geknikt. Hij wist dat dit gewoon een goedbedoelde poging van Burden was om hen een beetje af te leiden. 'Sylvia's vriendin, Mary is naar haar vernoemd.'

'Mary Beaumont zegt dat ze niet werkelijk weet wat er gebeurd was, en kleine Mary kon haar dat niet vertellen. Ze zei alleen maar dat er een man was geweest en een heleboel geschreeuw. Mary holde met kleine Mary weer naar buiten, en daar lag Sylvia... nou, de rest kun je je wel voorstellen. Haar auto was weg, maar haar handtasje heeft hij niet meegenomen, en kennelijk had hij ook geen belangstelling voor geld of creditcards. Godzijdank heeft hij, wie het ook geweest is, het kind met geen vinger aangeraakt.'

Voor een auto, alleen maar voor een auto. Als hij naar mij toe was gekomen, dacht Wexford irrationeel, had ik hem een auto gegeven, en alles wat hij verder maar wilde, als hij maar van mijn dochter afbleef. Maar zo gaat het niet in het echte leven, zo gedragen mensen zich niet.

'En waar is Mary nu?' vroeg Dora.

'Bij Mary Beaumont,' zei Neil. 'Ze kent haar, ze houdt van haar en ze was met alle genoegen bereid om haar op te vangen.' Neil was de vader van de kleine meid, al was ze lang na de scheiding van haar ouders geboren. 'Ik neem morgen wel een dag vrij, zodat ze bij mij kan zijn, maar daarna... tja, ik weet het niet. Ik zal iets moeten regelen.'

Plotseling zag Dora er heel wat beter uit, hoopvoller, minder van streek dan ze sinds het ongeluk voortdurend was geweest. 'Laat ons haar in huis nemen, Neil. Ze kan hier bij ons logeren, of we nemen haar mee terug naar Londen, naar Sheila.' Haar onderlip trilde. 'Dat zou ik heerlijk vinden,' zei ze met trillende stem. 'Mary is het gelukkigst als ze bij Amy en Annie kan zijn. Laat ons haar in huis nemen.'

'Nog niet,' zei Wexford, wat ruwer dan hij van plan was geweest. 'Ik blijf hier, in dit ziekenhuis, totdat we meer weten.'

Maar het Princess Diana Memorial Hospital weigerde hen te laten blijven. Als er iets veranderde, zouden ze gebeld worden, maar ze mochten niet de nacht doorbrengen in de familiekamer, en ook niet ergens anders in het ziekenhuis.

'U laat moeders wel logeren bij zieke kinderen,' zei Dora. 'Ik ben een moeder en Sylvia is mijn kind.'

'Ja, maar zij is volwassen,' zei de zuster van de intensive care. 'Het spijt me, maar dat is nou eenmaal het beleid.'

Ze gingen naar huis en bleven nog lang op. Wexford dronk whisky en zelfs Dora nam een klein glaasje. Om tien uur probeerden ze het journaal te kijken, maar er drong zo weinig van tot hen door dat ze het net zo goed hadden kunnen laten. Wexford zat te denken over wat hij te horen had gekregen: dat het mes maar een paar millimeter van de aorta in Sylvia's borstkas was gestoken. Een tweede stoot had een long geschampt, maar door middel van een operatie – binnen een uur nadat ze het ziekenhuis binnen was gereden – hadden de artsen die weten te redden.

'Meneer Messaoud is een van de beste chirurgen van het land, de allerbeste,' had een van de intensive care verpleegsters gezegd.

Iedereen die ooit een operatie had gehad, dacht Wexford, beschreef de chirurg die de ingreep had verricht altijd als de beste van heel Groot-Brittannië, de allerbeste. Je vroeg je af wat de tweederangs chirurgen dan uitvoerden, en op wie die opereerden. Misschien keken ze gewoon toe. Hij zette de whiskyfles weer in de kast. Het had geen zin om hier het ene glas whisky na het andere achterover te slaan. Dat spul verdoofde wel, maar helpen deed het niet. Je schoot er nooit iets mee op. Dora was in slaap gevallen, languit op de bank. Ze schrok wakker toen de telefoon ging, ging letterlijk met een ruk rechtop zitten en slaakte een iel, onverstaanbaar kreetje. Maar het was Robin, hun oudste kleinzoon, die bij zijn moeder thuis zat te wachten tot zijn broer thuis zou komen van kostschool. Aan de universiteit waar Robin studeerde was de zomervakantie al begonnen, maar Ben had nog drie weken school voor de boeg. Hij was nu echter op weg naar huis en zou een paar dagen blijven.

'Ik heb mama nog niet gezien, en ik denk dat ik hier maar op Ben moet blijven wachten. Dan gaan we morgenochtend samen wel.'

'De toestand is onveranderd, Robin,' zei Wexford. 'Ze is er nog precies hetzelfde aan toe.'

Robin stelde geen vragen. Als iemand Wexford had gevraagd hoe zijn kleinzoon klonk, dan zou hij hebben geantwoord dat de jongen klonk alsof hij 'hartzeer' had. Toen de hoorn neer was gelegd, begon hij te denken over de man die Sylvia had aangevallen. Als die daar verstopt had gezeten in het struikgewas, moest hij geweten hebben hoe Sylvia's dagindeling eruitzag, en misschien had hij ook wel geweten dat ze alleen woonde, samen met een klein kind, en dat ze alleen 's ochtends werkte en in het begin van de middag naar huis ging, zodat ze Mary om kwart voor een van school kon halen. De oude pastorie van Great Thatto lag op een afgelegen plek, in een uiterst landelijke omgeving. Het dichtstbijzijnde dorp, Myland, was al vrij klein, maar het gehucht Great Thatto had niet meer dan 65 inwoners en Wexford had zich vaak afgevraagd hoe klein een Little Thatto wel zou moeten zijn als dit de grote versie was. Hoe was de man die Sylvia had aangevallen daar gekomen? Toch zeker met de auto. Maar dat was onmogelijk. Hij kon niet tegelijkertijd zijn auto en die van Sylvia bestuurd hebben, en in de wildernis rondom het huis was geen auto aangetroffen.

De bus uit Stowerton stopte in Myland. Een wandeltocht van vier of vijf kilometer paste nauwelijks in het profiel van een crimineel die een vrouw met een klein kind zou aanvallen. Hij vroeg zich af wat er precies gebeurd was met zijn kleindochter Mary. Had de man geprobeerd haar tegen te houden toen ze wegholde? En als hij dat had geprobeerd, waarom was hij daar dan niet in geslaagd? Wexford had graag willen weten of Mary hard had gehuild terwijl ze naar het huis van Mary Beaumont holde, maar de enige die dat weten kon was kleine Mary zelf. Bij het beeld dat nu in hem opkwam, van het doodsbange kleine meisje dat schreeuwend van angst over de weg holde naar de enige die haar een veilig toevluchtsoord kon bieden, werd hij misselijk en voelde hij zich over zijn hele lichaam koud worden.

Hij probeerde aan iets anders te denken. Orcadia Cottage. Mildred Jones. De lijken in de grafkelder. Misschien was die jonge man wel Keith Hill; de oudere man zou familie van hem geweest kunnen zijn; de oudere vrouw was hoogstwaarschijnlijk Harriet Merton, maar dat waren allemaal voornamelijk gissingen. Hij had zich af zitten vragen of de vrouw met die exotische naam die bij Mildred Jones had gewerkt en die een overhemd had verbrand, misschien het vierde lijk was, het lijk dat daar nog maar twee of drie jaar had gelegen. Maar waarom was die gedachte bij hem opgekomen? Hij had geen enkele reden om dat te denken.

Op dat punt dwaalden zijn gedachten af, terug naar Sylvia. Het had geen zin. Telkens als hij erin slaagde om zijn gedachten op iets anders te richten, duurde dat nooit langer dan een paar minuten. Hij zag haar voor zich, met al die slangetjes in haar lijf, haar donkere haar over het kussen gespreid, haar gezicht en nek roerloos en bleek als een marmeren borstbeeld. Ze kan doodgaan, zei een zacht stemmetje in zijn hoofd. Ze staat op de drempel tussen leven en dood, de deur is nog dicht maar hij trilt een beetje en een hand probeert die van binnenuit te openen. *Zo moet je niet denken.* Maar hoe kon hij anders denken? Sylvia kon al dood zijn, en ze konden het ziekenhuis pas morgenochtend bellen. Het was nu tien voor één.

Onze kinderen horen niet eerder te overlijden dan wij. Als dat wel gebeurt, als een van hen eerder overlijdt, dan moet dat wel de grootste tragedie van ons leven zijn. Hij vroeg zich af wat hij zou doen als Sylvia stierf. Hoe zou hij daarmee om moeten gaan? Hoe zou hij dan verder moeten leven? Hoe zou Dora dan verder moeten leven? Als je mensen voor het eerst ontmoette en een praatje maakte, vroegen ze over het algemeen of je kinderen had, en dan zou je niet langer kunnen zeggen dat je er twee had. Je had er dan nog maar één. Misschien zou je moeten zeggen dat je er twee had, maar dat een daarvan was overleden... Er stond een regel in Shakespeares *King John*. Een vrouw die rouwt om haar dode zoontje: 'Verdriet vult de ruimte waar mijn kind zich bevond, ligt in zijn bed, loopt heen en weer met mij...' Zo zou het zijn. Hij zou haar nooit meer zien. Nooit. Hij stond op en hield zichzelf voor dat hij hiermee moest ophouden, nú.

Misschien had Dora geslapen, of alleen maar gedaan alsof. Ze ging rechtop zitten. Hij ging naast haar op bed zitten en sloeg zijn armen om haar heen. Ze drukte haar gezicht tegen zijn schouder en klampte zich aan hem vast. Na een paar minuten zei ze: 'Wat doen we nu?'

'God mag het weten. Wachten.'

'Hoe vroeg kunnen we het ziekenhuis bellen?'

'Op elk tijdstip dat we maar willen, denk ik. Ze ligt op de intensive care. Ze wordt geen moment alleen gelaten, dus zodra er iets verandert weten ze dat.'

'Het wordt nu al heel vroeg licht.'

'We wachten tot het licht wordt, Dora.'

Ze vroeg of het niet beter zou zijn om naar beneden te gaan, maar hij zei dat ze maar beter in bed konden blijven. Of nee, hij zou even naar beneden gaan en voor hen allebei een kopje thee zetten. Maar hij zou het mee terug nemen naar boven, en daar zouden ze samen wachten tot het licht werd. Terwijl hij stond te wachten tot het water kookte, dacht hij terug aan die keer, een paar weken geleden, dat hij hier samen met Sylvia in de keuken had gestaan. Was dat de laatste keer dat hij haar ooit in levenden lijve gezien zou hebben? Haar witte gezicht op het kussen in de intensive care telde niet. Hij herinnerde zich haar als kind, als tiener, haar huwelijk toen ze nog maar achttien was, en daarna de scheiding en Dora's verdriet. En haar afgrijzen toen Sylvia had aangekondigd dat ze draagmoeder zou worden, dat ze een kind zou baren voor haar ex en zijn vriendin. Dat was Mary geweest, die uiteindelijk nooit aan die twee was afgestaan...

Hij zette thee, wachtte tot die getrokken was, zoals ze dat vroeger zeiden, toen er nog geen theezakjes waren. Destijds had hij er niet veel over nage-dacht, maar naderhand had hij zich weleens afgevraagd of het feit dat Sylvia bereid was geweest om een kind voor die twee te krijgen, niet zozeer altruïsme was geweest als wel trots op het feit dat zij met gemak kinderen kon baren, terwijl die arme Naomi onvruchtbaar was. Sylvia: een mengeling van het uit-zinnig vrijgevige en het nooit iets loslatende. Net zoals haar moeder misschien.

Hij schonk twee kopjes thee in en liep ermee naar boven. Dora lag plat op haar rug, met haar ogen dicht. Hij trok de gordijnen open om het eerste licht van de dageraad binnen te laten, een zachtgrijze gloed achter de daken en boomkruinen.

Ze dronken de thee, maar zeiden niets. Er viel niets meer te zeggen. Het merkwaardige was dat ze daarna allebei wat sliepen, zoveel effect had cafeïne dus ook weer niet. Ze schrokken wakker toen de telefoon naast het bed overging... het gepiep versterkt tot een luid gekrijs. Wexford zwom omhoog uit een diepe slaap, bereikte het oppervlak van zijn bewustzijn, strekte zijn arm uit en nam op.

10

Ze was bij kennis, ze had gesproken, en ze ademde zonder dat ze daarbij hulp nodig had. Wexford zei stilletjes dankjewel tegen Robin, die had gebeld. Hij keek op de klok en zag dat het tien over negen was.

'O mijn god, en ik lag te slapen!' Dora ging rechtop zitten, en deed verwoed haar best om op te staan. 'Mijn dochter had dóód kunnen gaan en ik lag op een oor! Wat ben ik nou voor een moeder?'

'Doe niet zo raar,' zei Wexford geërgerd. 'Ik ben hier het emotionele type, jij bent juist de rots in de branding, weet je nog wel? Kom hier.' Hij sloeg zijn armen om haar heen en zei: 'We staan op, we nemen een douche, we gaan uitgebreid ontbijten en dan gaan we naar het ziekenhuis. Laat haar eerst maar even met haar kinderen praten. En nu ik er even over nadenk, ik ga maar eens in bad. Ik heb een hekel aan douchen. Altijd al gehad. Douchen is voor mensen die haast hebben. Een bad neem je om iets te vieren.'

Het was elf uur toen ze het ziekenhuis binnenkwamen. Terwijl ze de trap op liepen, en naar de receptie stapten, zei Dora: 'Je hebt nooit gezegd dat je een hekel had aan douchen.'

'Dat was ook nergens voor nodig. Sommige dingen kun je niet veranderen. Het is een van mijn natuurwetten: de helft van alle mensen op aarde gaat het liefst onder de douche, en de andere helft gaat liever in bad.'

Sylvia zat rechtop, of lag met een paar opgestopte kussens in haar rug. Dora keek haar bijna angstig aan en leek bang om naar haar toe te lopen, maar Wexford kuste haar op haar wang en Sylvia lachte en bracht met onvaste bewegingen haar hand omhoog om aan zijn gezicht te voelen.

'Kijk 's, ik leef nog,' zei ze.

Toen kuste Dora haar wel. Sylvia deed haar ogen dicht. Ze ademde nu regelmatig, te regelmatig voor iemand die bij kennis is, en Wexford dacht dat ze in slaap was gevallen. Ze zag er heel jong uit, bijna net zo jong als in haar tienerjaren. Tegelijkertijd merkte hij op dat er wat grijze plukken in haar lange donkere haar zaten, dat nu uitgespreid over het kussen lag. Na een paar seconden sloeg ze haar ogen op en glimlachte.

'Je maatjes zullen me wel willen spreken,' zei ze.

'Mijn maatjes?'

'De politie.'

'Het zijn mijn maatjes niet meer, maar ik neem aan dat ze je inderdaad wel willen spreken.'

Er kwam een verpleegster naar hen toe. Ze zei dat het nu wel genoeg was geweest en stuurde hen naar de familiekamer. Robin en Ben zaten daar allebei al, omdat ze een uur geleden al bij hun moeder op bezoek waren geweest. Hoofdinspecteur Burden zat naast hen.

'Ik ben bijna een lid van de familie,' zei hij tegen Wexford. 'Beschouw me voorlopig maar als zodanig.'

'Dat ben je altijd, Mike,' zei Dora, en ze barstte in tranen uit.

Bijna twee dagen lang had Wexford alleen maar aan Sylvia gedacht. Al het andere had hij even 'op een laag pitje gezet'. Dat afschuwelijke cliché! Al even afschuwelijk als 'een gelijk speelveld' en 'iets geen prioriteit geven'. Allemaal clichés die door Tom Ede kwistig werden gebruikt. Maar op dit moment was het precies de goede uitdrukking: hij had Orcadia Cottage voorlopig even op een laag pitje gezet, samen met de forensische aspecten van de aanval op Sylvia, maar lang zou dat niet meer mogen duren. Hij zat nog met Burden te praten toen zijn telefoon begon te piepen, even later gevolgd door een dubbel piepje dat aangaf dat er een bericht was ingesproken. Het was Tom. Zodra ze uit het ziekenhuis weg waren, zou hij de man even terugbellen en uitleggen wat er aan de hand was. Maar nu zat hij hier met Mike.

'Ik ga zelf met haar praten,' zei die, 'zodra ik daar toestemming voor krijg. Ik denk dat ze liever met mij persoonlijk wil praten dan met Hannah of Barry.'

'Dat weet ik wel zeker.'

'Gaat u ook met mijn zusje praten?' zei Robin, en hij klonk jaren ouder dan hij werkelijk was.

'Jouw zusje?' Ben klonk juist jaren jonger. 'Het is ook mijn zusje hoor.'

'Ja, goed, oké. Maar gaat een van jullie met haar praten?'

'Ik denk van niet,' zei Burden. 'Niet meteen in elk geval. Ik zou eerst graag je moeder willen spreken, en afhankelijk van wat zij me vertelt... nou, het zou misschien het beste zijn als haar grootmoeder met haar praat over wat er gebeurd is toen haar moeder werd aangevallen.'

'Ik?'

'Ik denk niet dat ze door ook maar iets van wat jij zegt van streek zou kunnen raken, maar ik praat eerst wel met Sylvia.'

Een verpleegster stak haar hoofd om de hoek van de deur en zei dat Sylvia vroeg of ze haar zoons nog een keer mocht zien. 'Vijf minuten,' zei de verpleegster, 'en dan kunt u allemaal maar beter naar huis gaan en later weer terugkomen.'

Zodra hij thuis was, belde Wexford Tom Ede. Hij had de man nog niet verteld over Sylvia, maar nu deed hij dat wel, al hield hij het kort, omdat hij besefte dat maar weinig mensen het prettig vinden om lange verhalen te horen te krijgen over de problemen van anderen. Maar Tom toonde zich vol medeleven, hij stelde vragen, en zo te horen was hij heel blij om te horen dat Wexfords dochter er weer bovenop zou komen, terwijl hij boos en zelfs heel agressief klonk over het geweld dat haar was aangedaan. 'Gode zij dank,' zei hij, en de manier waarop hij dat zei klonk intens vroom.

Wexford herinnerde zich hoe hij 'Joost' had gezegd in plaats van 'de naam des Heren ijdel te gebruiken'. Hij was bijna geschokt toen Tom zei: 'Ik heb voor haar gebeden, een paar keer zelfs.'

Een wat ongemakkelijk 'dankjewel', was het enige wat Wexford daarop wist te zeggen.

'Ik neem aan dat je op dit moment geen behoefte hebt aan een verslag over onze vorderingen in de zaak Orcadia Cottage. Je krijgt al genoeg voor je kiezen.'

Weer een cliché, maar dat kon Wexford niet schelen. Tom kon op dat moment bij hem geen kwaad doen, en die afgezaagde uitdrukking werkte heel vertederend. 'Dat zou ik juist heel graag willen horen,' zei hij.

'Nou, we hebben de oudere vrouw geïdentificeerd als Harriet Merton. Haar tandartsgegevens zijn opgedoken in Californië, bij een uiterst prestigieuze en dure tandarts. Kennelijk heeft ze al die implantaten, kronen en bruggen daar laten doen. Dat moet die ouwe Franklin een hoop geld gekost hebben.'

'Ja, inderdaad.' Wexford dacht kort aan het schilderij van Simon Alpheton van dat meisje met rode haren in een rode jurk tegen een achtergrond van heldergroene wilde wingerd, en daarna dacht hij aan dat kleine en iele, in designerkleding gehulde bundeltje grijze botten, met dat donkerrood geverfde haar. 'Verder nog iets over de twee mannen?'

'We hebben Mildred Jones de kleren laten zien die de jongste man droeg. Ze vond het duidelijk allemaal nogal onsmakelijk. Ze had die spullen eens moeten zien voordat ze waren schoongemaakt. Het resultaat was niet bepaald doorslaggevend, maar ik had ook niet anders verwacht. Ze bleef maar zeggen dat het best zijn kleren geweest zouden kunnen zijn, maar dat ze het niet zeker wist. Een haveloos zwart T-shirt is nou eenmaal gewoon een haveloos zwart T-shirt, de helft van alle jongeren in Londen draagt een donkerblauw of zwart jack met rits, en een spijkerbroek is gewoon een spijkerbroek. De spijkerbroek van de jongeman was er zo een die je op de markt koopt, merknaam Zugu. Daarvan zijn er twaalf jaar geleden duizenden verkocht, en die zijn onmogelijk te traceren. Marktkooplui vragen hun klanten nou eenmaal niet om hun naam en adres.'

'Dus we hebben een Kenneth of Keith Gray of Bray,' zei Wexford, 'en er is ook nog zijn jongere neefje, een oomzegger, geen zoon van een oom of tante, die ook een onbekende achternaam gehad kan hebben, maar die waarschijnlijk Hill heeft geheten.'

'Daar komt het in grote lijnen wel op neer.'

'Oké, dat neem ik dan van je aan. In elk geval weten we nu zeker dat de vrouw Harriet Merton is. En we weten dat de jongeman die we bij gebrek aan iets beters maar Keith Hill zullen noemen, daar in huis is geweest en inzage heeft gehad in Harriets adresboekje. Hij heeft haar pincode opgeschreven, en die vermomd als iets anders door er hetzelfde bij te zetten wat Harriet er in haar adresboekje bij had staan, een woord dat van oorsprong Frans is en dat klinkt als de naam van een restaurant: La Punaise.

Maar waarom zou hij dat gedaan hebben, Tom? Dat velletje papier was toch zeker voor hemzelf, gewoon om de code niet te vergeten? Hij moet haar creditcard in bezit hebben gehad en waarschijnlijk heeft hij die gebruikt, of wilde hij die nog gaan gebruiken, om wat geld van haar rekening op te nemen of die misschien zelfs helemaal leeg te halen. Maar waarom heeft hij er La Punaise bij gezet? Het enige wat ik kan bedenken, is dat hij dat gedaan heeft omdat hij de link met "pin" niet heeft gelegd, zich afvroeg of dat woord nog een andere betekenis had dan de gangbare, en van plan was om iemand die dat wel zou weten om een vertaling te vragen. Die Francine dus, wie dat dan ook geweest mag zijn.'

Tom zei dat hij zijn team de elektronische kiesregisters zou laten doorzoeken op iemand met de voornaam Francine. Hij klonk niet bijzonder hoopvol. Er zouden weleens duizenden Francines kunnen zijn, maar hij zou alle registers zorgvuldig laten uitkammen. 'Hoe oud was ze volgens jou?'

'Als het zijn vriendinnetje is geweest, dan was het een al wat oudere tiener of een jonge twintiger. Maar het kan natuurlijk ook zijn lerares Frans zijn geweest, of zijn Frans sprekende tante, of de buurvrouw...'

Tom kreunde. 'Het forensisch laboratorium heeft de Edsel doorzocht, maar tot nu toe heeft dat niets opgeleverd. Ik wil je niet opjagen, dus laat het me weten wanneer je weer naar Londen komt.' En na een korte aarzeling voegde hij daaraan toe: 'Ik hoop dat je dochter er snel weer bovenop komt.'

Wexford dacht dat Tom ging zeggen dat hij voor Sylvia zou bidden, maar dat zei hij niet.

Aan Burdens manier van doen was duidelijk te merken dat hij zich niet op zijn gemak voelde, en Wexford merkte dat onmiddellijk op. Zijn oude vriend en medewerker was nooit bijzonder hartelijk, maar deze keer verraste hij Wexford door hem een hand te geven, iets wat ze langer dan hij zich graag wilde herinneren niet meer gedaan hadden. En hij kuste Dora, wat voor zijn doen ook al hoogst ongebruikelijk was.

Er was nog een dag voorbijgegaan, en toen nog een, en de hoofdinspecteur had twee keer met Sylvia gesproken, al hadden ze van de hoofdzuster beide keren maar een halfuur mogen blijven. Inmiddels was Sylvia echter overgeplaatst van de intensive care naar een gewone verpleegafdeling. Ze hadden het grootste deel van de afgelopen middag bij haar gezeten en waren vlak voordat Burden hun dochter nogmaals kwam verhoren weer naar huis gegaan. Nu zat hij bij hen in de woonkamer, met een klein glaasje sinaasappelsap in zijn onrustig bewegende handen. Het aanbod van iets met alcohol had hij afgeslagen.

Wexford, die rode wijn dronk, zei: 'Er is iets mis, Mike. Wat is er? Het ziekenhuis heeft jou toch niet iets verteld wat wij nog niet weten?'

'Nee, nee, dat is het helemaal niet.'

'Maar je hebt Sylvia gesproken over wat er gebeurd is?' Dat kwam van Dora, die moediger was dan Wexford. 'Mag je ons vertellen wat ze jou heeft verteld? Als dat niet in de haak zou...'

'Nee, natuurlijk is dat wel in de haak.' Burden zette zijn glas neer, maar pakte het snel weer op en begon zich toen uitgebreid te verontschuldigen voor de natte kring die het achterliet op het tafelblad. 'O, het spijt me. Ik haal wel even een doekje...'

'Mike,' zei Wexford, 'wat is er?'

'Goed dan. Het is gewoon... jullie zijn haar ouders en ik denk eigenlijk dat het beter zou zijn als jullie dit niet zouden weten, maar tegelijkertijd besef ik ook dat jullie het wél horen te weten.' Burden wreef met zijn vinger over de natte kring, en durfde beide ouders duidelijk niet in de ogen te kijken. 'Maar zo maak ik het er alleen maar erger op. Ik zal het jullie gewoon maar vertellen. Recht voor zijn raap. Dat is toch het beste. De man die haar heeft neergestoken, was een bekende van haar. Meer dan dat, hij was... nou, eh, haar minnaar. Hij had zich niet in het struikgewas verstopt, maar zat samen met Mary en Sylvia in de auto. Toen kregen ze ruzie en...'

'Mike, begin bij het begin, alsjeblieft?' Wexford maakte een handgebaar dat aangaf dat Mike maar gewoon moest zeggen wat hij op zijn lever had. 'Vertel het ons nou maar. Nu we weten dat ze het goed maakt, kunnen we dat wel hebben.'

'Nou, goed dan.' Mikes gespannen schouders ontspanden zich en hij leek bijna te glimlachen. 'Het verhaal dat ik je aanvankelijk verteld heb, heb ik te horen gekregen van Mary Beaumont, en die is weliswaar heel discreet, maar heeft vermoedelijk ook heel weinig geweten van de ware toedracht. Ik ben aan

Sylvia's bed gaan zitten en heb haar gevraagd wat er precies gebeurd was toen ze thuiskwam. En toen zei ze: "Dan kan ik misschien beter eerst vertellen wat daaraan voorafgegaan is, Mike. De man die me heeft neergestoken, heet Jason Wardle. Hij is eenentwintig jaar en ik heb een relatie met hem gehad." Toen verbeterde ze zich. "Je zou het eigenlijk beter een 'fling' kunnen noemen."'

Burden liet een korte stilte vallen, omdat Dora een geluid had gemaakt, een zacht woordeloos gejammer. 'Ik ga verder. Ze vertelde me dat hij in Stringfield woonde. Ze hadden afgesproken in Kingsmarkham, en daar koffie gedronken. Sylvia had met hem afgesproken om de relatie te verbreken en daarna had ze Mary van school willen halen. Maar Wardle was het daar niet mee eens. Hij zou haar nog liever vermoorden, zei hij, maar natuurlijk nam ze dat niet serieus. Ze nemen zulke dreigementen nooit serieus. O, god, Dora. Dat had ik niet moeten zeggen.'

'Daar kan ik wel tegen hoor, Mike. Dat is niets vergeleken bij wat je ons nu vertelt.'

'Eenentwintig, zei je?' Wexford vond het moeilijk om die woorden uit te spreken, maar hij móést het weten. Dat was jong genoeg om haar zoon te kunnen zijn, zij het maar net.

'Dat heeft ze gezegd. Hij stapte bij haar in de auto en ze reden weg. Mary had hem kennelijk al eerder ontmoet en schrok niet van zijn aanwezigheid, maar Sylvia wilde niet dat de ruzie zou worden voortgezet met haar dochtertje erbij. Ze weigerde om op zijn beschuldigingen in te gaan, en probeerde alleen maar met Mary te praten. Hij viel haar voortdurend in de rede en begon te schreeuwen, en toen Sylvia langs het huis van Mary Beaumont kwam, stopte ze en zei tegen Mary dat ze daar moest aankloppen en dat ze haar straks wel zou ophalen. Ze keek hoe Mary Beaumont haar dochtertje binnenliet en toen...'

'Dus dat hele verhaal was niet waar? Mary is niet weggehold toen haar moeder werd aangevallen?'

'Kennelijk niet, Dora. Het was de discrete versie die ik van Mary Beaumont te horen heb gekregen. Misschien heeft ze dat zelf ook wel geloofd. Sylvia heeft tegen Wardle gezegd dat ze hem naar Stringfield zou rijden, waar hij bij zijn ouders woont, maar dat wilde hij niet. Ze reed naar de oprit van de oude pastorie, en nadat ze de auto daar stil had gezet begonnen ze te ruziën. Wardle zei dat hij van haar hield en dat hij met haar wilde trouwen. Kennelijk heeft hij gezegd dat hij wist wat dit allemaal te betekenen had: het kwam omdat Sylvia wilde dat hij met haar trouwde. Ze verbrak de relatie omdat hij geen aanzoek had gedaan, en dus vroeg hij haar hierbij om haar hand. Ze begon te lachen. Ze zei dat hij wel de allerlaatste was met wie ze ooit zou willen trouwen. Ze stapte uit en stond daar hard te lachen. Hij schreeuwde tegen haar en trok het mes, wrang genoeg was het een van haar eigen keukenmessen.'

'Dus hij had het al voorbereid?' Wexford haalde zijn schouders op. 'Ik neem aan dat hij geen vleesmes bij zich droeg omdat hij dat toevallig eens ergens voor nodig zou kunnen hebben?'

'Volgens mij hadden ze de avond daarvoor al ruzie gehad en heeft hij toen dat mes bij zich gestoken. Sylvia had die dag vrij, en hij heeft de ochtend samen met haar doorgebracht.' Hoofdschuddend liet Burden een korte stilte vallen. 'Er zal nog een heleboel boven water moeten komen, Reg. Een heleboel wat we nu nog niet weten, maar wel zorgvuldig zullen moeten uitzoeken. Waar is die jongen nu bijvoorbeeld? Niet bij zijn ouders. Ze hebben hem in geen dagen gezien. En trouwens, ze hadden helemaal geen weet van zijn relatie met Sylvia.'

'Nou, wij anders ook niet,' zei Wexford.

'We hebben een nationaal opsporingsbevel voor hem uitgevaardigd. En natuurlijk ook voor Sylvia's auto. We hebben navraag gedaan bij verschillende vrienden en familieleden, maar tot dusverre heeft dat niets opgeleverd. We vinden hem wel natuurlijk, maar het kan een tijdje duren.'

11

Mary had, zoals Dora het omschreef, de beproeving kennelijk ongedeerd doorstaan.

'Welke beproeving?' zei Wexford, want zijn beeld van het doodsbange kind was nu ontkracht door de feiten. 'Ze was er niet bij toen Sylvia werd neergestoken. Ze zat gezellig bij haar peettante. Je haalt je maar wat in je hoofd.'

Ze waren sinds gisteren weer terug in Londen. Mary had de hele rit vrolijk zitten kwekken en zat nu bij Sheila in de kinderkamer – Wexford had tegen Dora gezegd dat hij zich niet kon herinneren ooit eerder iemand te hebben ontmoet die over een kinderkamer beschikte – samen met Sheila's kindermeisje, Amy, Anoushka en Bettina de kat. Dora zou straks met de kinderen naar een middagvoorstelling van *The Lion King* gaan, en hoewel hij oorspronkelijk van plan was geweest om mee te gaan, had hij zich eronderuit weten te praten en zat hij nu te wachten tot hij werd opgehaald en naar het hoofdbureau van politie in Cricklewood werd gebracht.

Dora had haar voornemen uitgevoerd en Sylvia op haar gebruikelijke, vriendelijke en liefhebbende manier gevraagd of ze Mary mocht meenemen naar Londen. Wexford was de enige die de ondertoon in haar stem had gehoord, een ondertoon die luidde: 'Sylvia, hoe kon je dat nou doen? Ben je dan helemaal van god los?' Maar het werd alleen maar gedacht, niet uitgesproken. Zou het ooit wél worden uitgesproken?

Toen Wexford de kamer binnenliep, vroeg Tom Ede natuurlijk onmiddellijk hoe het met Sylvia ging, en hij leek opgetogen toen Wexford zei dat ze aan de beterende hand was en over twee dagen uit het ziekenhuis ontslagen zou worden. Er werd niets meer gezegd over gebeden en Tom richtte zijn aandacht snel weer op Orcadia Cottage.

'Ik zou je graag willen vragen,' zo begon hij, 'hoeveel belang we volgens jou moeten hechten aan de naam "Francine"? Ik bedoel, moeten we nou werkelijk proberen iedere Francine in het hele land na te trekken? Het probleem daarmee is dat een heleboel mensen die twaalf jaar geleden jong waren inmiddels het land hebben verlaten, en dat een heleboel andere mensen hier sindsdien juist zijn komen wonen. Als die Francine al bestaat – en we weten niet of ze nog leeft, we weten zelfs niet of ze eigenlijk ooit wel bestaan heeft – dan kan ze overal zitten.'

'Misschien kunnen we ons beter afvragen waarom hij de naam Francine op een velletje papier heeft geschreven waar ook al "La Punaise" op stond, en een getal van vier cijfers dat vrijwel zeker een pincode is. Omdat deze vrouw met een Frans aandoende naam hem wat meer zou kunnen vertellen over de betekenis van dat Franse woord? Daar ziet het wel naar uit. Dus moet het iemand zijn geweest uit zijn naaste omgeving. Je vraagt een toevallige kennis of iemand die een stuk ouder is dan jij toch niet om iets voor je te vertalen dat duidelijk iets te maken heeft met een misdrijf?'

'Hij had haar gewoon kunnen vragen naar "La Punaise", zonder iets over een pincode te zeggen.'

'Dat is zo. Maar zou de betekenis van "La Punaise" bij haar niet de gedachte aan een pincode oproepen? Zou ze niet op zijn minst lastige vragen gaan stellen?'

'Ik weet het niet, Reg. Misschien heeft ze wel lastige vragen gesteld. Kunnen we een of ander scenario construeren uit de feiten die ons wél bekend zijn?'

'Zoals ik het zie, is de jongeman die zichzelf Keith Hill noemde, op de een of andere manier Orcadia Cottage binnengekomen. Misschien heeft hij daar zelfs wel samengewoond met een Frans meisje dat Francine heette. Hij vond het adresboekje met de pincode en "La Punaise" erin, die op zo'n manier genoteerd waren dat het eruitzag als het telefoonnummer van een restaurant, en was van plan om daar gebruik van te maken om de bankrekening van Harriet Merton leeg te halen.'

'Maar waar hebben Franklin en Harriet Merton dan gezeten? Die kunnen daar toen niet gewoond hebben, want in die tijd heeft degene die zich Keith Hill noemde waarschijnlijk de deuropening dichtgemetseld. Waarom zou hij dat trouwens gedaan hebben?'

'Omdat hij Harriet had vermoord, en misschien ook die neef van hem of wie het ook geweest mag zijn. Hij wilde die kelder afsluiten van de buitenwereld.'

'Maar zelf lag hij daar ook in,' wierp Tom tegen.

'Ik weet dat er gaten in mijn scenario zitten. Ik denk dat we opnieuw bij Anthea Gardner langs moeten gaan om te kijken of we erachter kunnen komen waar Franklin Merton zich destijds bevond, wanneer "destijds" dan ook precies geweest mag zijn. En misschien moeten we daarvoor eerst nog eens met Mildred Jones gaan praten om te kijken of we nader kunnen toespitsen wanneer ze die man nou precies gezien heeft. Tot nu toe weten we alleen maar dat het een jaar of twaalf geleden is.'

Mildred Jones was in een beter humeur dan de vorige keer. Sommige vrouwen worden heel sterk beïnvloed, dacht Wexford, door hoe ze er in hun eigen gedachten uitzien. Als ze het gevoel hebben dat ze er goed uitzien, zijn ze een stuk beter gehumeurd dan wanneer ze ontevreden zijn over hun uiterlijk of bijvoorbeeld een dag hebben waarop 'hun haar niet goed zit', terwijl mannen worden beïnvloed door de technische staat van hun auto – hij dacht aan die Edsel – of door pijn in hun rug of een beginnende verkoudheid. Mildred Jones was duidelijk naar de kapper geweest, die in de staalgrijze haarmassa een paar highlights had aangebracht. De rode jurk die ze droeg, stond haar beter dan het veel te slobberige broekpak van de vorige keer. Wexford veronderstelde dat ze zich daarvan bewust was, en dat gevoel werd bevestigd toen hij haar op weg naar haar overdadig ingerichte woonkamer even voldaan in een wandspiegel zag kijken.

'U wilt zeker van mij weten wanneer ik die zogenaamde meneer Hill en zijn dure auto precies heb gezien? Daar moet ik eens goed over nadenken.' Ze liet een korte stilte vallen en zei toen: 'Als ik me probeer te herinneren wanneer iets is gebeurd, moet ik altijd eerst aan het weer denken. Ik bedoel dat ik me eerst moet zien te herinneren of het zomer of winter was, en of het regende en zo.'

Tom knikte bemoedigend.

'Het heeft geen zin om zo tegen me te knikken.' Iets van de felheid die ze zich van haar herinnerden, laaide weer op. 'Daardoor zal ik me heus niet méér herinneren. Ik zit te denken.' En even later zei ze: 'Ach, nu weet ik het weer. Het moet herfst geweest zijn. Het lag vol met dode bladeren, of nee, zo was het niet, het lag niet helemaal vol met bladeren. Dat was pas een week of twee later. De blaadjes van die klimop begonnen uit te vallen. Dat moet in oktober zijn geweest. Schiet u daar iets mee op?'

'Dat is heel nuttig, mevrouw Jones.'

'Daarna is het gaan regenen, en die losse bladeren veranderden in een dikke, natte massa. Ik was blij toen Clay – meneer Silverman bedoel ik – die klimop liet weghalen. Die van ons was toen nog niet geplant. Jammer dat dat ooit gebeurd is. Dat was een idee van Colin. De kleur beviel hem wel.'

Ze zwaaide hen na toen ze wegreden. Wexford stelde zich voor hoe ze weer het huis binnenliep en even bleef staan om haar spiegelbeeld te bewonderen.

'Ik neem aan dat Anthea Gardner geen highlights in haar haar heeft,' zei hij.

De niet bijster opmerkzame Tom keek hem verbaasd aan, maar Wexford legde niet uit wat hij bedoelde. Anthea Gardner verwachtte hen aan het begin van de middag en had de koffie al klaar, echte koffie, gemaakt van bonen die ze zojuist eigenhandig had gemalen. Tom, die Wexford ooit had verteld dat hij alleen maar van oploskoffie hield, bracht met een nogal stuurs gezicht zijn kopje naar zijn lippen. Mevrouw Gardner was vrijwel net zo gekleed als tijdens hun vorige bezoek, alleen droeg ze deze keer een bruine rok in plaats van een grijze, en een blouse met stippen in plaats van strepen. Kildare moest ook nu weer in bedwang worden gehouden en werd na verloop van tijd in de keuken opgesloten.

'U wilt weten waar Franklin zich eind oktober 1997 bevond?'

'Ik weet dat het moeilijk is om zulke dingen jaren na dato nog terug te halen, mevrouw Gardner,' zei Tom. 'Maar denkt u even goed na. Neemt u gerust de tijd.'

'Daar hoef ik niet over na te denken, hoor. Dat is helemaal niet moeilijk. Voordat we weer zijn gaan samenwonen, gingen Franklin en ik al regelmatig samen op vakantie; Harriet en hij waren al jarenlang niet meer samen op vakantie geweest. Dat jaar waren we in San Sebastián. Dat was in oktober, de tweede helft van oktober.'

'Waarom herinnert u zich dat zo goed, mevrouw Gardner?'

'O, dat is gemakkelijk. Dat herinner ik me omdat wij die vakantie, op mijn verjaardag zelfs, hebben besloten om weer te gaan samenwonen. Franklin zou bij Harriet weggaan en bij mij intrekken.'

'En op welke datum valt uw verjaardag?'

'Op 25 oktober,' zei Anthea Gardner. 'Dat is de naamdag van Sint Crispijn, voor het geval het u interesseert.

Franklin ging terug naar Orcadia Cottage,' vervolgde ze. 'Dat moet vier of vijf dagen na onze thuiskomst zijn geweest. Ik zei dat hij daar langs moest gaan. Anders denk ik niet dat hij de moeite genomen zou hebben. Toen hij terugkwam, vertelde hij me wat er gebeurd was. Het huis was leeg. Hij zei dat het heel schoon en netjes was, en dat Harriet er niet was. Een vrouw die hij kende, in een van de huisjes aan het straatje daarachter, had hem verteld dat een man die ze Harriets "jonge vriend" noemde minstens twee weken samen met haar in Orcadia Cottage had doorgebracht. Is dat het soort informatie waar u op uit bent?'

'Dat is precies wat we graag willen weten.'

'Het komt nu allemaal weer terug,' zei Anthea Gardner. 'Franklin zei dat hij een stapel kussens in de woonkamer had aangetroffen, met een donkerrode veren boa eroverheen gedrapeerd. Dat was de boa van Harriet. Die herkende hij. Hij zei dat de deur in de achtermuur van de tuin niet op slot zat, en dat de sleutel kwijt was. Er zat een stortgat of een put of zoiets in de patio, maar het deksel was eraf...'

'Moment, mevrouw Gardner. U zei dat dat stortgat open was?'

'Nou, ik neem aan van wel. Ik ben er niet bij geweest. Franklin vertelde dat het deksel er vlakbij lag. De hele binnenplaats lag vol met losse bladeren, die doornat waren en spekglad. Je moest heel voorzichtig lopen om niet onderuit te gaan, zei hij. Maar goed, hij slaagde erin om dat deksel op te tillen en heeft het weer op het stortgat gelegd.'

'Is hij daar ooit nog terug geweest?'

'Voor zover ik weet niet, nee. Hij had verwacht dat Harriet nog wel van zich zou laten horen, om hem om geld te vragen in elk geval, maar we hebben nooit meer iets van haar vernomen.' Anthea Gardner liet een korte stilte vallen. Ze keek van Ede naar Wexford, en tuurde daarna naar haar eigen ringloze handen. 'Het kon hem niet schelen, ziet u. Vrouwen, mezelf niet uitgesloten, hadden hem in het verleden al meer dan genoeg geld gekost. Hij hoopte gewoon dat ze nooit meer iets van zich zou laten horen en dat ze misschien een man had gevonden die haar wilde onderhouden. Die veren boa zag hij als een uitdagend gebaar, alsof ze een lange neus naar hem maakte, als u begrijpt wat ik bedoel.'

'Mevrouw Gardner, weet u of Harriet veel sieraden had?'

'Een heleboel. Die had Franklin allemaal voor haar gekocht, maar alles was weg. Toen hij terugkwam van Orcadia Cottage, zei hij dat alles van waarde was verdwenen. Ook het grootste deel van haar kleren, alle designerspullen, en haar beste juwelen.' Wexford vroeg haar of ze sommige stukken zou herkennen als ze die te zien kreeg, maar Anthea Gardner schudde met een heftige beweging van nee en zei gedecideerd: 'Ik heb u al gezegd dat ik het mens nooit ontmoet heb en van haar juwelen weet ik niets. Ik weet wél dat het er een heleboel geweest moeten zijn, omdat Franklin me vertelde dat hij daar in de eerste jaren van hun huwelijk een fortuin aan had besteed, maar wat voor juwelen, en hoe die eruitzagen, zou ik echt niet weten. Net zomin als ik weet wat de betekenis was van die veren boa.'

'En u zegt dat hij nooit meer iets van haar heeft gehoord?'

'Dat zeg ik, ja. Hij heeft nooit meer iets van haar gehoord.'

Terwijl ze uit de witgepleisterde enclave van The Boltons wegreden, zei Wexford ruimhartig, want de theorie was uitsluitend van hem afkomstig: 'Kunnen we de resultaten van wat we zojuist te horen hebben gekregen aan ons scenario toevoegen?'

'We zullen nog wat verder terug moeten gaan. We weten dat Keith Hill Orcadia Cottage vrij in en uit kon lopen. Franklin Merton was op vakantie in San Sebastián. Waar is dat trouwens?'

'In Spanje.'

'O, juist. Oké. Merton was met vakantie en in zijn afwezigheid had zijn vrouw Keith Hill te logeren gevraagd. Terwijl hij daar in huis zat, misschien terwijl zij even de deur uit was, ontdekte hij haar pincode, en waarschijnlijk heeft hij toen haar creditcard of een van haar creditcards gestolen. Stel je voor wat er gebeurd zou zijn als hij bijvoorbeeld die Francine daar in huis had ge-haald en Harriet onverwacht terugkwam en hen betrapte? Hij vermoordt Harriet...'

'Waarom?' viel Wexford hem in de rede. 'Omdat zijn vriendin van middel-bare leeftijd hem in bed aantreft met zijn jonge vriendinnetje? Dat kan ik me niet voorstellen. Wat kan ze hem nou maken? Ontucht is in dit land nog steeds geen misdrijf.'

'Goed,' zei Tom, met een gezicht dat de indruk wekte dat ontucht wat hem betreft zo tot misdrijf bestempeld mocht worden. 'Als je erop staat. Hij zet het meisje de deur uit en probeert Harriet te sussen, maar die is niet tot bedaren te brengen. Het komt tot een handgemeen...'

'Wat? Ze gaan met elkaar op de vuist?'

'Stel dat de kelderdeur open was, en dat ze de trap af viel, of dat hij haar de trap af heeft geduwd.'

Ja, stel... dacht Wexford. Het waren allemaal niet meer dan veronderstel-lingen. Het zou allemaal heel anders gegaan kunnen zijn. En terwijl hij met een half oor naar Toms inmiddels wel heel ingewikkelde theorie zat te luiste-ren, zei hij in gedachten: we moeten opnieuw beginnen, helemaal bij het be-gin en vanuit een andere invalshoek.

Maar dit is mijn zaak niet, dacht hij toen. En dit kan ook nooit mijn zaak worden. Tom heeft de leiding, en wat ik zeg telt eigenlijk niet. En toch zei hij het maar. 'Er is vrijwel geen aandacht besteed aan de tweede vrouw in de kel-der.' Hoe nuttig, hoe tactvol kon de indirecte rede toch zijn! Dit klonk zoveel aangenamer dan: 'We hadden wat meer aandacht moeten besteden aan die tweede vrouw.'

'Omdat iemand de kelder heeft moeten openen om haar lijk daar achter te kunnen laten?'

'Ik zie het zo: de enige mensen die wisten dat daar een stortgat en een kelder waren, zijn de drie doden die daar al twaalf jaar liggen. Toen zij eenmaal dood waren, was er niemand meer die daar weet van had, met de mogelijke – nee, waarschijnlijke – uitzondering van Franklin Merton. Merton is een natuur-lijke dood gestorven, en na zijn overlijden was er echt helemaal niemand meer die van het bestaan van die kelder wist. De grote plantenbak die over het stortgat heen was geschoven, heeft die hermetisch van de buitenwereld afge-sloten. Zo niet voor altijd, dan toch wel min of meer permanent, totdat ie-mand die kelder weer ontdekte en bedacht dat die heel geschikt zou zijn om nog meer lijken in te dumpen, als die ooit voorhanden zouden zijn.'

Tom knikte. 'Goed, en wat dan?'

'Terug naar Rokeby,' zei Wexford. 'Hij moet hier wel een sleutelrol hebben gespeeld. Hij is degene die heeft voorgesteld daar een ondergrondse ruimte aan te leggen, en dát moet de factor zijn geweest die de dader, wie dat ook geweest mag zijn, op een idee heeft gebracht. Hij moet nog steeds een lijst maken van de mensen die het huis hebben geïnspecteerd en opgemeten, of heeft hij dat al gedaan?'

'We hebben niets meer van hem vernomen en er is ook nog steeds geen nieuws van het forensisch laboratorium over de Edsel. Op wat veronderstellingen na hebben we eigenlijk geen enkele reden om de Edsel in verband te brengen met de lijken van de twee mannen.'

12

'Ik zal er met geen woord over praten,' zei Dora. 'Ik zou het wel willen, maar ik zal het niet doen. Niet omdat het haar misschien zou kwetsen, maar omdat jij erdoor van streek zou raken.'

Wexford glimlachte. 'Dat is een heel goede reden.'

Dora zou de trein nemen naar Kingsmarkham en hem in Londen achterlaten. Ze was van plan om nog voor Sylvia's terugkeer uit het ziekenhuis in Great Thatto te zijn, samen met Mary, die net drie dagen lang heerlijk vakantie had gevierd met haar nichtjes. 'Bel me maar,' zei hij.

'Ik bel toch altijd?'

Hij lachte. 'Als ze iets zegt over die schoft die haar heeft neergestoken, vertel het me dan. Ze is toch niet zo stom dat ze hem dat gaat vergeven?'

'Ik hoop oprecht van niet.'

Hij zou een lang gesprek gaan voeren met Martin Rokeby. Tom Ede had gezegd dat hij Rokeby maar alleen moest spreken, of misschien met zijn vrouw Anne erbij. Geen politieman, alleen maar het hulpje van de politieman, zoals Wexford zichzelf begon te noemen. Als ze samen zaten te praten zou Rokeby zich tegenover hem misschien iets laten ontvallen wat hij niet tegen Tom zou zeggen. Wexford had nog steeds het beeld in zijn hoofd van het huidige Orcadia Cottage en van het huis zoals dat eruit had gezien toen het zesendertig jaar geleden was geschilderd door Simon Alpheton, en hij schrok dan ook nogal toen hij zag waar meneer en mevrouw Rokeby nu woonden. Maida Vale klinkt charmant, en sommige delen daarvan zijn dat ook, maar dat geldt niet voor St. Mary's Grove, met zijn hoge, aftandse huizen uit de laatvictoriaanse periode, die vrijwel tegen het grote Westway-viaduct aan staan. Hoog boven hem klonk het bulderende verkeer en vlak voorbij het viaduct zag hij Paddington Station en de nieuwe glazen torens van het Canal Basin.

Een trap leidde naar een voordeur in een portiek waarvan het metselwerk hier en daar gaten vertoonde, en toen de deur open zwaaide, zag hij nog een lange trap, die naar het appartement op de bovenste verdieping leidde. Rokeby stond hem boven aan de bijna vijftig treden op te wachten.

Een glimlach was misschien wel op zijn plaats geweest, maar Rokeby glimlachte niet. Hij had staan toekijken hoe Wexford de laatste paar treden op liep, maar nu keerde hij zijn gezicht af, en begroette Wexford met wat wel de minst hartelijke manier van welkom heten moet zijn die maar te bedenken valt: 'U kunt hier maar beter niet te lang blijven staan.'

Hoewel ze hier al enkele weken woonden, hadden de Rokeby's niets gedaan om het wat gezelliger te maken. De ruime kamers waren zo te zien nog steeds voorzien van hun oorspronkelijke ornamenten, weelderige en uiterst stoffige kroonlijsten, luiken voor de ramen die eruitzagen alsof ze nooit geopend waren, en zelfs een paar Griekse zuilen met Korinthische kapitelen. Op de vloer lag goedkoop aandoende, versleten vaste vloerbedekking en de gordijnen waren van dun, ongevoerd cretonne. Een van de ramen bood een goed uitzicht op St. Mary's Church aan Paddington Green, maar door het andere raam was alleen de Westway te zien, een grote massa donkergrijs beton, met daarop een traag bewegende verkeersstroom. Er waren nergens boeken, planten of bloemen te bekennen, en ook vrijwel geen kussens of snuisterijen. Anne Rokeby zat in een rotanstoel met een zitting van hetzelfde cretonne als de gordijnen. Ze zag er bezorgd en afgemat uit en stond niet op toen Wexford binnenkwam. Daar was ook niet echt reden toe, maar voor zover hij kon zien, had ze al evenmin reden om snel even haar ogen dicht te knijpen, en toch deed ze dat wel. Het viel hem op dat haar handen enigszins trilden.

'Ik had gedacht,' zei Rokeby, 'dat alle mogelijke aspecten van deze kwestie nu wel aan de orde zouden zijn geweest. Wat valt er verder nog te zeggen? Ik keek in een gat in mijn patio, ik zag daar die lijken liggen, en daarmee heb ik mezelf te gronde gericht. Dat is toch alles?'

In plaats van te antwoorden, zei Wexford: 'Ik had gehoopt dat u ons een lijst zou geven van de verschillende aannemers die u hebt geconsulteerd over het aanleggen van een ondergrondse ruimte in Orcadia Cottage.'

Rokeby haalde zijn schouders op. 'Maar waarom? Die is niet aangelegd. De aannemers zeiden dat het niet te doen was en vervolgens weigerde de dienst Ruimtelijke Ordening een vergunning. Wat valt er verder nog te zeggen?'

Politiemensen geven geen antwoord op vragen. Die stellen ze. Maar Wexford was geen politieman meer. 'Meneer Rokeby, drie van de lijken die u hebt gevonden, zijn daar een jaar of twaalf geleden gedumpt of gestorven, maar de vierde was nog maar twee jaar dood. Dat wil zeggen dat het stortgat een jaar of twee geleden is geopend, en dat er een vierde lijk in de kelder is achtergelaten. Ik zou graag wat meer van u willen horen over de gang van zaken toen u uw intrek nam in Orcadia Cottage, en u een grote slaapkamer door een aannemer tot twee kleine slaapkamers hebt laten verbouwen. En misschien kunt u me ook vertellen wat er precies gebeurd is toen u een vergunning had aangevraagd voor een ondergrondse ruimte en die aannemers zijn komen kijken.

En, als dat mogelijk is, zou ik ook graag de data willen weten waarop die bezoeken hebben plaatsgevonden.'

Plotseling stond Anne Rokeby met een ruk op uit haar stoel. 'Het is me niet duidelijk waarom we u dat allemaal zouden vertellen. U bent toch geen politieman?'

'Ik ga er niet van uit dat u iets te verbergen hebt, mevrouw Rokeby.'

Haar handen waren weer gaan trillen. 'Daar gaat het niet om! Ik heb niet gezegd dat...'

'Ga zitten, Anne,' viel haar man haar in de rede. 'Omdat we niets te verbergen hebben, kunnen we er ook geen enkel bezwaar tegen hebben om te praten.' Hij richtte zich tot Wexford. 'In het voorjaar van 2002 zijn we verhuisd naar Orcadia Cottage en hebben we een aannemer in de arm genomen. Pinkson heette die. Dat herinner ik me nog omdat ik het zo'n rare naam vond. Hij was een soort manusje-van-alles, en we hebben hem gevonden omdat hij wat klusjes had gedaan voor onze voorgangers, meneer en mevrouw Silverman. Zo had hij onder andere de wingerd weggehaald. Vervolgens heb ik in het voorjaar van 2006 bij de gemeente een vergunning voor een ondergrondse ruimte aangevraagd, en in verband daarmee heb ik bij drie of vier aannemers een offerte aangevraagd.'

'En Pinkson was daar één van?'

'Nee. Hij was verdwenen. Hij was verhuisd of had zijn bedrijf opgedoekt.' Toen viel Rokeby iets in. 'U wilt toch niet beweren dat een van die lui een vierde lijk heeft gedumpt? Dat de dader een van die mannen is geweest die bij ons zijn komen praten over het aanleggen van een ondergrondse ruimte?'

'Ik beweer helemaal niets, meneer Rokeby. Ik hoop dat u me iets kunt vertellen waar ik iets aan heb.'

'Ik kan me de namen niet meer herinneren,' zei Rokeby. 'Nou, ik herinner me er nog één. Subearth Structures. Dat vond ik een nogal stomme naam en daarom weet ik hem nog, maar wat de andere twee betreft...'

Er lag een kille en merkwaardig verveeld aandoende klank in de stem van Anne Rokeby. Ze sprak alsof ze net iets minder de pest had aan haar man dan aan Wexford. 'De namen van de twee andere aannemers heb je uit de Gouden Gids geplukt. Ik zei dat het beter zou zijn om op persoonlijke aanbevelingen af te gaan, maar dat wilde je niet.'

'Herinnert u zich de namen nog van de firma's die u hebt opgezocht in de Gouden Gids?'

Martin Rokeby haalde zijn schouders op en schudde toen langzaam zijn hoofd, maar zijn vrouw sprong opnieuw op. Wexford bereidde zich erop voor om haar in bedwang te houden als ze werkelijk zou doen wat ze van plan leek: haar man aanvliegen met handen als de uitgestoken klauwen van een kat. 'Je wilt er toch een einde aan maken?' schreeuwde ze. 'Je wilt deze zaak toch oplossen? Ik houd het hier niet lang meer uit! Hoe meer je hem vertelt hoe sneller we deze hele ellendige toestand achter de rug hebben...'

'Maar Anne, ik weet het niet...'

'Ja, je weet het wél! Je hebt die firma's aangestreept in de Gouden Gids, dat
weet ik nog. Je hebt er een cirkel omheen gezet met een balpen. Wat is er mis
met jou? Waarom kan ik me dat wel herinneren en jij niet?'

Heel rustig, zonder iets te laten blijken van de opwinding die hij nu voelde,
vroeg Wexford of ze dat exemplaar van de Gouden Gids nog in huis hadden.

'Natuurlijk hebben we die niet meegenomen.' Er lag nu een minachtende
klank in Anne Rokeby's stem. 'Maar niemand gooit zulke dingen ooit weg,
zelfs niet als je een nieuwe krijgt. Die gids zal wel in de gangkast liggen in
Orcadia Cottage, tenzij de politie hem inmiddels heeft weggegooid. Natuurlijk ligt die daar nog, met een cirkel om de naam van die aannemers.'

Het was een opluchting om weg te zijn bij die slechtgehumeurde, ongelukkige mensen. Wexford liep een eindje over straat in de richting van Paddington Green, en herinnerde zich het lied over Pretty Polly Perkins en haar lief,
de melkboer.

Ik ben een melkboer met een hart vol verdriet, zoals u ziet,
omdat ik heb gevrijd, met een jonge griet
die alles zo schoon houdt dat het een lust is om te zien,
in het huis van een heer vlak bij Paddington Green.

Het gezin van de heer zou in een van de laatst overgebleven victoriaanse huizen gewoond kunnen hebben, die ingeklemd stonden tussen de recentere gebouwen aan de oostzijde van het grasveld dat 'the Green' werd genoemd.
St. Mary's Church was prachtig, het soort kerkje dat wel een 'juweeltje' wordt
genoemd, en hij herinnerde zich ergens gelezen te hebben dat de kerk in ruil
voor toestemming om het Westway-viaduct zo dichtbij en dwars over zijn
grondgebied te bouwen, een schenking had ontvangen die voldoende was om
het kerkgebouw in zijn vroegere glorie te herstellen. Met een harmonieus en
vol geluid sloeg de klok twaalf uur.

Hij ging op een bankje aan de rand van het grasveld zitten en belde Tom.

Lucy zou naar Orcadia Cottage gaan, zei Tom, om daar samen met Wexford
de telefoonboeken te bekijken. Zou het te belopen zijn? Helemaal de Edgware
Road uit en dan afslaan bij Aberdeen Place? Maar misschien zou het interessanter zijn om het achterland van Marylebone eens te verkennen. Hij bleef
even hangen in Church Street met zijn antiekwinkeltjes, maar nadat hij een
paar minuten vol verbazing voor de etalage van Alfies had gestaan, wandelde

hij door Lisson Grove (waar Eliza Doolittle woonde, herinnerde hij zich) en van daaruit via Grove End naar Orcadia Place.

Er stonden twee mensen voor het huis. Het waren geen politiemensen, en ze stonden naar Lucy's auto te kijken. Toen ze hem zagen, liepen ze bij de auto weg en richtten ze hun aandacht op het huis zelf. Een van hen was de dikke jonge vrouw met de kinderwagen, al had ze die vanochtend niet bij zich, en hield ze de gebruikelijke inzittende daarvan nu bij de hand. Hij liep naar de voordeur en omdat hij geen sleutel had, belde hij aan. Lucy deed open en hij wilde net het huis binnen stappen toen de jonge vrouw ondanks haar forse afmetingen bliksemsnel naast hem kwam staan.

'Als u naar binnen gaat, mogen wij dan ook mee?'

'Helaas niet,' zei hij. 'Het spijt me, maar nee.'

'U hoort niet eens in de tuin rond te lopen,' zei Lucy. 'Er valt hier niets te zien, en ik raad u aan om naar huis te gaan.'

Wexford dacht dat de jonge vrouw zou terugslaan – en stond met gekromde tenen op een racistische opmerking te wachten – maar ze zei niets en stelde zich tevreden met een woedende blik op Lucy's vlechtjes voordat ze met grote tegenzin wegliep, terwijl het meisje dat ze bij de hand hield begon te dreinen. Hij duwde de voordeur achter zich in het slot, draaide zich om en liet zijn blik over de stapel telefoonboeken op de vloer gaan. Lucy begon ze op te rapen. 'Ik zou gedacht hebben dat die twee nooit iets weggooien, maar het telefoonboek waar het nou juist om gaat is nergens te vinden. Er zijn drie exemplaren van de Gouden Gids, en alle drie zonder aantekeningen. Maar ik heb alleen nog maar in de gangkast gekeken.'

'Misschien ligt hij ergens anders.'

Ze begonnen het huis te doorzoeken, zowel de voor de hand liggende plekken als de onwaarschijnlijke: een lade onder in een klerenkast, de laden van een kaptafeltje, boekenplanken, voor het geval het ontbrekende telefoonboek tussen de grootformaat boeken was gezet, vier kartonnen dozen vol met ornamenten en serviesgoed die meneer en mevrouw Rokeby misschien met zich mee hadden willen nemen naar St. Mary's Grove, maar die ze uiteindelijk toch maar hadden laten staan. Boven op de vierde kartonnen doos, de laatste die ze doorzochten, lag de ontbrekende Gouden Gids. Maar toen Wexford die optilde, zag hij dat de bladzijden in de eerste helft daarvan, eruit waren gescheurd.

'En dat is nou net het stuk met "aannemers",' zei hij.

'Dit moet het bewuste telefoonboek wel zijn, meneer. Maar de bladzijden die we nodig hebben zijn weg. Hier hebben we niets aan.'

'Daar ben ik niet zo zeker van. Laten we eens naar de kartonnen dozen kijken. Alles wat erin verpakt zit, is in krantenpapier gewikkeld. Niet in papier uit de Gouden Gids, dat weet ik. Maar stel dat ze kranten tekort zijn gekomen toen ze aan een vijfde doos wilden beginnen, en in plaats daarvan bladzijden uit de Gouden Gids hebben gebruikt.'

'Maar dat hebben ze niet gedaan.'

'Lucy, wil je me terugrijden naar St. Mary's Grove? Weet je waar dat is? Er bestaat een kleine kans dat...'

Er stond nu geen nieuwsgierig publiek meer voor Orcadia Cottage. Het was gaan regenen, een schrale motregen. 'Als het niet zo loopt als ik hoop,' zei Wexford toen ze in de auto zaten, 'dan weten we in elk geval de naam Subearth Structures, en meer hebben we misschien niet nodig.'

'Wat denkt u te vinden, meneer?'

In plaats van daarop te antwoorden zei Wexford: 'Je bent al eens in het appartement geweest waar de Rokeby's nu wonen, hè?'

'Maar één keer, meneer.'

'Is het je opgevallen hoe kaal het was ingericht?'

Lucy schudde van nee. 'Dat herinner ik me niet.'

'Laten we hopen dat de spullen die ze hebben meegenomen nooit zijn uitgepakt.'

Dat bleek het geval te zijn. De Rokeby's waren beslist niet blij toen Wexford weer voor de deur stond, en wierpen Lucy giftige blikken toe. 'Deze keer bent u met z'n tweeën?' zei Anne Rokeby. 'Wat gaat u nu doen? Ons arresteren?'

'Hebt u een kist met porseleinen serviesgoed of snuisterijen meegenomen toen u hier uw intrek nam?'

'En wat dan nog?' zei Anne Rokeby. 'Denkt u soms dat het geen porselein was, maar nog een lijk?'

'Daar kunt u maar beter geen grappen over maken, mevrouw Rokeby,' zei Lucy. 'Als u die spullen nog niet hebt uitgepakt, willen we die doos graag zien, alstublieft.'

De doos zat vol met losse stukken van een servies, elk stuk was afzonderlijk in een pagina van de Gouden Gids gewikkeld. Lucy begon alles uit te pakken, vol twijfel, totdat ze de derde laag had bereikt. Het stuk dat ze toen aan het licht bracht, een sauskom, was omwikkeld met een bladzijde waarop de naam *K, K & L Ltd* omcirkeld was met een balpen.

'Zo te zien hebben we gevonden wat we zochten, meneer Rokeby,' zei Wexford. Hij glimlachte. 'Als we alle twaalf borden en alle twaalf soepkommen hebben uitgepakt, zullen we u verder in vrede laten.'

Mijn god, dacht hij, ik begin al net zulke clichés te spuien als Tom. Straks sla ik ook nog aan het bidden...

'Achttien!' zei Anne Rokeby. 'Ik waste ze altijd stuk voor stuk eigenhandig af, met zeep die speciaal bestemd was voor waardevol porselein.' En ze barstte luid snikkend in tranen uit.

Op de gele velletjes troffen ze acht verschillende aannemers aan, waaronder ook Subearth. 'O ja,' zei Rokeby, 'nu weet ik het weer. Ik heb daarover iets tegen Colin Jones gezegd, en die had weleens van ze gehoord. Hij heeft ze zelfs aanbevolen.'

Wexford vroeg de Rokeby's toestemming om de bladzijden die ze nodig hadden mee te nemen, en dat werd met tegenzin toegestaan. Anne Rokeby mompelde een verklaring voor haar gedrag, ook al had niemand haar daarom gevraagd. Toen ze zo volkomen onverwacht met haar prachtige servies was geconfronteerd, terwijl ze niet gedacht had dat ooit nog te zien, was ze plotseling al haar zelfbeheersing verloren. Het was allemaal in- en intriest.

'Hebt ú zo'n groot servies thuis, meneer?' vroeg Lucy toen ze naar Hampstead West reden.

'Ik weet het niet. Ik neem aan dat we er ooit wel een gehad zullen hebben. Maar het was zeker niet achttiendelig.'

'Ik koop nooit zoiets,' zei Lucy. 'Ik koop nooit iets wat je niet in de afwasmachine kunt stoppen.'

Wexford lachte. Het was woensdag, een goede dag om aannemersbedrijven te bellen, want het duurde nog even voordat ze allemaal aan het weekend zouden beginnen. Hoeveel van degenen die de mogelijkheden van Orcadia Cottage waren komen bekijken, vroeg hij zich af, hadden dat stortgat geopend en er even in gekeken? Negenennegentig van de honderd mensen die dat gedaan hadden, zouden het aan Rokeby gemeld hebben, en daarna aan de politie. Maar één op de honderd zou het niet gemeld hebben. Eén op de honderd zou gebruik hebben gemaakt van wat hij daar had aangetroffen.

13

Subearth Structures had zijn hoofdkantoor in een victoriaans huis ergens in een achterafstraatje in Kilburn, waar allerlei loodsen tegenaan en omheen gebouwd waren. Toen het huis gebouwd werd, waren voordeur en vensters voorzien van overvloedige ornamenten in de vorm van fruit, bloemen en bladeren, maar inmiddels was het grootste deel daarvan gebarsten, verbrokkeld of afgebroken en was er een poging gedaan om het huis wat op te knappen door de hele voorgevel dik in de matwitte verf te zetten. Wexford moest terugdenken aan zijn vergelijking met roomijs toen hij de huizen in The Boltons zag, en vond dit huis net een half gesmolten ijstaart.

Net zoals bij alle andere aannemers was het terrein bezaaid met grote bergen zand, bakstenen, houtspanen en tegels, en ergens in een hoek stond een betonmolen monotoon te draaien. Lucy had al gebeld met Brian George, en dat was dan ook degene die een van de loodsen uit kwam om hen welkom te heten. Wexford en Lucy liepen achter hem aan het roomijshuis in, en kwamen terecht in een soort zitkamer. De wanden waren turquoise geschilderd. Er lag een goedkoop en pluizig rood tapijt op de vloer en de stoelen waren bekleed met bruin plastic. Als dit de plek was waar hij potentiële klanten ontving, dacht Wexford, dan was het een wonder dat ook maar één van hen ooit besloot een ondergrondse ruimte te laten aanleggen. Aan de turquoise muur hingen ingelijste foto's van verschillende hondenrassen, zoals je zou verwachten in de wachtkamer van een dierenarts.

'Toen meneer Rokeby ons vroeg om zijn huis te onderzoeken, werkte ik hier eigenlijk niet,' zei Brian George, alsof hij er destijds misschien half gewerkt had, dacht Wexford, of wel de intentie had gehad om te werken maar er niet aan toe was gekomen. 'U zult iemand willen spreken die hier destijds wel gewerkt heeft.' George knikte alsof hij zijn eigen zorgvuldige inschatting van de situatie wilde bevestigen. 'Volgens mij moet dat Kev zijn, ja, Kev Oswin. Die is ook werkelijk naar Arcadia Cottage geweest. Rare naam eigenlijk, hè? Cottage, bedoel ik. Zelf zou ik het een groot herenhuis noemen. Maar zoals ik al zei, Kev is naar Arcadia Cottage gegaan om de situatie op te nemen, en u kunt waarschijnlijk maar beter even met hem gaan praten. Als u mé wilt excuseren, dan ga ik hem even zoeken.'

Zodra de man de kamer uit was vroeg Wexford aan Lucy: 'Deed hij aan de telefoon ook al zo?'

'Precies zo.'

Lucy pakte een vaktijdschrift van de salontafel en Wexford verzonk in zijn gedachten. Hij had de vorige avond een lang telefoongesprek met Dora gevoerd, en een nog langer telefoongesprek met Burden. Jason Wardle was nog steeds op vrije voeten. Huisbezoek aan al zijn familieleden en vrienden had niets opgeleverd. De man kon ook in het buitenland zitten. Hij had dagen de tijd gehad om het land door de lucht te verlaten, of waarschijnlijker nog, want dat was een stuk eenvoudiger, door middel van de Eurostar. Sylvia's auto was nog niet gevonden.

'Zijn ouders lijken al net zomin te weten waar hij uithangt als wij,' had Burden gezegd. 'Ze zijn tamelijk oud voor een zoon van eenentwintig. James Wardle loopt volgens mij tegen de zeventig. Hij is al jaren met pensioen en ze wonen in een tamelijk geïsoleerd huis aan de rand van Stringfield. Ze beweren hem al een maand niet meer gezien te hebben. Tenzij het uitstekende leugenaars zijn, hebben ze werkelijk geen idee waar hij uithangt en hebben ze geen weet van zijn relatie met Sylvia. Voor zover zij weten – zeggen ze – had hij een vriendin die hij heeft ontmoet aan de universiteit van Myringham, waar hij een tijdje gestudeerd heeft voordat hij zijn studie staakte. Ze hebben de naam van het meisje genoemd, en we hebben haar opgezocht, maar ik ben er zo zeker van als ik onder deze omstandigheden maar zijn kan, dat ze hem in geen maanden gezien heeft en geen idee heeft waar hij zich bevindt.'

Dora had meer te zeggen over Sylvia zelf dan over de jacht op haar belager. 'Ze lijkt er heel goed aan toe, Reg. Ik heb Mary's auto geleend en ik rijd elke dag met haar naar het ziekenhuis om de wond opnieuw te laten verbinden, maar morgen is dat voor het laatst. Ben is weer terug naar school voor de laatste week voor het einde van het semester, maar Robin is thuis. Volgens mij stelt ze mijn aanwezigheid wel op prijs, en misschien komt dat wel omdat ik helemaal niets heb gezegd over het feit dat zij een... nou ja, een liefdesrelatie heeft gehad met een jongen die haar zoon had kunnen zijn. Ik heb er wel iets van willen zeggen, maar dat heb ik toch maar niet gedaan. Ik dacht aan jou, en aan wat je zou willen, en ik heb mijn mond stijf dicht gehouden.'

'Dankjewel, schat,' had hij gezegd, en toen schrok hij op uit zijn gemijmer doordat Lucy zei: 'Wat is er met hem gebeurd? Hij is al tien minuten weg.'

'Laten we nog even wachten,' zei Wexford, 'als hij om kwart over niet terug is, gaan we hem zoeken.'

Om veertien over kwam Brian George terug met een heel korte, heel dikke man die hij voorstelde als Kevin Oswin. Zijn werkgever mocht dan praatziek zijn, maar Oswin was juist uiterst zwijgzaam. Toen Wexford hem vroeg of hij naar Orcadia Cottage was gegaan om de mogelijkheden van het aanleggen van een ondergrondse ruimte daar te beoordelen, reageerde hij daarop met een enkel 'ja'.

'En hoe hebt u dat aangepakt?' vroeg Lucy.

'Watte?'

'Bent u door het huis gelopen, hebt u maten opgenomen, in de kelder gekeken?'

'Er was geen kelder.'

'Het kolenstortgat dan. Hebt u in het stortgat gekeken?'

Oswin zweeg even en zei toen: 'Nee.'

'Meneer Oswin,' zei Wexford, 'zou u iets uitvoeriger willen zijn?'

Oswin staarde hem aan, misschien omdat hij niet wist wat dat woord betekende. 'Zou u daar iets meer over kunnen zeggen?'

'Er valt niets te zeggen, maar als u dat wilt, oké.' Oswin werd plotseling heel wat spraakzamer, maar de woorden kwamen nu heel langzaam, alsof hij het tegen mensen had die gebrekkig Engels spraken. 'Ik zei tegen hem, tegen meneer Rokeby, bedoel ik, dat de hele voortuin op de schop zou moeten gaan. Snapt u wel? De kelder zou helemaal uitgegraven moeten worden.' Hij sprak de het woord 'uitgegraven' heel nadrukkelijk uit, met een rollende R. 'Alle bomen zouden weggehaald moeten worden, en de heg... alles, ook die zuilen met de vogels erop.' De stilte was deze keer langer en eindigde met een zucht. 'De opdrachtgever vroeg: "Hoe zit het met de achtermuur?" en toen we door de deur in de achtermuur naar buiten waren gelopen, zei ik meteen tegen mijn broer dat het niet kon.' Al dat gepraat had Oswin kennelijk uitgeput, want hij deed zijn ogen dicht.

'Mijn broer? U had uw broer meegenomen?'

'Ja, mijn broer Trevor.' En zwaarwichtig voegde hij daaraan toe: 'Trev werkt voor zichzelf, hij heeft een autoverhuurbedrijf maar dat zit hier in de buurt. Hij was met me meegekomen om het huis eens te bekijken, maar hij is buiten blijven staan om te roken. Onze Trev is echt een heel zware roker. Ik ben naar binnen gegaan met meneer Rokeby.'

'Waarom kon het niet?'

'Dan hadden we de kelder moeten uitgraven tot onder de weg achter het huis, en dat is niet toegestaan. Dat zou de deelraad van Westminster nooit goedvinden. Dat mag niet, snapt u wel?'

'Maar u hebt niet in het stortgat gekeken?'

'Ik heb nooit geweten dat er een stortgat was, totdat ik dat kolereding op de tv heb gezien. Oké?'

De man van wie Wexford een glimp opving toen ze wegreden van het terrein van Subearth, zou Trevor weleens kunnen zijn. Hij was al even dik als zijn broer, zij het iets langer van stuk, en hij stond naast de betonmolen een sigaret te roken. Hij droeg een pak en had een stropdas om, en leek hier alleen maar even op bezoek.

'Waar gaan we nu naartoe?' vroeg hij aan Lucy.

'Groundhog and Co bestaan niet meer, meneer. De recessie is ze te veel geworden. Misschien moeten we nog eens met de vroegere baas daar gaan praten, maar volgens mij kunnen we beter eerst alle bedrijven afgaan die nog wel bestaan, denkt u ook niet?'

'Goed,' zei Wexford zonder naar Lucy's lijstje te kijken. 'Hoe zit het met K, K & L Ltd? Die zitten in Hendon en dat is hier toch niet ver vandaan?'

Deze keer geen opslagterrein, maar een winkel in een van die rijtjes winkels die hier en daar de monotonie van al die halfvrijstaande huizen langs de verkeersaders van Londen verbreken. Het was de normale reeks bedrijven: een tabakszaak, een kapper, een hypotheekbank, en een stomerij. Maar in plaats van de badkamerzaak was hier K, K & L Ltd Below Surface Home Extensions gevestigd. Een tamelijk somber aandoende jonge vrouw in een zwart broekpak zag eruit alsof ze zich wat behulpzamer zou opstellen dan Brian George en Kev.

'Onze meneer Keyworth is erheen gegaan om de zaak op te meten,' zei ze, zonder ook maar iets op te zoeken of op de desktop op de balie te kijken. 'Hij zou daar in augustus 2006 langsgaan, en zat net in de taxi, toen meneer Rokeby belde en zei dat hij niet hoefde te komen omdat de dienst Ruimtelijke Ordening zijn aanvraag geweigerd had. De buren hadden fel geprotesteerd.'

'En u bent?' vroeg Lucy.

'Ik ben mevrouw Fortescue.' Wexford vond dat nadrukkelijke 'mevrouw' merkwaardig ouderwets aandoen. Misschien had ze wel geraden wat er in hem omging, want ze voegde eraan toe: 'Louise Fortescue.'

'Waarom een taxi? Kan meneer Keyworth niet rijden?'

'Hij is zijn rijbewijs kwijtgeraakt.' En wraakzuchtig voegde ze daaraan toe: 'Hij reed veel te hard.' En alsof ze desalniettemin Keyworths superieure status wilde benadrukken: 'Maar het was geen gewone Londense taxi, hoor. Zijn buurman heeft een autoverhuurbedrijf, en daar rijden ze alleen maar met Mercedessen.'

'Nou, mevrouw Fortescue, zou u er bezwaar tegen hebben om ons te vertellen hoe het komt dat u dat allemaal nog zo goed weet? Het is per slot van rekening inmiddels een hele tijd geleden. Hoe lang ook alweer? Drie jaar?'

'Drie jaar, ja. Dat is gemakkelijk. Damian – meneer Keyworth – en ik, waren verloofd. Ik kan me alles wat er die week gebeurd is nog herinneren, omdat we bezig waren met de voorbereidingen voor onze bruiloft. Ik was zelfs al met hem gaan samenwonen in zijn nieuwe huis in West Hampstead – hij woonde daar toen net iets meer dan een jaar – en de dag nadat hij naar Orcadia Cottage zou zijn gegaan, heb ik het uitgemaakt. Zoals hij zich gedroeg, zat er niets anders op. Diezelfde avond nog ben ik bij hem weggegaan. Gelukkig had ik mijn flat aangehouden.' Ze keerde haar gezicht af. 'Ik ben degene die het uitgemaakt heeft, maar ik ben er nooit overheen gekomen.' Haar stem stokte even. 'Het spijt me.'

Toen Wexford en Lucy naar de auto liepen, keken ze elkaar snel even aan en moesten hun best doen om niet in lachen uit te barsten. 'Ik ben ooit verloofd geweest,' zei Wexford.

'Ik ook.'

'Ik ben niet met haar getrouwd. Ze is met iemand anders getrouwd, en ik ook.'

'En ik ben helemaal niet getrouwd. Die arme Louise Fortescue heeft het wel heel zwaar opgenomen. Waar zijn we precies naar op zoek, meneer?'

'Je mag wel jij en jou zeggen hoor. En noem me maar Reg.'

'Ik zal mijn best doen,' zei Lucy, 'maar het gaat me moeite kosten. Waar zijn we naar op zoek?'

Wexford ging in de stoel naast de bestuurder zitten. 'Nou, zo iemand als Louise Fortescue. Iemand die wist dat er een kelder onder Orcadia Cottage zat, omdat zij of hij dat van iemand gehoord had.'

Lucy draaide Finchley Road in. 'Bedoelt u... je... dat je denkt dat een van de mensen die zo'n onderzoek hebben ingesteld, van het bestaan van dat stortgat heeft geweten, en mogelijk ook van de kelder onder het huis, maar dat ze dat tegenover ons niet zullen toegeven? Ze hebben dat destijds ontdekt en zijn ofwel teruggegaan op een moment dat ze wisten dat er niemand thuis was of ze hebben het iemand anders verteld.'

'Zoiets. We hebben nog steeds J. Peterson & Son en Underland Constructions op het lijstje staan.'

'Ze weten dat we komen.'

J. Peterson had een klein kantoortje boven een ijzerwinkel in het noordelijke deel van Finchley. De ruimte was niet groter dan de gemiddelde badkamer. Er stond niets anders in dan een bureau, twee stoelen en de alomtegenwoordige laptop. De muren waren volkomen kaal, zonder foto's, kaarten of posters; er hingen zelfs geen gordijnen of jaloezieën voor het smalle schuifraam. De sfeer deed sterk denken aan een gevangeniscel.

'We doen het grootste deel van onze zaken online,' zei een geteisterd aandoende man, die op geen enkele manier liet blijken dat hij hen had verwacht. 'De cliënt kijkt op onze website, maakt een afspraak en wij besteden de zaak dan uit aan een aannemer.'

'Houdt u daar gegevens van bij?'

'De aannemer heeft een architect, die in zo'n geval een ontwerp maakt, en als de cliënt dat bevalt en hij gaat akkoord met de offerte, dan wordt het project uitgevoerd. Als deze cliënt – hoe heet die ook alweer? Rokeby? – akkoord is gegaan met de offerte, dan staat dat bij ons op de computer.'

'Hij is niet akkoord gegaan,' zei Lucy.

'Dan kan ik u niet helpen.' De man klonk vergenoegd.

Underland Constructions mocht dan de telefoon hebben opgenomen toen Lucy belde, en erin toegestemd hebben om Wexford en haar te woord te staan, maar het uitgebreide terrein in Willesden was bijna uitgestorven. Twee loodsen waren leeg, en in het kantoor met het bordje RECEPTIE boven de deur, stond niemand achter de balie.

'We zijn de zaak aan het opheffen,' zei de enige man die ze over het terrein zagen lopen toen ze hem aanspraken. 'We vechten al een jaar voor ons bestaan, maar uiteindelijk is het ons te veel geworden. Ik denk niet dat ik u kan helpen. Wat wilde u ook alweer?'

Lucy vertelde het hem. 'Dan moet u niet bij ons zijn. Voor zoiets kunt u beter met onze architecten gaan praten. Die doen alle ontwerpen voor ons. Nu natuurlijk niet meer, maar ze zijn nog steeds in bedrijf. Voor zover ik weet draaien ze redelijk goed.'

Hij liep het kantoor binnen en kwam weer naar buiten met een beduimelde systeemkaart. Toen ze weer in de auto zaten, las Lucy voor wat erop stond: 'Chilvers, Clary Architecten, en dan twee namen, Robyn Chilvers en Owen Clary, met een hele reeks afkortingen erachter. Dat zullen wel de diploma's zijn die ze allemaal gehaald hebben. Ze hebben een kantoor in Finchley Road. Zullen we daarnaartoe rijden?'

'Jammer dat het al zo lang geleden is,' zei Wexford. 'Het lijkt niet waarschijnlijk dat Robyn Chilvers haar verloving ook net op die datum verbroken heeft. Maar goed, zelfs als ze het allemaal vergeten zijn en het niet in hun administratie valt terug te vinden, zullen al die krantenkoppen over Orcadia Cottage hun geheugen misschien wel hebben opgefrist.'

'Ja, dat zou kunnen.'

'Toch komen we telkens weer bij hetzelfde struikelblok. Om een onderzoek te doen, of een bouwtekening te maken, moet degene die dat gaat doen, dat stortgat bekeken hebben, en waarschijnlijk zal hij er ook wel even in hebben moeten afdalen om te zien hoe het er daarbeneden uitzag. Als hij dat gedaan heeft, moet hij die lijken hebben zien liggen en als hij te goeder trouw was, dan moet hij onmiddellijk naar de politie zijn gestapt. Als hij niet te goeder trouw was en niet naar de politie is gestapt, dan gaat hij dat ons nu dus ook niet opbiechten.'

Een paar jaar geleden was Wexford uit de metro gestapt in station Finchley Road, en toen had hij gedacht dat dat eigenlijk wel een prettige straat was om boodschappen in te doen en misschien ook om in te wonen. Sindsdien was de buurt heel erg achteruitgegaan. Een reusachtig winkelcentrum, dat er nu al vervallen uitzag, had de westzijde van de straat volkomen bedorven, terwijl de winkels en restaurantjes ertegenover het kennelijk niet hadden gered, want er waren grote platen hout voor de ruiten getimmerd. Chilvers, Clary Architecten zat er nog steeds, en dat gold ook voor een massagesalon en een bookmaker. De massagesalon heette Elfland en er hingen foto's in de etalage van heel knappe jonge vrouwen verkleed als feeën, compleet met donzige vleugeltjes en pijl en boog, wat eigenlijk een nogal saaie en degelijke indruk maakte.

Die bijvoeglijke naamwoorden zouden ook van toepassing kunnen zijn op Chilvers, Clary Architecten. Het zag er bepaald niet veelbelovend uit. Maar voor Wexford en Lucy lag er nu een bescheiden doorbraak in het verschiet, niet meer dan een heel bescheiden doorbraak, maar wel een die eindelijk wat licht op de zaak wierp. Achteraf zou Lucy zeggen dat ze Owen Clary wel had kunnen omhelzen, waarop Wexford dacht dat dat geen bijzonder onwaarschijnlijke opwelling was, want Clary was een zeer aantrekkelijke man van tegen de veertig, met een gebruinde huid, zwart haar en klassieke gelaatstrekken, gekleed in een onberispelijk donkergrijs pak.

'Mijn partner is de deur uit, naar een opdracht,' zei hij. 'Niet dat dat ter zake doet, maar Robyn is ook mijn echtgenote. Maar zij kan u volgens mij niet verder helpen, en ik wel... tot op zekere hoogte in elk geval. Door al die artikelen in de kranten kwam het allemaal weer terug. Ik herinner me nog heel goed dat ik naar Orcadia Cottage ben gegaan, volgens mij was dat in de zomer van 2005. De eerste keer ging ik alleen, en de tweede keer samen met die man van Underland. Meneer Rokeby heeft ons binnengelaten, maar daarna moesten zijn vrouw en hij de deur uit. Ik wist het niet zeker, maar ik had wel het vermoeden dat er wel iets van een kelder onder het huis zou zitten, en het leek me dat dat al een aardig begin zou zijn van de ondergrondse ruimte die meneer Rokeby wilde laten aanleggen. Natuurlijk wist ik toen nog niet dat de dienst Ruimtelijke Ordening hem een vergunning zou weigeren.

Die man van Underland en ik hebben die grote plantenbak een eindje verschoven om te zien wat eronder zat. En toen zagen we dat daar een stortgat zat. Dat was alles wat ik hoefde te weten, dat er een uitgraving onder de patio zat. Ik heb niet de moeite genomen om me in dat gat te laten zakken of zelfs maar even over de rand te kijken. Ik had een net pak aan en ik had geen zin om me in zo'n ongetwijfeld smerig gat te laten zakken.

Ik vroeg de man van Underland of hij een ladder of een trapje in zijn bestelwagen had liggen en hij zei ja. "Ga jij dan even naar beneden, en kijk daar even rond, als je wilt," zei ik tegen hem, en daarna ben ik het huis binnengelopen om te kijken of er vanuit huis een trap naar beneden was.'

'U herinnert zich dat allemaal heel goed, meneer Clary,' zei Lucy.

'Ik heb een goed geheugen. Maar zoals ik al zei, een heleboel ben ik me pas weer gaan herinneren toen ik op de televisie die foto's van Orcadia Cottage zag. Wilt u de rest horen?'

'Graag ja,' zei Wexford.

'Ik dacht dat er misschien een luik in de keukenvloer of de gang zou zitten, maar dat bleek niet het geval. Het leek me hoogst merkwaardig dat er een kolenstortgat in de achterplaats zou zitten, en dat er dan geen enkele manier zou zijn om die kolen er binnenshuis weer uit te halen. Ik heb daar een hele tijd gezocht, op de muren getikt en zo, maar uiteindelijk ben ik weer naar buiten gegaan. Ik dacht dat ik het antwoord op dit raadsel wel van Rokeby te horen zou krijgen als we met dat project zouden doorgaan. Ik was niet van plan om verder nog iets te doen voordat hij een vergunning had.

De jongen van Underland zat buiten, in een tuinstoel op de patio. Hij had de plantenbak zelf weer over het deksel van het stortgat geschoven. Hij had even gekeken, zei hij, maar er was alleen maar een groot kolenhok. Ik zei tegen hem dat ik verder niets meer zou doen tot ik van Rokeby had gehoord of hij een vergunning kreeg of niet, en daar gaf hij me gelijk in. Daarna zijn we weggegaan.'

'Hoe zag die man eruit, meneer Clary?'

'Wat bedoelt u?'

'Zag hij er anders uit dan voordat u het huis binnenliep?'

'Dat is me niet opgevallen.'

'Weet u nog hoe die man heette?' vroeg Wexford.

'Zijn achternaam heb ik volgens mij nooit gehoord,' zei Clary. 'Maar hij had zich voorgesteld als Rod.'

'Misschien willen we u nog weleens spreken,' zei Lucy, en hoewel dat pure routine was, zei ze het op zo'n manier dat het nogal dreigend klonk. Meer een dreigement dan een belofte in elk geval. 'Ik geloof er geen woord van,' zei ze tegen Wexford toen ze weer op de stoep van Finchley Road stonden.

Hij lachte. 'Ik weet wat je bedoelt, maar ik kan niet zeggen dat ik er geen woord van geloof. Volgens mij is hij daar inderdaad heen gegaan, en ik geloof ook wel dat ze samen die plantenbak hebben weggeschoven. En het is niet ongeloofwaardig dat Clary zijn mooie pak niet vuil wilde maken. Maar dat die "Rod" in die kolenkelder heeft rondgekeken zonder die lijken te vinden, of zonder daarna op welke manier dan ook iets te laten merken van het feit dat hij zojuist een van de meest weerzinwekkende en macabere dingen onder ogen had gekregen die hij in zijn hele leven ooit gezien had... nee, dat geloof ik niet. En dat hij daarna weer boven is gekomen, de patio op is gelopen en daar rustig is gaan zitten wachten tot Clary weer naar buiten zou komen, geloof ik al evenmin. In zo'n geval zou hij toch zeker op zijn minst luid roepend het huis binnen zijn gehold, al was hij dan nog zo'n sterke en stoere man? En zou hij misschien niet hebben moeten overgeven? Maar hoe dan ook, hij moet toch tot in zijn diepste wezen geschokt zijn geweest, lijkt me. Maar zo is het niet gegaan, of in elk geval is het volgens Clary niet zo gegaan.'

'Wat is er dan gebeurd?'

'Zoals de man zelf vertelt, is Clary daar een hele tijd binnen geweest. Lang genoeg, denk ik, om "Rod" de gelegenheid te geven het stortgat weer af te sluiten, de plantenbak eroverheen te schuiven en weg te rijden.'

'Maar u... je zei zojuist dat hij tot in het diepst van zijn wezen geschokt moest zijn.'

'Niet zo geschokt dat hij niet meer in staat was om de hoek om te rijden en daar een tijdje te blijven zitten tot hij zich weer hersteld had. Ik vermoed dat hij dat deksel heeft opgetild en toen hij zag wat hij van bovenaf kon zien, geen ladder uit zijn bestelwagen heeft gehaald. Hij zag, hij begreep wat hij zag – en van bovenaf zal het er lang niet zo erg hebben uitgezien als van dichtbij – heeft haastig het deksel er weer op gelegd, de plantenbak er weer overheen geschoven en is weggereden. God mag weten wat Clary daarna heeft gedaan, maar vermoedelijk was hij niet sterk genoeg, of achtte zichzelf niet sterk genoeg, om die plantenbak in zijn eentje weg te schuiven. En bovendien had hij zijn goeie pak aan. "Rod" was geen maatje van hem, maar gewoon een bouwvakker die eventueel zou helpen bij het aanleggen van een ondergrondse ruimte. Clary had al besloten niets meer te doen totdat de dienst Ruimtelijke Ordening een vergunning had afgegeven. Ongetwijfeld is hij teruggegaan naar Finchley Road en heeft er niet meer aan gedacht tot drie jaar later die lijken werden ontdekt.'

'Die lijken en een vierde, meneer... Reg.'

'Ja, en de vraag is nu waarom hij niets gedaan heeft toen die lijken zes weken geleden gevonden werden.'

*

Wexford werd verwacht in 'het grote huis', waar hij samen met Sheila, Paul en de kinderen zou eten. Hij zag ernaar uit. 's Avonds alleen thuis zijn beviel hem niet. Als hij terugkeek op zijn leven, realiseerde hij zich hoe weinig hij alleen thuis was geweest. Hij was regelmatig 's avonds weggeroepen, en dan soms de hele nacht weggebleven. Dora had dan ook veel alleen gezeten, maar hijzelf eigenlijk nooit. Niet sinds zijn dagen als jonge alleenstaande, en dat was langer geleden dan hij zich graag herinnerde. Eten koken voor zichzelf vond hij niet moeilijk, want 'koken' hield voor hem over het algemeen in dat hij toast met roerei maakte, of worstjes met opgebakken diepvriesfrieten. Het was ook niet zo dat hij niets te doen had, want hij kon altijd lezen, en dat deed hij ook altijd; maar wat hij zo vervelend vond, was dat hij niemand om zich heen had, dat hij het zonder Dora moest stellen. Hij, die in zijn jeugd het ene vriendinnetje na het andere had gehad, en die naderhand zijn best had moeten doen om andere vrouwen geen al te begerige blikken toe te werpen, was inmiddels volkomen monogaam geworden. Dat was uitstekend, heel bevredigend, maar het hield wel in dat hij zich zonder haar eenzaam voelde.

Terwijl hij doelloos rondhing in het koetshuis en hoopte dat het uur dat het nog zou duren voordat de kinderen hem kwamen roepen voor het eten – ze stonden erop om hem te komen roepen – snel voorbij zou zijn, ging hij bij het raam zitten dat uitkeek over de Vale of Health. Het was een rustige, stille avond, met zonlicht dat door een heiig waas heen scheen. Hij dacht aan de verschillende mannen die naar Orcadia Cottage waren gekomen om een ondergrondse ruimte aan te leggen (of niet aan te leggen). Kevin Oswin, Damian Keyworth en de architect van Underland, Owen Clary, met een loodgieter, die misschien Rod heette maar misschien ook niet. O, en er was nog iemand, iemand van wie ze bijna niets wisten: Oswins broer, Trevor. Die was ongetwijfeld net zo belangrijk, maar kennelijk was hij geen bouwvakker en als hij op die patio was geweest, dan alleen maar omdat hij zomaar even mee was gegaan.

Hoewel hij besefte dat hij met zulke scenario's heel behoedzaam moest zijn, begon Wexford zich toch voor te stellen hoe een van die bezoekers iets was opgevallen aan de plantenbak, waaronder een stortgat schuilging, misschien vanwege zijn superieure kennis van ondergrondse bouwwerken. Dat was niet meer dan een gissing. Maar het was onweerlegbaar dat die bezoeker daarover iets zou kunnen hebben gezegd tegen Oswin of Clary, en dat die daar geen aandacht aan had besteed. Maar wie zou dan degene zijn die dat stortgat had opgemerkt? Rod of Trevor? Was het mogelijk dat een van hen later was teruggekomen, misschien toen bekend was wanneer Rokeby met vakantie zou zijn, om zelf eens een kijkje te nemen? Dat was niet alleen mogelijk, dacht Wexford, dat moest wel. Het hoefde niet noodzakelijkerwijs Rod of Trevor te zijn, maar één van die vijf, Damian Keyworth, Kevin Oswin, Trevor Oswin, Owen Clary of Rod, was naderhand teruggekomen en had een kijkje genomen in die kelder, die tot nu toe door niemand goed bekeken was.

Tenzij het natuurlijk Rokeby zelf was geweest. Maar waarom zou die dan de politie hebben gebeld toen hij het deksel van het stortgat tilde en zag wat er in de kolenkelder lag? Omdat iemand anders die lijken had gevonden en had geprobeerd hem te chanteren? Daar zou hij eens wat langer over moeten nadenken, maar nu had hij daar geen tijd voor. Hij hoorde hoe de voordeur openging en de twee kleine meisjes de trap op holden.

'Opa, mama zegt dat je snel moet komen, zoals je bent.'

Dat was Amy. Anoushka was al in zijn armen gevlogen.

'Opa, wat betekent dat "zoals je bent"? Je kunt toch niet anders komen dan je bent?'

Hij lachte verheugd, want hij vermoedde dat Amy dat van hem geërfd had, die neiging om altijd alles uit te pluizen, en geen enkel afgezaagd cliché zonder nader onderzoek te laten passeren.

'Ze bedoelt dat ik me niet hoef om te kleden maar gewoon de kleren kan aanhouden die ik nu aanheb.'

'Dat is stom.'

'Nee, dat is niet stom. Zo zeg je dat nou eenmaal. Het is goed om vragen te stellen, Amy, maar het is niet goed om al te betweterig te doen. Oké, ik zal jullie later wel vertellen wat dat betekent. Kom mee, ik ben uitgehongerd.'

14

Sindsdien was er een week voorbijgegaan. Hij was van plan geweest om dat weekend terug te rijden naar Kingsmarkham, maar toen hij op het punt stond om de deur uit te gaan, had Dora gebeld en gezegd dat ze een auto zou huren en samen met Sylvia naar hem toe zou komen.

'Ze gaat toch niet rijden?'

'Natuurlijk kan ze niet rijden, Reg. Maar ik heb een rijbewijs, weet je nog? Misschien is het je ontgaan, of heb je ervoor gekozen om dat niet op te merken omdat je nou eenmaal een man bent, maar ik ben bijna een halve eeuw geleden geslaagd voor mijn rijexamen.'

'Goed, goed.' Hij begon te lachen, en merkte dat dit een van die zeldzame gelegenheden was waarbij hij lachte van genoegen, en niet omdat er iets grappigs was gezegd. 'Ik heb je gemist.'

'Goed,' zei ze. 'Uitstekend. Je hoeft geen bedden op te maken, want Sylvia en Mary logeren bij Sheila.' Dora liet een korte stilte vallen. 'Weet je eigenlijk wel hoe je een bed moet opmaken, schat?'

'Lang geleden, in de duistere middeleeuwen, moet ik dat weleens gedaan hebben, maar ik kan het me niet herinneren.'

De wetenschap dat Dora binnenkort weer terug zou zijn bezorgde hem een warm gevoel van voldoening en tevredenheid. Het zou fijn zijn om op deze mooie ochtend in juli op zijn minst een deel van de afstand naar Toms kantoor in Cricklewood lopend af te leggen, en het was prettig dat hij die middag geen trage en saaie rit door de zuidelijke voorsteden voor de boeg had. Tom zat hem op te wachten met het laatste nieuws over het onderzoek naar de naam 'Francine'.

'Niet dat we nou echt iets ontdekt hebben. Ik heb drie nerds opdracht gegeven om het internet zo grondig af te speuren als ze maar kunnen, en het zou je verbazen hoeveel vrouwen in dit land Francine heten. Je zou toch verwachten dat die allemaal in Frankrijk wonen?'

'In deze kosmopolitische tijden ligt dat misschien anders.'

'Natuurlijk, de meerderheid is niet van de juiste leeftijd. Dat wil zeggen, de meeste Francines zijn niet tussen de negenentwintig en vierendertig. En dat is de juiste leeftijd, omdat we ervan uitgaan dat de Francine die we zoeken tussen de zeventien en tweeëntwintig jaar oud was toen haar naam op dat velletje papier werd genoteerd. Maar eigenlijk is dat alleen maar een slag in de lucht.'

'Je bedoelt dat die jongeman zelf ongeveer van die leeftijd geweest moet zijn, en daarom alleen maar een meisje van die leeftijd gekend kan hebben?'

'Ik weet dat dat niet per se zo hoeft te zijn, Reg. Ik zei dat het een gissing was.'

'Als je een van die vrouwen te zien of te spreken krijgt, wat ga je haar dan vragen?'

Tom aarzelde. 'Nou, ik heb er tot nu toe één gesproken. Eentje maar. Die woont in Middlesborough en haar achternaam is Miller. Ze is dertig, ongehuwd en verpleegster van beroep. Ik heb haar gevraagd of ze twaalf jaar geleden in een huis in een straat in St. John's Wood is geweest. Ze wist onmiddellijk wat ik bedoelde. Ik neem aan dat iedereen in het land dat inmiddels wel zal weten. "Orcadia Cottage," zei ze. "Daar gaat dit toch zeker om?" Ik durfde niet te denken dat zij degene was die we zochten. Natuurlijk is ze dat niet. Ze had er alleen maar wat over gelezen en het op de tv gezien. Ze is twaalf jaar geleden niet eens in Londen geweest, want toen zat ze nog op school in Berwick. Maar een interessant feit – als je dat interessant vindt natuurlijk – is dat er heel wat minder Francines van onder de leeftijd van achtentwintig zijn dan van boven de dertig. Ik zeg het nogal onhandig, geloof ik, maar je begrijpt wel wat ik bedoel.'

'Op een gegeven moment raakte de naam Francine uit de mode,' zei Wexford. 'Ouders noemden hun dochters geen Francine meer. Maar we zoeken toch niet naar kleine meisjes?'

'Volgens mij niet.' Tom klonk mismoedig. 'En natuurlijk kan ik er niet zeker van zijn dat Francine Miller de waarheid sprak. Maar ik ben ook realistisch genoeg om mezelf niet wijs te maken dat een meisje van achttien uit Noord-Engeland op een dagtochtje naar Londen drie lijken dumpt in een stortgat ergens in een deftige buurt van Londen.'

Wexford glimlachte. Het was de eerste keer dat hij Tom – een bedaagde man zonder gevoel voor humor – iets had horen zeggen dat zelfs in de verste verte een satirische bijklank had. 'De naam "Francine" stond op een velletje papier, samen met iets wat vermoedelijk een pincode is en "La Punaise". Omdat dat het Franse woord voor pin is, zijn we ervan uitgegaan dat dat een slim geheugensteuntje was, dat de eigenaresse van het adresboekje zou helpen om haar pincode niet te vergeten, terwijl andere mensen die het te zien kregen, zouden denken dat het om een restaurant ging. Ik neem aan dat het inderdaad geen restaurant is of was?'

'Dat hebben we allemaal nagetrokken,' zei Tom. 'Er is geen restaurant met die naam waar dan ook in Londen, en eind jaren negentig was dat er al evenmin. We gokken er voorlopig maar op dat Francine, die Frans studeerde, zijn vriendinnetje was, en dat hij dat woord voor haar heeft opgeschreven, zodat zij hem zou kunnen vertellen wat dat in het Frans precies betekende.'

'En toen hebben ze samen de bankrekening van die arme Harriet Merton leeggehaald.'

'Dat moet een eureka-moment zijn geweest.'

'Hoe zit het met de sieraden, Tom? Zijn we...' Haastig verbeterde Wexford zichzelf. '... Zijn jullie daar al wat verder mee gekomen?'

'Lucy heeft het allemaal aan Mildred Jones laten zien en die zegt, ja, misschien komen die haar wel bekend voor, maar misschien ook niet. Maar de kans dat ze die sieraden wel zou herkennen was ook niet groot, en Anthea Gardner heeft ze nooit gezien.'

Wexford vroeg of hij de uitgeprinte resultaten van de zoektocht naar Francine mocht zien, en een jonge agent die Miles Crowhurst heette, bracht hem een dossiermap die propvol zat met informatie. Maar het meeste daarvan was negatief. Francine Miller was nog de meest veelbelovende kandidate. Niet voor de eerste keer vroeg Wexford zich af of er wel voldoende aandacht was besteed aan de buren van meneer en mevrouw Merton in het gebied tussen Orcadia Place, Melina Place, Abercorn Place en Alma Square. Maar telkens als hij dat onderwerp aansneed, zei Tom dat de meeste buren er twaalf jaar geleden niet eens gewoond hadden, en dat de weinige bewoners die er destijds al wel woonden, al in de eerste dagen na de vondst van de lijken waren verhoord. De drie grootste huizen in de naaste omgeving waren verkocht en tot verschillende appartementen opgesplitst, en er waren nog maar vier afzonderlijke huizen over waar mensen in woonden die misschien nog eens verhoord zouden moeten worden.

'Jij mag het wel doen, als je dat wilt,' zei Tom, en een beetje onhandig voegde hij daaraan toe: 'Je kunt maar beter een agent meenemen. Wat dacht je van Crowhurst?' Dat werd hem gezegd omdat hijzelf geen officiële status had, dacht Wexford, maar zonder bitterheid. Per slot van rekening had Tom het ook anders kunnen formuleren: 'Waarom loop je niet even met Crowhurst mee?' bijvoorbeeld. En kennelijk was Tom niet van plan om zelf mee te gaan.

'Als je daar geen bezwaar tegen hebt,' zei Wexford. 'En als Miles Crowhurst tijd heeft, zou ik nu meteen wel even bij die mensen langs kunnen gaan.' En daarna naar huis om de komst van Sylvia en Mary voor te bereiden...

'Helemaal niet,' zei Tom, en hij voegde daar toen nogal raadselachtig aan toe: 'Doe maar alsof je thuis bent.'

Het was al een tijdje geleden dat Wexford in de buurt van Orcadia Cottage was geweest. De rozen waren uitgebloeid, maar de klaprozen en de zinnia's stonden in bloei, samen met een bed vol met statige dahlia's, oranje, roze en bijna zwart, fuchsia's met duizenden piepkleine, klokvormige rode bloeme- tjes, en herfstasters. De dagjesmensen leken hun dagelijkse gehang voor een hek waar niets te zien viel beu te zijn en waren nergens meer te bekennen. Iemand had een kindersokje om de snavel van een van de stenen valken ge- daan. Zou dat er een zijn van het mollige kindje dat hier zo vaak in die wan- delwagen had gezeten? Het was een zonnige maar toch wat heiige dag, en volkomen windstil, zodat geen enkele kille tochtvlaag het zachte weer ver- stoorde.

Hun project – het project van Wexford en Miles Crowhurst – was een beperkt huis-aan-huisonderzoek. Er hoefden maar drie huishoudens verhoord te wor- den, en het verhoor zou eigenlijk meer weg hebben van een gewoon gesprek. Wat wisten de Wilsoms in Alma Square, David Goldberg in Melina Place en John Scott-McGregor en Sophie Baird in Hall Road van Martin en Anne Rokeby? Zouden ze zelfs maar van het bestaan van dat echtpaar geweten heb- ben voor die afschuwelijke ontdekking onder de patio? Meneer en mevrouw Wilson waren een gepensioneerd echtpaar in een huis dat veel te groot voor hen was. Toen Wexford belde, had Peter Wilson onmiddellijk geweigerd met hen te praten, maar toen zijn vrouw ingreep (met een gefluisterd: 'Het duurt maar een paar minuten, Peter') had hij zijn weigering veranderd in een aarze- lende toestemming. Als Wexford al gehoopt had dat Bridget Wilson mis- schien wat nuttige informatie voor hem had, werd die hoop echter snel de bodem ingeslagen. Ze hadden de Rokeby's gekend maar alleen van gezicht. 'Ik maakte op straat soms weleens een praatje met Anne,' vertelde mevrouw Wil- son, die sprak alsof meneer en mevrouw Rokeby dood waren. Ze was nooit bij hen thuis geweest. 'Ik heb eigenlijk nooit echt geweten dat Orcadia Cottage bestond, met al die muren en dat struikgewas, was het vanaf de straat nauwe- lijks te zien.'

'We hebben een keer een verjaardagsfeestje gegeven,' zei Peter Wilson. 'Toen zijn ze gekomen. Volgens mij is dat de laatste keer geweest dat we ze hebben gezien.'

Van de drie huizen die ze langs moesten, was het piepkleine huisje van David Goldberg, dat ingeklemd stond tussen twee grotere huizen aan Melina Place, het dichtstbijzijnde. Goldberg was een man van middelbare leeftijd die er chic maar niet gezond uitzag en een beetje sleepte met één been. Hij woon- de alleen en vertelde hun dat hij al achttien jaar het huis niet uit was geweest. Zijn werkster haalde eten voor hem, en alles wat hij verder maar nodig mocht hebben. Hij had al die tijd hier in huis gewoond, maar veel vrienden had hij niet en hij was erin geslaagd – zoals mensen in Londen dat kunnen – zijn buren eigenlijk 'alleen van gezicht' te kennen – al had hij zo nu en dan weleens een praatje met hen gemaakt. De enige mensen die hij bleek te kennen waren John Scott-McGregor en Sophie Baird in Hall Road, en dat was toevallig het volgende stel bij wie Wexford en Crowhurst langsgingen. Op de televisie, waar Goldberg obsessief naar leek te kijken, en die Wexford op de achtergrond kon horen, had de man gehoord van wat hij 'dat gedoe op Orcadia Place' noemde.

Scott-McGregor had aan de telefoon toegestemd in een gesprek, maar had er meteen bij gezegd dat ze hun tijd verdeden: ze wisten helemaal niets van 'die mensen'. Hun huis was een van de nieuwe en kleinere huizen in dit deel van St. John's Wood, een in rode baksteen opgetrokken, ongeïnspireerd ontwerp uit de jaren vijftig. En de bewoners, zo dacht Wexford, zagen eruit als het soort mensen dat nooit de aandacht wil trekken. Ze leken opvallend veel op elkaar: beiden achter in de dertig, van gemiddelde lengte, met muisgrijs haar en een gezicht dat je onmiddellijk weer vergat. Voordat ze hen binnenliet, hield Sophie Baird een korte redevoering om te verklaren waarom ze die dag geen van beiden op hun werk waren, hoewel haar partner een verhuisbedrijf runde, en zij als directiesecretaresse werkte. Zodra ze in de woonkamer zaten, die al net zo saai was als zijn bewoners, liet Wexford Crowhurst het initiatief nemen. De agent begon met iets te zeggen over Orcadia Cottage, maar Scott-McGregor viel hem in de rede. 'Dat weten we allemaal al. We zouden doof en blind moeten zijn om dat niet te weten.'

'Waar wij graag met u over zouden willen praten,' zei Miles, die door die scherpe opmerking wat in de verdediging gedrongen leek, 'is of u over enige kennis van dat huis beschikt. Of dat u bijvoorbeeld ooit op de patio bent geweest of in de woning zelf.'

'In Orcadia Cottage, bedoelt u?' zei Sophie Baird.

'Inderdaad. In het huis, of op de patio, terwijl meneer Rokeby daar woonde.'

'Ik ben ooit naar een soort housewarming party geweest, die de Silvermans hielden toen ze daar introkken,' zei Sophie Baird. 'Dat moet... nou, minstens tien jaar geleden zijn geweest. Lang voordat John bij me kwam wonen.'

'Was u bevriend met die mensen? Met de Silvermans, bedoel ik.'

'Niet echt. Het waren Amerikanen, en u weet hoe Amerikanen zijn, heel vriendelijk en ze maken met iedereen een praatje. Devora en ik raakten op straat in gesprek, ik geloof dat het ging over waar de beste slager zat, en voor ik er erg in had was ik al uitgenodigd voor een feestje. En ik wilde dat huis graag weer eens van binnen zien.'

'Weer eens?' Plotseling was Wexford heel alert.

'O ja, heb ik dat dan niet gezegd? Dit huis is nog van mijn ouders geweest, mijn vader heeft het laten bouwen, en ik heb hier als kind gewoond, tot mijn achttiende.'

'Maar Orcadia Cottage? Uw ouders hebben meneer en mevrouw Merton gekend?'

Sophie Baird keek Wexford aan alsof ze dacht dat hij misschien doof was, of seniel. 'O ja, heb ik dat niet gezegd? Ik weet zeker dat ik dat wél gezegd heb. Ze waren bevriend. Franklin en mijn vader waren partners in een accountantsmaatschap in de City. We gingen vaak in Orcadia Cottage op bezoek. Ik weet zeker dat ik dat heb gezegd.'

'Nee, mevrouw Baird, dat hebt u niet gezegd, maar laten we het daar nu verder maar niet over hebben. Zou u ons willen vertellen wat u zich daar nog van herinnert?'

'Nou, ik ben er voornamelijk geweest toen ik nog een kind was, maar mijn vader en moeder gingen er regelmatig heen om te eten of een borreltje te drinken, dat soort dingen. Maar toen kreeg moeder ruzie met Harriet – mevrouw Merton, bedoel ik – en zei ze dat vader verder maar in zijn eentje moest gaan en dat zij niet meer meeging. De laatste keer dat ik daar geweest ben, moet in 1982 of '83 zijn geweest.'

'Kunt u zich het huis nog herinneren?'

'Ik zal u vertellen wat ik me nog wel herinner.' Plotseling werd Sophies manier van doen heel levendig. Ze zag er nu heel aantrekkelijk uit en een brede glimlach onthulde een rij kaarsrecht in het gelid staande witte tanden. 'Ik herinner me de kelder nog. Ik was nooit eerder in een kelder geweest. Ik was een jaar of acht. Harriet ging naar de kelder om iets te halen, en zei dat ik wel mee mocht, en toen zijn we over de keldertrap naar beneden gelopen. Ze deed nooit erg aardig tegen me. Volgens mij hield ze niet van kinderen, maar die keer mocht ik met haar meelopen en liet ze me het stortgat zien, waar de kolen in gestort werden. Ze stookten daar trouwens geen kolen meer...'

'De trap,' zei Wexford. 'De keldertrap liep van de gang naar de kelder?'

'Inderdaad. Er was een trap naar boven en een trap naar beneden. Bent u daar niet binnen geweest?'

Wexford, noch Crowhurst nam de moeite om daarop te reageren. 'Bent u op de patio geweest?' vroeg Wexford, en nog voordat hij zijn zin had afgemaakt, barstte Scott-McGregor uit: 'Waar is dit allemaal goed voor?'

'We zijn zo klaar, meneer Scott-McGregor. Neemt u maar van mij aan dat de informatie van mevrouw Baird uiterst nuttig kan zijn. Bent u op de patio geweest, mevrouw Baird?'

'Die keer niet. Een andere keer wel. De eerste keer dat ik daar was, zat er dus een stortgat in met een deksel erop. Is dat het soort informatie dat u nuttig vindt?'

'Ja, gaat u door alstublieft.'

'Nou, de tweede keer, toen ik een jaar of tien was, stond er een pot met planten erin op het deksel van het stortgat, zodat dat niet te zien was. Wist u dat Harriet het meisje op dat schilderij van Simon Alpheton is? Toen ik haar kende, leek ze daar niet veel meer op.'

'Mevrouw Baird,' zei Miles Crowhurst, 'uw informatie is uiterst nuttig. We zijn u zeer erkentelijk.'

Scott-McGregor keek hem boos aan. 'Nou,' zei hij op vervelende toon, 'ben jij even een wonder. Straks kun je tien pond rekenen voor een gesprekje.'

'Je vraagt je af,' zei Miles toen ze weer in de auto zaten, 'waarom zo'n vrouw als zij bij een man blijft die haar op zo'n manier toespreekt. En toch schijnen ze al een hele tijd samen te wonen.'

Wexford duwde het achterportier open. 'Ik ga nog even terug. Er is iets wat ik nog moet vragen. Dat vindt hij vast niet leuk, maar daar valt niets aan te doen.'

'Francine,' zei Miles.

'Francine.' Haastig liep Wexford het tuinpad op. Sophie was degene die opendeed. Ze glimlachte nog over haar recente succes.

'Of ik ooit de naam Francine heb gehoord? Ik heb op school gezeten met iemand die zo heette. Francine Jameson. Maar dat is dan ook de enige Francine die ik ooit gekend heb.'

'Hoe oud zou die nu zijn?'

Ze trok een gezicht. 'O lieve hemel, ze was net zo oud als ik. Zevenendertig dus.'

'Waar kan ik haar vinden?'

Ze gaf hem een adres in Hampstead. 'Een jaar of twee geleden hebben we elkaar allemaal ontmoet op een schoolreünie, en zij was er ook. Is dat wat u weten wilt? O, mooi. Ik doe het vandaag wel goed, hè?' Ze zei het alsof het maar hoogst zelden voorkwam dat zij iets goed deed, of misschien alsof het maar hoogst zelden voorkwam dat iets wat zij deed haar een complimentje opleverde.

Hij wist eigenlijk niet waardoor het kwam, maar iets aan haar manier van doen gaf hem het gevoel dat hij haar misschien nog weleens zou willen spreken, of dat zij hém zou willen spreken. Hij had zich al omgedraaid, en was al halverwege het tuinpad toen hij voor de tweede keer terugging. 'Voor het geval u me nog wilt spreken,' zei hij, en hij gaf haar zijn kaartje.

Terwijl hij terugliep naar de auto, viel het hem op dat Crowhurst geparkeerd stond tussen twee bestelwagens, waarvan de ene groot genoeg was voor verhuizingen, terwijl de andere voldoende ruimte bood om acht mensen te vervoeren. Hij vroeg zich af of de klanten bij wie Scott-McGregor tweepersoonsbedden en koelkasten weg kwam halen, die vervelende manier van doen van hem wel zo op prijs stelden.

Ga naar huis voordat je naar Gayton Road gaat, hield hij zichzelf voor. Ga eerst naar huis, zodat je Sylvia kunt spreken. Die Francine woont daar al minstens twee jaar, en waarschijnlijk al een stuk langer. Die is er morgenochtend ook nog wel. Er was niets wat hen ervan hoefde te weerhouden om op zaterdagochtend bij haar langs te gaan. Crowhurst reed hem naar Pattison Road en daar zei Wexford dat hij de rest van de weg wel zou lopen. Hier, precies op dit punt, waar Finchley Road Golders Green kruist, was de plek waar Walter Hartwright volgens zijn berekeningen voor het eerst 'de vrouw in het wit' had ontmoet.

Dat was een scène uit de roman *The Woman in White* waarvan hij sinds zijn tienerjaren genoten had. Zouden jonge mensen die nu ook nog weleens lezen? Las ook maar iemand die ooit nog? Terwijl hij zichzelf die vragen stelde, voelde hij zich somber worden. Toen Wilkie Collins dat boek schreef, was het hier allemaal nog platteland geweest, open veld en weilanden die zich uitstrekten tot wat destijds New Road werd genoemd. Morgen, nadat hij Francine Jameson had gesproken, zou hij langs Spaniards Road naar Highgate lopen, en dan heuvelafwaarts, om te kijken waar Dick Whittington zich had omgedraaid toen de zon opkwam, en had gezien dat de straten van Londen waren geplaveid met goud. Op school hadden ze er vroeger een liedje over gezongen.

Draai je nog eens om, Whittington.
Jij waardige burger,
burgemeester van Londen.

Hij maakte de voordeur van het koetshuis open en Sylvia, die nog wat pips zag, maar het verder goed maakte, kwam de trap af en stortte zich in zijn armen.

15

Ze brachten de avond door bij Sheila en Paul, samen met de drie kinderen. Sylvia had weinig te zeggen over de aanval door Jason Wardle. Zijn naam werd niet genoemd, en haar ouders letten er goed op dat het onderwerp niet aan de orde kwam. Ongetwijfeld hadden de beide zussen het er onder vier ogen uitgebreid over gehad, maar Wexford wilde dat niet weten. Het zou misschien nooit vergeten kunnen worden, maar misschien konden ze het wel achter zich laten. Als Wardle eenmaal was opgespoord, zou het natuurlijk allemaal anders komen te liggen; áls hij tenminste ooit gevonden werd en niet naar het buitenland was gevlucht.

Wexford had verwacht die nacht goed te slapen, en dat gebeurde ook, totdat hij in de kleine uurtjes wakker werd. Wat er toen tot hem doordrong was eerder hinderlijk dan angstaanjagend, maar om drie uur 's ochtends kunnen ook trivialiteiten angstaanjagende vormen aannemen. Hij kon niet met Francine Jameson gaan praten, want hij hoorde niet meer bij de politie. Hij kon zich niet legitimeren als rechercheur en hij schrok ervoor terug om Tom op zaterdag te bellen en te vragen of Lucy of Crowhurst met hem mee kon gaan, herstel: of hij Lucy of Crowhurst wilde vragen om naar Gayton Road te gaan en hem mee te nemen. Zou hij in plaats daarvan zichzelf kunnen voorstellen als een vriend van Sophie Baird die navraag aan het doen was naar een oude vriendin van haar? Nee, dat leek hem niet. Want ze kon Sophie Baird gewoon even bellen om te vragen of dat klopte.

Hij deed er absurd lang over, tot lang nadat het licht was geworden, om voor de eenvoudigste oplossing te kiezen: gewoon de waarheid spreken. Hij zou haar vertellen hoe hij heette, dat hij een gewezen rechercheur was, en eraan toevoegen dat als ze niet met hem wilde praten, ze alleen maar de deur in zijn gezicht hoefde dicht te slaan. Om vijf uur 's ochtends stond hij op en zocht haar nummer op in het telefoonboek. Ze stond erin. Een tijdje later, om negen uur 's ochtends, belde hij het nummer en kreeg het verzoek om een bericht in te spreken. In plaats daarvan besloot hij ernaartoe te gaan. Het was niet ver lopen.

Voordat hij wegging, belde hij Subearth Structures en vroeg Kevin Oswin om het adres en telefoonnummer van zijn broer. Kevin was merkwaardig terughoudend toen hij naar Trevors adres vroeg, maar was met alle genoegen bereid om diens telefoonnummer door te geven. Het was minder gemakkelijk dan vroeger om aan de hand van de drie cijfers van het netnummer te achterhalen in welke regio iemand woonde, maar na even nadenken besloot Wexford dat dat niet zo erg was. Mobieltjes namen het geleidelijk aan over van vaste aansluitingen en de jongelui die hij kende, verlieten zich volledig op hun mobieltjes. Hij probeerde Trevors nummer. Nadat de telefoon meer dan tien keer was overgegaan, werd er opgenomen door een vrouw, die al even behoedzaam klonk als Kevin. Ze gaf Trevors mobiele nummer echter zonder problemen door en toen hij dat belde, werd er onmiddellijk opgenomen.

'Ik herinner me er niet veel meer van,' zei de man ontmoedigend. 'Ik ben alleen maar in de Mercedes met Kev meegereden omdat ik niets beters te doen had. Ik ben daar niet binnen geweest. De eigenaar – ik weet niet meer hoe hij heette – stond eindeloos tegen Kev aan te zeiken; ze kwamen naar buiten en liepen toen weer naar binnen. Ik heb wat rondgehangen in het laantje daarachter en een sigaret gerookt. Een paar sigaretten zelfs, want ze namen behoorlijk de tijd.'

Wexford hoorde de onmiskenbare klik van een aansteker gevolgd door een diepe inademing. Trevor hoestte en zei: 'Kevin heeft die klus nooit gedaan. Het hele huis zou ingestort zijn als hij dat had gedaan, zei hij. En daarmee was de zaak afgedaan en zijn we naar zijn huis gereden.'

'Waar woont u, meneer Oswin?'

'Maakt u zich daar maar niet druk om. Het enige wat ik zeg, is dat ik ergens in West Hampstead woon. Het huis van een Engelsman is zijn kasteel, misschien hebt u dat nooit gehoord, maar het houdt in dat dat mijn zaken zijn.' Trevor kreeg een hoestbui en de verbinding werd verbroken.

Dora ging met de drie kinderen naar de London Eye, het enorme reuzenrad. Een wandeling heuvelafwaarts naar Finchley Road, en daarna met de Jubilee Line naar Westminster. Het wandelingetje dat hij maakte, was korter en tegen de tijd dat hij het huis had bereikt waarvan Sophie Baird hem het nummer had gegeven, had hij zichzelf er al van overtuigd dat Francine niet thuis zou zijn. Hij belde aan, en daarna nog eens. Toen hij voetstappen in de hal hoorde, verraste hem dat.

'Mevrouw Jameson,' zei hij. 'Mijn naam is Wexford, Reginald Wexford, en ik ben een voormalig hoofdinspecteur van politie. Ik zou graag wat vragen willen stellen, maar voordat ik dat doe, moet ik wel uitleggen, dat ik geen officiële status heb, en dat ik niet het recht heb om u iets te vragen.'

'Kunt u zich legitimeren?'

'Ja, natuurlijk.' Terwijl hij daar in de deuropening stond, haalde hij zijn rijbewijs tevoorschijn, en zijn 65+ ov-kaart en, al was hij vergeten dat hij dat op zak had, zijn paspoort.

Ze glimlachte, misschien omdat ze had gezien dat hij in zijn paspoort nog steeds vermeld stond als politieman. 'Komt u maar binnen. Let maar niet op de rommel.'

Dat hoorde je van bijna iedereen die je binnen vroeg. Degenen die het niet zeiden, waren degenen die de meeste reden hadden om het te zeggen. Dat waren de viespeuken die nooit iets schoonmaakten en de dwangmatige verzamelaars. Bij Francine Jameson thuis was het al even schoon en netjes als bij de meeste mensen. In de woonkamer zat een jongetje van een jaar of twee op de vloer met Lego te spelen. Hij had een flinke toren gebouwd. Toen hij Wexford zag, stond hij op, holde naar zijn moeder toe en sloeg zijn armpjes om haar knieën. Ze tilde hem op.

'William is nogal verlegen vrees ik.'

Hij zei: 'Hallo, William' met die nadrukkelijk enthousiaste stem waarvan hij al lang geleden had gemerkt dat kinderen er dol op zijn, en ging in de stoel zitten die Francine Jameson hem wees. Ze was een tamelijk lange, slanke vrouw, met donker haar dat strak naar achteren was getrokken in een paardenstaart.

'Wat wilde u me vragen?'

'U hebt ongetwijfeld gehoord over de... ontdekkingen in Orcadia Cottage.' Er verscheen een licht geschrokken en verbaasde uitdrukking op haar gezicht. 'Het huis waar...' Hij wilde niet te veel zeggen terwijl er een kind bij was. '... onprettige ontdekkingen zijn gedaan onder een stortgat in de patio.'

William zei: 'Patio' en toen: 'Patio, patio, catio, matio.'

'Ja, liefje, je bent reuzeslim,' zei zijn moeder, en tegen Wexford: 'Ik heb erover gelezen in de krant. Wat heeft dat met mij te maken?'

'Bent u ooit in Orcadia Cottage geweest?' Ze schudde haar hoofd en had duidelijk geen idee waar hij naartoe wilde. 'Zeggen de namen Franklin en Harriet Merton u iets?'

'Nee, van die mensen heb ik nooit gehoord.'

'La Punaise?'

Ze lachte. '*La punaise* betekent "pin" in het Frans. Ik ben lerares Frans aan Francis Holland.'

Dat zal wel een school zijn, dacht hij. Hij stond op en bedankte haar. 'Kent u toevallig iemand anders die net zo heet als u?'

'Francine? Ik denk van niet. Alleen mijn moeder.'

'En bij voorkeur iemand van uw eigen leeftijd.'

'Ik heb die naam gekregen omdat mijn moeder Française is en zij ook zo heet. Ze heet Francine Seguin, en toen mijn vader en zij uit elkaar gingen, is ze haar meisjesnaam weer gaan gebruiken. Maar dat wilt u helemaal niet weten. U bent op zoek naar een jonge vrouw en mijn moeder is bijna zeventig.'

'Woont ze hier in het land?'

'In Highgate,' zei Francine Jameson, 'maar ik begrijp niet helemaal hoe zij u zou kunnen helpen.'

Terwijl Wexford de heuvel weer op liep, was hij geneigd het met haar eens te zijn. Maar Francines moeder woonde wel in Highgate, en daar moest hij nu maar eens naartoe lopen. Abrupt keerde hij zich om en liep de Hampstead Heath op, langs de Ponds. Niet dat hij op zoek zou gaan naar Francine Seguin. Dat was zinloos. Tenzij er een genootschap bestond van vrouwen die Francine heetten, maar dat leek hem zeer onwaarschijnlijk, en bovendien zou Tom Ede daar inmiddels dan wel achtergekomen zijn. Het zou kunnen dat het helemaal niet nodig was om hun Francine, de Francine van Orcadia Cottage, te vinden. Het zou heel wat beter zijn om zijn aandacht weer te richten op het vinden van de aannemer of bouwvakker die gebruik had gemaakt van wat hij te weten was gekomen over de kelder onder de patio.

Wandelen, zo had hij besloten toen hij er voor het eerst een serieus tijdverdrijf van maakte, was de beste manier om rustig te kunnen denken. Het was beter dan in een leunstoel zitten, waar je door al te veel nadenken al snel knikkebollend in slaap viel, en beter dan 's nachts in bed liggen, als je gedachten werden verwrongen door de waanzin die na middernacht soms kwam opzetten. Terwijl hij in een stevig tempo over de open heide liep, zette hij zijn gedachten op een rijtje, en zag zich tot de onwelkome conclusie gedwongen dat ze tot nu toe, na talloze verhoren, internetonderzoeken en het kritisch bekijken van de beschikbare gegevens, nog steeds niets meer wisten over de vier lijken dan wat al vanaf het allereerste begin voor de hand had gelegen, namelijk dat de oudere vrouw Harriet Merton was. Ze hadden ook al vanaf het eerste begin geweten – of liever gezegd, dat was door middel van DNA-onderzoek aan het licht gebracht – dat de twee mannen bloedverwanten waren. Maar was dat alles?

Nou, ze wisten ook dat drie lijken daar al twaalf jaar lagen, en het vierde lijk nog maar een jaar of twee. Lucy had gezegd dat Clary nog een heleboel vragen zou moeten beantwoorden, maar dat gold ook voor het bedrijf Underland. Zouden ze daar de gegevens hebben bijgehouden van de werklui die ze destijds in dienst hadden gehad, zelfs als het om tijdelijke krachten ging? Dat maakte niet uit, dacht hij. Clary zou het wel weten, en misschien die nog onbekende factor: zijn vrouw Robyn Chilvers. Een uitgebreid verhoor van die twee zou prioriteit moeten krijgen, dacht hij. Een klusje voor maandagochtend. Hij hoopte maar dat Tom Ede het met hem eens zou zijn...

'Ik kan niet met moeder praten,' zei Sylvia. 'Of liever gezegd, ze wil niet met mij praten over wat er is gebeurd, en als ik de naam Jason noem, klapt ze helemaal dicht of verandert ze op een wel heel doorzichtige manier van onderwerp.'

'Wil jij er met haar over praten?' vroeg Wexford.

'Ik wil het gevoel hebben dat ik dat kán doen, en ik wil niet het gevoel krijgen dat ik moet doen alsof ik ben overvallen door iemand die ik niet kende, zoals het nu gaat dus. En ik wil ook niet hoeven doen alsof er helemaal niets is gebeurd. Moeder vindt het afschuwelijk dat ik een relatie gehad heb met iemand die zeventien jaar jonger is dan ik, maar als ík de man was geweest en Jason de vrouw, dan zou ze dat helemaal niet erg hebben gevonden. En zij denkt dat ik... dat ik Mary heb blootgesteld aan allerlei schandelijk gedrag, maar dat is helemaal niet zo. Ik ben heel voorzichtig geweest met Mary. Elke keer dat Jason en ik... nou ja, als we elkaar ontmoetten, logeerde Mary bij Mary Beaumont; ze heeft daar altijd al veel gelogeerd, ze is dol op Mary Beaumont. Dat is de reden waarom ik, toen we in de auto zaten en ik in de gaten kreeg dat het op ruzie zou uitdraaien, Mary uit de auto heb gelaten en heb toegekeken hoe ze het huis van Mary Beaumont binnenliep. Ik zag haar in Mary's armen springen. Moeder denkt dat ik haar min of meer uit de auto heb geduwd en langs de weg heb achtergelaten, maar zo was het helemaal niet.'

'Ik vind dat je jezelf de vraag moet stellen of je niet liever een moeder met strenge principes hebt dan een moeder die alles maar goedvindt.'

'Eerlijk gezegd, vraag ik me dat soms weleens af.'

'Waar denk je dat Jason nu zit, Sylvia?'

'Als ik dat wist, zou ik het wel tegen Mike hebben gezegd. Ik zou hem heus niet in bescherming nemen.' Sylvia pakte haar glas wijn. 'Wist je dat hij met me wilde trouwen?'

'Ja, dat had ik al begrepen.'

'Maar het probleem was – en dat zul je ongetwijfeld over talloze mannen in een dergelijke situatie al gehoord hebben – dat toen ik zei dat ik niet met hem wilde trouwen, hij zei dat als hij me niet kon hebben, iemand anders me ook niet zou krijgen. Dat zei hij telkens weer, maar ik heb er geen aandacht aan besteed en na de laatste keer dat hij het zei, stak hij me neer.' Ze gaf een kort, nerveus lachje en bracht haar hand naar de plek waar het verband op haar litteken de stof van haar sweater wat omhoog duwde. 'Hij zei dat hij niet op mijn hart mikte, omdat ik geen hart had. Ik had moeder dat graag allemaal verteld, maar het is onmogelijk om iets te zeggen tegen iemand die het niet wil horen.'

'Ik breng je volgende week zelf wel naar huis,' zei Wexford. 'Ik wil eens met Mike praten.'

'Toch niet over mij?' Sylvia keek geschrokken. 'Ik heb hem alles al verteld.'

'Nee, niet over jou, maar over die zaak waarbij ik verondersteld wordt een handje te helpen, al heeft dat tot nu toe allemaal niks opgeleverd. Het kan misschien wel prettig zijn om even met Mike te praten.'

Maar eerst moest er nog een gesprek met Owen Clary en zijn vrouw worden gevoerd. Tom Ede stemde daarin toe, maar met zichtbare tegenzin, dacht Wexford. Hij kon wel zien dat Tom zijn manier van werken nu al excentriek begon te vinden. Dat scenario van hem over Clary en 'Rod' die naar Orcadia Cottage waren gegaan, was veel te fantasievol, zei Tom behoedzaam. Welk bewijs had Wexford ervoor dat die 'Rod' dat zo gedaan had terwijl Clary binnen was?

'Ik heb helemaal geen bewijs. Als ik bewijs had, hoefde ik niet met Clary en Rod te praten, want dan was deze zaak al bijna opgelost. Je zegt dat ik op mijn fantasie afga, en daar heb je misschien wel gelijk in, maar ik beschouw het meer als handelen op grond van mijn mensenkennis. Ik denk gewoon niet dat we ons kunnen veroorloven om hieraan voorbij te gaan zonder op zijn minst met die Rod gepraat te hebben.'

'Nou, zoals ik al zei, doe dat dan maar. Ik zal Lucy wel vragen of ze bij Clary langs wil gaan, en dan kun je wel met haar meegaan als je wilt.' De formulering was op subtiele wijze anders dan de vorige keer. Deze keer ging Wexford met Lucy mee, en zij niet met hem. Maar dat was nou eenmaal onvermijdelijk, hield Wexford zichzelf voor.

'Ik heb destijds al gezegd dat ik geen woord geloofde van wat die Clary allemaal vertelde,' zei Lucy toen ze op weg gingen naar de hoge flat in Maida Vale waar Clary en zijn vrouw woonden. Het was de vrouw, Robyn Chilvers, die hen aan de telefoon had gezegd dat ze hen met alle genoegen zou ontvangen. Haar man zou er ook zijn. Ze werkten toevallig die dag thuis, want er was een verwarmingsmonteur bezig in hun kantoor in Finchley Road.

Aantrekkelijke mannen trouwen niet altijd met knappe vrouwen. Het was Wexford al vaker opgevallen dat lange, elegante mannen met krachtige, magere gezichten over het algemeen een mollige vrouw trouwen met dikke wangen, kleine oogjes en 'moeilijk' haar; vrouwen als Robyn Chilvers dus. En nog merkwaardiger: hij kwam over als een sluwe en subtiele man, maar zij maakte onmiddellijk een open en eerlijke indruk.

Hun huis was een minimalistisch penthouse in zwart, chroom en ivoorwit, met een reusachtig panoramavenster dat uitzicht bood op Noord-Londen, tot aan het verafgelegen Harrow on the Hill. Wexford en Lucy namen plaats op een zeer oncomfortabele zwarte zitbank zonder armleuningen. Clary stond naar hen te kijken terwijl zijn vrouw binnen kwam lopen met een wit dienblad met twee zwarte kopjes dubbele espresso.

'Ik heb u alles verteld wat ik nog weet van dat bezoek aan dat huis, Cottage hoe-heet-het-ook-weer,' zei Clary tamelijk zuur. 'U zou Underland Constructions naar de naam van die loodgieter van ze moeten vragen, en niet mij.'

'Maar Underland bestaat niet meer,' zei Lucy, die na het eerste slokje koffie haar best moest doen om geen vies gezicht te trekken. Achteraf zou ze tegen Wexford zeggen dat ze dacht dat het spul het slijmvlies op haar verhemelte aantastte. 'De mensen die daar gewerkt hebben, weten niets over een loodgieter die Rod heette en die drie jaar geleden voor hen heeft gewerkt.'

'Nou, het spijt me, maar ik kan u niet helpen.'

'Maar dat kun je wel, schat,' zei Robyn Chilvers. 'Rod zei u toch? Die werkte niet alleen voor Underland, maar heeft ook weleens iets voor ons gedaan. Weet je nog toen de vaatwasser lekte? Dat is hooguit een jaar geleden. Hij had al eerder een klusje voor ons gedaan en ik had zijn telefoonnummer. Ik heb hem gebeld en binnen een uur stond hij voor de deur. Hij was heel efficiënt.'

'Bedoel je dat dat dezelfde man is? Ik meen het me inderdaad wel te herinneren, Robyn. Ik heb die twee alleen niet met elkaar in verband gebracht.'

'Hebt u dat nummer nog, mevrouw Chilvers?'

'Ja hoor. Ik zal het even opzoeken.'

Ze was er tamelijk lang mee bezig. Terwijl ze weg was, ijsbeerde Clary door de kamer. Als een panter, zei Wexford naderhand tegen Lucy. Ze zaten daar op die keiharde bank, en keken naar de Londense huizen, kerktorens, flats, bomen en grasvelden, terwijl Clary zwijgend heen en weer liep. Een hele tijd later kwam Robyn Chilvers terug met een geel Post-it-velletje met de naam 'Rod Horndon' erop gekrabbeld en daaronder een mobiel telefoonnummer. Clary draaide zich om en in plaats van de norse en ontevreden uitdrukking die Wexford had verwacht, wierp hij zijn vrouw een goedkeurende glimlach toe en gaf haar een vriendelijk schouderklopje. Toen ze eenmaal hadden gezegd dat ze weggingen, werd hij ook tegenover hen wat toeschietelijker en minder gespannen, en verontschuldigde hij zich omdat hij hen verder niet kon helpen.

'Ik begin te denken,' zou Wexford naderhand zeggen, 'dat wat er die eerste keer ook gebeurd mag zijn, het tweede bezoek dat Clary samen met Rod aan Orcadia Cottage heeft gebracht, heel anders moet zijn verlopen dan Clary nu zegt. Waarom zijn ze daar trouwens twee keer naartoe geweest? Clary moet een idee hebben gehad van wat hij daar te zien zou krijgen. Waarom had hij de eerste keer geen loodgieter meegenomen? De tweede keer waren Rokeby en zijn vrouw niet thuis. Ik vraag me af of dat eigenlijk wel zo in Clary's voordeel heeft gewerkt. Stel nou dat Rokeby verschillende dagen had genoemd waarop Clary langs kon komen, maar erbij had gezegd dat zijn vrouw en hij op één daarvan niet thuis zouden zijn, en dat Clary precies die dag gekozen heeft.

Wil jij dat nummer bellen, Lucy? Voor mij is het een beetje lastig.'

'Hoezo? O, ik begrijp het. Ja, natuurlijk. U bedoelt dat hij niet goed kan weigeren om mij te ontvangen, maar dat hij dat ú wel kan weigeren?'

'Zoiets,' zei Wexford.

Mensen veranderen zo nu en dan weleens hun mobiele nummer, en dat gold ook voor Rod Horndon. Maar daardoor liet Lucy zich niet uit het veld slaan. Ze bladerde allerlei telefoonboeken en kiesregisters door en vond Horndon toen op een plek waar ze hem eigenlijk niet verwacht had, op zijn eigen website. Zo te zien was hij samen met een vriend zijn eigen bouwbedrijf begonnen – ze beschreven zichzelf als 'klein maar gespecialiseerd' – dat de recessie had weten te doorstaan. Geamuseerd en met lichte bewondering zag Wexford dat ze adverteerden met de slogan 'Wij doen wat we beloven', en er prat op gingen dat ze altijd kwamen opdagen op de afgesproken dag en tijd.

'Dat lijkt me een nuttige gimmick,' zei Wexford. 'Niet uniek misschien maar wel origineel.'

'Misschien ga ik ze ook weleens bellen,' zei Miles Crowhurst. 'Dan hoef ik niet de hele dag thuis te wachten op een aannemer die niet komt opdagen. Dat zou mooi zijn. Ze kunnen mijn nieuwe badkamer wel installeren.'

'Laat die badkamer van jou maar zitten,' zei Tom Ede. 'Bel die meneer Horndon nou maar. Hier heb je drie mogelijke nummers.'

Maar volgens zijn tienerdochter was Rod Horndon samen met haar moeder op vakantie naar de Cariben, en zou hij pas over twee weken terug zijn.

'Ik wou dat ik mijn vrouw kon meenemen naar de Cariben,' zei Tom mismoedig. 'Dát zou pas mooi zijn. Loodgieters zwemmen altijd in het geld. Als ik het allemaal opnieuw kon doen, zou ik ook loodgieter worden. Dan had ik me nooit in de buurt van een politiebureau gewaagd.'

16

Mary maakte een scène toen Sylvia vertelde dat ze naar huis gingen. Ze wilde bij haar nichtjes blijven en toen ze te horen kreeg dat ze op vrijdagmiddag samen met opa en oma naar huis zouden gaan, gedroeg ze zich op een manier die, volgens haar moeder, helemaal niets voor haar was. Ze begon te huilen en te stampvoeten.

'Waarom laat je haar niet hier?'

Sylvia omhelsde haar zus. 'Zou je dat goedvinden? Heb je daar geen bezwaar tegen?'

'Vraag het Gudrun maar. Als zij er geen bezwaar tegen heeft, heb ik het ook niet.'

Dus werd Mary achtergelaten bij Amy en Anoushka, onder toezicht van het kindermeisje, dat had gezegd dat ze Mary er met genoegen bij wilde hebben, omdat die veel minder stout was dan de andere twee. 'Opa,' zei Amy, 'denk je dat ze in een weekje kan leren om net zo stout te zijn als wij?'

Wexford zei dat het hem niet zou verbazen. Hij reed Sylvia terug naar Great Thatto, waar ze om een uur of vijf 's middags aankwamen. Dora en hij gingen samen met haar naar binnen. Dora had gedurende het laatste deel van de rit voortdurend geprobeerd haar over te halen om met hen mee naar huis te gaan, en te blijven logeren tot ze over vier dagen weer teruggingen naar Londen.

'Ik wil eigenlijk liever een tijdje op mezelf zijn,' zei Sylvia nadrukkelijk. 'Ben komt dit weekeinde, maar zondagavond moet hij weer weg, en op maandag moet ik weer aan het werk. Ik ben weer helemaal de oude. Ik moet nu niet blijven lanterfanten.'

Nogal klagerig zei Dora: 'Je hebt me nooit gezegd dat de sociale dienst je al zo snel weer terug verwacht.'

'Ik word ook niet verwacht. Ik hoop dat ze aangenaam verrast zullen zijn.'

Wexford zou zich die woorden blijven herinneren. Geen Mary, geen andere Mary, geen dienst bij de voorschoolse opvang, geen werk waar ze werd verwacht... Al met al riep dat wel een bepaald beeld op.

Hij zette Dora af bij hun eigen huis en ging daarna de huurauto terugbrengen naar het autoverhuurbedrijf in High Street. De volgende ochtend belde

Sylvia om te zeggen dat alles oké was en dat ze het goed maakte. Wexford was degene die opnam en hij vond dat ze moe en zenuwachtig klonk, maar was dat niet normaal? Ze had een hoop meegemaakt. Om zes uur 's avonds had hij een afspraak met Burden voor een borrel in de Olive and Dove, en Dora was vastbesloten om de avond samen met Sylvia in de oude pastorie door te brengen. Zij zou koken, en ze had haar dochter voorgesteld dat ze nog wat mensen zou uitnodigen om er een klein 'welkom thuis'-feestje van te maken. Ze had zelfs de namen van een paar oude vriendinnen van Sylvia genoemd en erop gezinspeeld – al had Wexford haar gewaarschuwd om dat niet te doen – dat Neil Fairfax, Sylvia's ex, misschien ook wel uitgenodigd kon worden. Wexford had verwacht dat Sylvia zou ontploffen, maar haar reactie was anders geweest dan hij van haar gewend was. Nee, dat was geen goed idee. Nee, dankjewel, ze hoefde geen warme maaltijd, ze at nu toch niet veel en het zou echt maar beter zijn als haar moeder helemaal niet kwam. Ze was van plan om vroeg naar bed te gaan en tv te kijken.

Wexford ging op weg naar de Olive and Dove. Hij had beloofd vroeg thuis te zijn en hij vermoedde dat Dora zodra hij haar niet meer voor de voeten liep Sylvia opnieuw onder vuur zou nemen. Daar had hij alle begrip voor. Hij kon duidelijk zien hoe ongerust ze was, en misschien had ze daar ook wel reden toe. Ze was altijd een zeer bezorgde moeder geweest, al had ze zich misschien vaak iets te veel met het leven van haar dochters bemoeid. Maar ook daarvoor had hij alle begrip.

Hoewel hij sinds zijn pensioen nooit lang uit Kingsmarkham weg was geweest, zelden langer dan een dag of vijf en nooit langer dan een week of twee, merkte hij elke keer als hij weer thuiskwam kleine veranderingen op die zich in zijn afwezigheid hadden voorgedaan. De vorige keer bijvoorbeeld bleek een groot oud huis in York Street, dat niet op de monumentenlijst had gestaan, plotseling gesloopt, zodat er een kaal bouwterrein was achtergebleven. Deze keer was een hele rij jonge maar stevige haagbeukjes geplant langs Orchard Road. Omdat hij tegenwoordig zoveel wandelde, vielen die dingen hem veel meer op dan vroeger. De gedachte om een andere manier van vervoer te kiezen om naar de Olive and Dove te gaan kwam tegenwoordig trouwens niet eens meer in hem op, terwijl hij nog niet eens zo heel lang geleden zichzelf echt had moeten vermannen om niet met de auto te gaan, en hij als hij toch ging lopen dat alleen maar deed omdat hij dan tenminste wat kon drinken.

Burden was er al. Soms verwonderde Wexford zich er weleens over hoe moeilijk het was voor Engelsen om elkaar te begroeten, zelfs als ze goede vrienden waren. Andere Europeanen zouden elkaar de hand hebben gedrukt of zelfs hebben omhelsd. Arabieren en vele Aziaten zouden elkaar niet alleen omhelsd maar zelfs gekust hebben, misschien zelfs op die wonderlijke manier die hij alleen maar op de televisie had gezien, eerst een kus op de ene wang, dan op de andere, en dan weer op de eerste. In het geheim, tijdens die van een lichte waanzin vervulde nachtelijke uren, was de gedachte weleens bij hem opgekomen dat hij het heel prettig zou vinden om Burden te omhelzen als ze elkaar na lange tijd weer eens zagen, al trok hij wel de grens bij dat gedoe met die drie kussen. Toen hij erover dacht hoe Burden zou reageren als hij dat zou vertellen – vol ongeloof en zorgvuldig verholen afgrijzen – moest Wexford hardop lachen.

'Wat is er zo grappig?' vroeg Burden terwijl hij kwam aanlopen met twee glazen rode wijn.

'O, niets.'

'Mijn oma, die is gestorven toen ik acht was, vertelde me weleens over een of andere komiek in de musichalls, toen zij net zo oud was als ik toen. Ernie Lotinga heette die... is het niet vreemd dat ik me dat na al die jaren nog kan herinneren? Maar goed, als hij een grap had verteld, trok hij altijd een ernstig gezicht en zei: "Ik zie niet in wat er te lachen valt." Kennelijk lag de hele zaal dan in een deuk.'

'Ik heb weleens van hem gehoord,' zei Wexford. 'Hij was T.S. Eliots favoriete komiek.'

Dat interesseerde Mike Burden totaal niet, en Wexford had ook niet anders verwacht. 'Hoe gaat het met die lijken in de kolenkelder?'

'Niet al te best. We kunnen nog steeds maar één lijk identificeren en dat lag vanaf het eerste begin al voor de hand. Hoe zou jij te werk gaan om een vrouw te vinden die waarschijnlijk een jaar of dertig is, geen bijzonder eerlijke inslag heeft, tenzij ze intussen erg veranderd is, die waarschijnlijk uit Londen komt, Frans spreekt, van Franse komaf is of Francine heet?'

Burden stelde alle methoden voor die Tom Ede ook al had gebruikt. 'Maar ik neem aan dat het er wel een hoop zullen zijn?'

'Te veel. Zie je, ik heb gezegd dat ze waarschijnlijk een jaar of dertig is, en veel jonger zal ze ook niet zijn, maar ze zou best een heel stuk ouder kunnen zijn.' Hij vertelde Burden over La Punaise, en de vrouwennaam die op dat velletje papier was gekrabbeld. 'Hoewel we ervan uitgaan dat hij probeerde Francine om een vertaling te vragen, wijst niets erop dat ze van zijn eigen leeftijd was. Misschien was het wel een voormalige lerares of een vriendin van zijn moeder, of een buurvrouw.'

'Het zou ook een moordenares kunnen zijn.'

'Die gedachte is ook bij mij opgekomen.'

'Je kunt een advertentie zetten. Als zij hem heeft vermoord, zal ze niet reageren, maar je hebt toch geen reden om daarvan uit te gaan?'

'Geen enkele. Maar hoe zou zo'n advertentie eruit moeten zien? Die Francine moet op de een of andere manier iets met Orcadia Cottage te maken hebben gehad. Dat zou dan geformuleerd moeten worden als "Wil Francine die twaalf jaar geleden iets te maken heeft gehad met Orcadia Cottage, Orcadia Place London NW8, contact opnemen met de politie regio Londen..." Je snapt best waar dat toe zou leiden: de echte Francine reageert niet omdat die man haar misschien twaalf jaar geleden wel heeft gevraagd over het woord "punaise", maar ze nooit van Orcadia Cottage heeft gehoord voordat ze in de krant las dat daar al die lijken zijn gevonden. En wij worden bestormd door honderden valse Francines die allemaal de raarste onzin uitkramen.'

'Je zou die vertaling van La Punaise kunnen noemen, maar eigenlijk weet je dat toch niet echt zeker? Die man, wie het dan ook geweest mag zijn, zou dat Franse woord opgeschreven kunnen hebben omdat hij dacht dat het een restaurant was, en die cijfers kunnen het telefoonnummer van Francine zijn, maar dan zonder netnummer, omdat hij dat al kende.'

'Ik heb je al gezegd, Mike, dat we dat eigenlijk niet weten. Ik kan die vrouw in Highgate wel gaan opzoeken, maar de kans dat die de Francine is die we zoeken, is niet groter dan bij de andere vrouwen die Tom al heeft gecheckt.'

Burden prikte een olijf aan een cocktailprikkertje. 'Dus wat doe je nu? Wat ga je doen als je terug bent?'

'Wat we de hele tijd al doen,' zei Wexford. 'Heen en weer lopen tussen een stel architecten, aannemers, loodgieters en mogelijke Francines. Nog een keer bij Martin Rokeby langs, en ook nog een keer op bezoek bij Anthea Gardner en Mildred Jones, al beschikken die voor zover ik weet verder niet over nuttige informatie.'

'Die Francine zou weleens de jonge vrouw in – hoe noemde jij dat ook weer? – de grafkelder kunnen zijn. Heb je daar al aan gedacht?'

'Dan zou ze een jaar of twaalf geweest moeten zijn toen die andere lijken in de kelder werden gedumpt.'

'Waarom niet?'

Het was een minder lonend gesprek geweest dan hij had verwacht, en dat viel Burden eigenlijk niet te verwijten, peinsde Wexford terwijl hij naar huis liep. Er was weinig om op af te gaan, niets wat Tom, Lucy en hij, samen met een heel team aan rechercheurs al niet uitgebreid hadden geprobeerd. Hij was met hoge verwachtingen aan deze zaak begonnen, en hij geloofde dat Tom ook hoge verwachtingen van hem had gehad. Of misschien verbeeldde hij dat zich maar, en had Tom hem nooit beschouwd als meer dan iemand met wie hij over deze zaak kon praten, iemand die als een soort klankbord zou kunnen fungeren waarop hij allerlei ideeën kon uitproberen. Hij was erin geslaagd om een auto te vinden, en meer niet, en het enige wat het gerechtelijk laboratorium daarmee zou kunnen uitrichten, was tot de conclusie komen dat de auto was gebruikt om het lijk van Keith of Kenneth Gray of Bray of Greig te vervoeren.

Het begon te regenen. Eerst was het niet meer dan een soort dichte mist, maar geleidelijk aan werden de druppels steeds groter, zodat hij zich afvroeg waarom hij geen regenjas of paraplu had meegenomen. Tegen de tijd dat hij thuiskwam, was hij doorweekt en hij liep meteen de trap op om zich om te kleden voordat hij Dora ging zoeken.

'Wandelen heeft zo zijn nadelen,' zei Wexford. 'Zeker als je er pas laat in je leven aan begint. Heb je Sylvia nog gesproken?'

'Ze heeft gebeld. Ze zei dat ze vroeg naar bed zou gaan en tv ging kijken, meer niet. Ik was heel opgelucht om van haar te horen.'

Hij pakte haar hand vast. 'Waar maak je je zo ongerust over?'

Ze zuchtte even. 'Schat, weet je nog dat Sylvia een paar jaar geleden dat... vriendje heeft gehad. Partner wil ik niet zeggen. Dat vind ik zo'n afschuwelijk woord dat ik het gewoon niet over mijn lippen kan krijgen. Die man was gewelddadig en had haar min of meer gevangen gezet, jij en ik zijn erheen gegaan, en jij hebt hem neergeslagen en ervoor gezorgd dat zij van hem verlost werd.'

'Natuurlijk herinner ik me dat nog.'

'Nou, ik vraag me af of zij soms zulke mannen aantrekt, of ze die zelfs misschien opzoekt, en of die Jason misschien weer terugkomt. Misschien is hij op dit moment al bij haar in huis. En dus was ik enorm opgelucht toen ze belde.'

'Als hij daarnaartoe is gegaan,' zei Wexford, 'omdat zij weer thuis is en hij dat weet, dan laat ze hem heus niet binnen.'

'Ja, maar ik moet je wel iets zeggen. Dat heeft ze net verteld, toen ik haar aan de telefoon had.' Dora trok haar hand los en klemde die om haar andere hand. 'Hij heeft een sleutel.'

Wexford zei niets. Hij zat doodstil.

'Het is een sleutel van de voordeur. Ik heb haar gevraagd of de politie dat weet, en zij zei: "Waar is het nou goed voor om dat aan de politie te vertellen?" Dat hij een voordeursleutel heeft, wil niet zeggen dat hij binnen kan komen als ze de voordeur goed op slot houdt, met de grendel ervoor, en kennelijk doet ze dat.'

Wexford nam de telefoon op en belde Sylvia's mobiele nummer. Hij kreeg de voicemail. Hij belde nog een keer en deze keer nam ze op.

'Heb je de grendel op de voordeur gedaan, Sylvia?'

'Ik denk van wel. Ik lig in bed.'

'Ga naar beneden en kijk of de grendel erop zit. En neem de telefoon mee.'

Ze maakte geërgerde geluiden, een diepe zucht en het soort geluid dat mensen maken als ze met hun ogen rollen. Hij hoorde haar voetstappen op de trap. En toen een korte stilte. 'Goed, pa. Ik doe nu de grendel erop.'

'Laat horen,' zei hij.

Eerst de ene grendel, en toen de andere. De onderste maakte een knarsend geluid, de bovenste piepte.

'Goed,' zei hij. 'Maar je moet de cilinder laten vervangen. Dat doe je waarschijnlijk toch niet als ik er niet op toezie, en daarom kom ik morgenochtend meteen naar je toe en dan bel ik zelf wel een slotenmaker. Ik zie je om acht uur. Welterusten.'

'Goeie nacht, pa.' Ze klonk heel gedwee.

'Wil je mee?' zei hij om zeven uur 's ochtends tegen Dora.

'Ik denk van niet, schat.' Ze was nog steeds half in slaap. 'Sylvia zal niet blij zijn met een invasie.'

Er was mist voorspeld en toen hij naar buiten keek, dacht hij eerst dat het misschien niet verstandig zou zijn om nu te gaan autorijden. De overkant van de straat was nog te zien, maar meer ook niet. Maar toch, toen hij thee had gezet, en met een kop thee voor Dora naar boven was gelopen, en een geroosterde boterham met marmite had gegeten, was de mist al aan het optrekken en verscheen er een waterig zonnetje aan de hemel.

De weg naar Great Thatto liep door het allermooiste platteland in dit deel van Sussex, een oord van hoge heuvels en diepe dalen, van dichte bossen met hier en daar een huisje met een rieten dak en wat nieuwe huizen eromheen. De oudere landarbeiderswoninkjes hadden de zelfbewuste uitstraling van onderkomens in die klassieke Engelse vakwerkstijl die door hun eigenaren uit de betere kringen in de correcte plaatselijke kleur zijn geschilderd en van een duurzaam rieten dak zijn voorzien. Er was maar weinig verkeer, wat misschien het gevolg was van de mist die nu eens optrok, dan weer dichter werd, en zich ophoopte op plekken waar je die het minst zou verwachten. Maar toen hij Great Thatto binnenreed, was het plotseling volkomen helder. Mary Beaumont was in haar voortuin aan het werk. Ze plukte asters en gipskruid. Ze herkende de auto en zwaaide.

Sylvia woonde al jaren in de oude pastorie, al sinds haar zoontjes klein waren, en lang voordat haar man en zij uit elkaar waren gegaan en zij en de kinderen het huis hadden gehouden. Wexford was er al talloze malen geweest, maar nu hij door het open hek de oprijlaan opreed, en de onverzorgde bomen en struiken plaatsmaakten voor een groot en ruim erf, leek hij het huis met nieuwe ogen te zien. Het was heel groot. Had hij zich ooit eerder gerealiseerd hoe groot het eigenlijk was? Het was halverwege de negentiende eeuw gebouwd voor een anglicaanse geestelijke en had groot genoeg moeten zijn om ruimte te bieden aan de geestelijke en zijn echtgenote, vijf of zes kinderen en alle bedienden die een victoriaans huishouden kennelijk zo dringend nodig had. Nu bood het onderkomen aan een vrouw en een klein meisje. Zo nu en dan, in de vakanties, als ze tenminste niet op stap waren met vrienden of rondzwierven in het buitenland, bood het huis ook onderdak aan de twee broers van het meisje.

Ze kon het verkopen en ergens anders gaan wonen, dacht hij. Hier, in deze prachtige landelijke omgeving zou een huis van deze afmetingen een fortuin opbrengen. Maar dat wist ze zelf ook heus wel, en het was niet aan hem om daarover te beginnen. Kinderen, van welke leeftijd dan ook, luisteren nooit naar goede raad van hun ouders. Dat was een levenswet. Misschien zou hij het wel kunnen uitroepen tot de Vijftiende Wet van Wexford of iets dergelijks. Hij belde aan en hoorde voldaan hoe ze de grendels wegtrok.

'O, pa, je bent precies op tijd.' Ze gaf hem een kus, iets wat voor haar beslist geen vaste verplichting vormde. 'Ik had de slotenmaker heus wel gebeld hoor, als je me dat had gezegd.'

'Echt waar? De wonderen zijn de wereld nog niet uit.'

Ze lachte. 'Heb je al ontbeten?'

'Een geroosterde boterham.'

'Dan zal ik een echt ontbijt voor je maken. Je bent zo mager geworden dat je nu en dan best wel weer eens eieren met spek kunt eten.'

'Goed,' zei hij. 'Dat lijkt me lekker. Ik denk dat ik ze vóór negen uur toch niet kan bereiken, maar ik kan wel alvast een paar slotenmakers opzoeken in de Gouden Gids. Waar liggen de telefoonboeken?'

Het was een tamelijk rommelig huis. Kinderen, vooral tieners, zijn zelden ordelijk en netjes, en Robin en Ben hadden de neiging om hun spullen overal te laten rondslingeren. De plek waar ze iets gebruikt hadden, was steevast de plek waar het daarna bleef liggen. Maar, dacht Wexford, een telefoonboek zou misschien nog wel een vaste plek hebben, want dat was wel het laatste waar tieners ooit in zouden kijken. Die zochten alles op met hun mobieltje, Black-Berry of iPhone. Hij liep door de keuken, waar Sylvia een paar eieren stuk-sloeg op de rand van de koekenpan.

'Nee, sorry, pa. Voordat Jason... nou ja, je weet wel, was er een lek in de verwarmingsbuis in Bens kamer. Ik heb de Gouden Gids toen mee naar boven genomen om een loodgieter te bellen en hem tijdens het gesprek te kunnen beschrijven wat er aan de hand was. Ik denk dat die daar nog steeds ligt. Ik haal hem wel als ik klaar ben met het ontbijt.'

Loodgieters, dacht Wexford, die kwamen echt overal. 'Ik pak hem wel,' zei hij, en hij zou naderhand enorm blij zijn dat hij dat gedaan had.

Alle slaapkamers die in gebruik waren, bevonden zich op de eerste verdieping, met uitzondering van die van Ben. Sylvia's slaapkamer was heel ruim en lag aan de voorzijde van het huis, de slaapkamers van Robin en Mary bevonden zich aan de achterzijde en daartussenin zat een kamer die niet in gebruik was. Bens slaapkamer bevond zich op de bovenste verdieping, aan het einde van de gang. Het was meer dan twaalf jaar geleden, misschien wel veertien, dat Wexford daar voor het laatst was geweest. Toen was hij naar boven gegaan om de kleine jongen een verhaaltje voor te lezen voor het slapengaan. Hij duwde de deur open.

Hij hapte naar adem, maar maakte verder geen geluid. Aan een haak in het plafond bungelde het lijk van een man, met zijn voeten ongeveer een meter van de vloer. Het lijk was naakt. Jason Wardle, dacht Wexford. Dat moest Jason Wardle wel zijn. Hij was op een stoel gaan staan, had het touw om zijn nek gedaan en de stoel weggeschopt. De stoel lag op zijn kant naast de hanglamp, die hij vermoedelijk had losgemaakt van het plafond om zichzelf te kunnen verhangen. Op Bens bed lag een aantal kledingstukken.

'Pa, wat ben je aan het doen?' riep Sylvia, en hij hoorde haar voetstappen op de trap.

Binnen een seconde stond hij weer op de gang, sloeg de deur achter zich dicht en holde naar haar toe om haar in zijn armen te nemen. 'Niet naar boven, niet doen,' was het enige wat hij kon uitbrengen.

17

Mobieltjes maken het leven een stuk gemakkelijker. Dat was wat Burden zei nadat ze erin geslaagd waren om Ben, die op weg was naar zijn ouderlijk huis, in plaats daarvan naar het huis van zijn grootouders toe te sturen. 'Ja en nee,' zei Wexford, die heimelijk van mening was dat mobieltjes prima waren als de politie erover beschikte, maar dat de vrijheid van andere mensen er alleen maar door werd ingeperkt.

'Ik zal nooit meer in dat huis kunnen wonen,' had Sylvia gezegd toen ze te horen kreeg wat haar vader in Bens slaapkamer had aangetroffen. 'Ik slaap nog liever op straat. Als ik eraan denk hoe ik daar vannacht geslapen heb met hem... met dat díng... vlak boven mijn hoofd...'

'Je gaat met mij mee naar huis, mee naar je moeder,' zei Wexford. 'Ben komt daar ook naartoe.'

'Ik kom hier nooit meer terug.'

'Je moet even wachten voordat je zo'n besluit neemt,' zei Wexford terwijl Sylvia en hij Great Thatto achter zich lieten en de weg door Thatto Wood op reden. Hij reed heel langzaam omdat ze allebei erg geschrokken waren en trapte hard op de rem toen er plotseling een hert vlak voor de auto de weg over schoot. 'Misschien is het wel voldoende voor je om die kamer nooit meer te gebruiken. Haal alle meubilair eruit en sluit hem af.'

Terwijl hij dat zei, dacht hij al aan wat dat zou betekenen: een kamer in je huis waar je niet naar binnen mocht, een verboden kamer, waar het in zekere zin spookte, omdat iemand zich er verhangen had. *Die kamer is niet in gebruik. Hij is al jarenlang afgesloten. Er is daar ooit iets vreselijks gebeurd...*

'Nee, je zult wel gelijk hebben,' zei hij, en naast zich voelde hij haar huiveren. Natuurlijk was ze in shock, in een ernstige shock zelfs, en misschien vormde dat wel een verklaring voor het feit dat ze geen verdriet toonde.

Hij was degene die het zijn kleinzoon Ben vertelde. Hij had rekening gehouden met de macabere fantasie van de gemiddelde tiener en was dan ook niet verrast toen de jongen grote ogen opzette en met een niet helemaal van afgrijzen vervulde stem zei: 'In mijn slaapkamer? Wauw, dat is wel heel grof. Hangt hij er nog?'

'Ik denk van niet.'

Als Jason Wardle zelfmoord had gepleegd in Bens slaapkamer om Sylvia verdriet te doen door haar zoon de stuipen op het lijf te jagen, dan had hij weinig inzicht gehad in de psyche van zijn iets jongere leeftijdgenoten. Natuurlijk zou het heel anders zijn geweest als Ben het lijk werkelijk had zien bungelen... daar ging Wexford in elk geval wel van uit. Met een wat ongemakkelijk gevoel vroeg hij zich af hoe sterk kinderen van nu – hij beschouwde ze natuurlijk als kinderen – gewend waren geraakt aan allerlei gruwelijkheden door wat hun op de televisie, en in veel sterkere mate ook op internet, allemaal voorgeschoteld werd. Maar toch, niemand wist beter dan hij wat het verschil was tussen een lijk en iemand die deed alsof hij een lijk was. Lady Macbeth had volkomen de plank misgeslagen toen ze zei dat mensen die slapen en mensen die dood zijn precies op elkaar leken. Iemand die plotseling met een lijk werd geconfronteerd, kon daar werkelijk een trauma aan overhouden.

Toen Burden arriveerde, was Sylvia met haar moeder in de keuken, waar ze telkens weer dezelfde woorden herhaalde, zodat het bijna een mantra leek. 'Ik kan niet terug naar dat huis. Nooit meer. Ik kan daar nooit meer gaan wonen.'

Nadat hij Burden had gesproken, ging Wexford met hem in de woonkamer zitten. 'Als ze dat meent, zal het huis toch niet gemakkelijk te verkopen zijn. Een zelfmoord is minder schadelijk dan een moord, maar bevorderlijk voor de marktwaarde is het toch niet.'

'Maar hoe vreselijk het ook mag zijn,' zei Burden, 'dit is toch van een andere orde dan Orcadia Cottage.'

'Ik neem aan dat Rokeby dat terdege beseft. Hij mag van geluk spreken als hij dat huis ooit nog kwijtraakt. Maar nu over Sylvia. Volgens mij kan ze maar beter hier blijven logeren, denk je ook niet? Het huis is groot genoeg voor hen allemaal, en ze zijn maar zelden allemaal tegelijk thuis.'

'Jij hebt de oude pastorie nooit een prettig huis gevonden.'

'Nee, ik vond de sfeer daar niet prettig. Sylvia zal toch niet aanwezig hoeven te zijn bij de gerechtelijke lijkschouwing?'

'Ik zie niet in waarom ze daar bij zou moeten zijn,' zei Burden. 'Maar jij wel. Jij hebt het lijk gevonden.'

'Nou, het zou de eerste keer niet zijn. En ook niet de honderdste trouwens. Wat ik wel prettig zou vinden, is dat er niets uitlekt over die relatie van haar met die jongen van eenentwintig. Tot nu toe weten de kranten alleen maar dat Sylvia is neergestoken en dat de politie op zoek is naar een jongeman.'

'Het komt allemaal op straat te liggen, Reg. Daar valt niet aan te ontkomen. Je moet gewoon maar een vrolijk gezicht trekken en er het beste van zien te maken.'

'Ik zal proberen er het beste van te maken, maar een vrolijk gezicht trek ik er niet bij,' zei Wexford. 'En trouwens, Sylvia is degene die het zwaar te verduren zal krijgen, arme meid. Maar, Mike, hoe lang is hij daar al in huis geweest voordat hij zelfmoord pleegde? Ik heb hier met niemand anders over gesproken. Is hij daar al binnen geweest voordat Sylvia terugkwam? Heeft hij daar misschien wel dagenlang gebivakkeerd, misschien zelfs wel een week? Godzijdank heeft ze daar niet aan gedacht.'

'Ook dat zal aan de orde komen tijdens de zitting. Als het bekend is. Als er een manier is om daar ooit achter te komen.'

Wexford zuchtte. 'Laten we maar even naar de keuken gaan, dan maak ik een kopje heerlijke oploskoffie voor je. Waarom smaakt dat spul eigenlijk zo heel anders dan koffie?'

'Ik ga er alleen maar even naartoe om mijn kleren te pakken,' zei Sylvia. 'Alleen maar om kleren te pakken. Ik blijf daar geen minuut langer dan noodzakelijk.'

Dora legde haar hand over die van haar dochter. 'Ik heb haar gezegd dat ze hier zo lang kan blijven logeren als ze maar wil, Reg.'

'Ik wilde net hetzelfde zeggen,' zei Wexford. 'We kunnen zo lang in Londen blijven als nodig is om de oude pastorie van de hand te doen en ergens anders een huis te kopen.'

Dora had koffie gezet, echte koffie. Ze gingen om de keukentafel zitten en Burden legde Sylvia uit wat er tijdens de onderzoeksrechtszitting naar Jasons dood zou gebeuren, maar dat zij er niet bij hoefde te zijn. Daarna vertelde hij dat de media de politie van Kingsmarkham om nadere details zouden vragen, en dat hij degene was die die vragen zou moeten beantwoorden.

'Ik zal doen wat ik kan, Sylvia,' zei hij, 'maar daar zijn grenzen aan, en daarna komen ze bij jou aankloppen.'

'Dat weet ik. Daar kan ik wel tegen, zolang ik maar niet terug hoef naar dat huis.'

Maar aan het einde van de middag ging ze terug, samen met haar vader, om haar eigen kleren op te halen, en die van Mary. 'En ook de spullen van Ben en Robin, pa.'

'Die kunnen hun eigen spullen wel halen.'

'O, maar ik kan toch niet van ze vragen dat ze daar naartoe gaan? Dat is zo afschuwelijk.'

'Neem maar van mij aan,' zei Wexford, 'dat ze dat lang niet zo erg vinden als jij. Zij beleven dat heel anders.'

Hij bleef bij de voordeur staan toen ze het huis binnenliep, en voordat hij achter haar aan liep, maakte hij een rondje door de uitgestrekte tuin. 'Wildernis' was eigenlijk een betere omschrijving daarvoor: verhooide gazons, verwaarloosde heggen, verwilderde bosschages en door onkruid overwoekerde greppels. Half in een van die greppels, trof hij Sylvia's logge suv aan, met de sleutel nog in het contactslot. Hij zou het haar zeggen, maar nu nog niet. Hij zou het eerst aan Burden doorgeven, en regelen dat het ding uit de greppel werd getrokken.

Ze was haar spullen aan het pakken. In het daglicht, met de voordeur en de ramen open, leek ze tamelijk rustig. Elke koffer die ze had, plus twee plastic zakken en een grote kartonnen doos werden gevuld. Wat hadden vrouwen toch veel kleren! Dat ze iets nodig hadden om warm en droog te blijven, ja, daar had hij natuurlijk alle begrip voor, maar vijf regenjassen? Twee of drie 'mooie' jurken voor feestjes, daar was hij wel aan gewend, maar vijftien? Tientallen rokken, broekpakken en pantalons, en dan ook nog eens ontelbare hoeveelheden sweaters en topjes. Een tijdje stond hij toe te kijken hoe al dat spul werd ingepakt, terwijl hij zich afvroeg waar het in zijn huis allemaal naartoe zou moeten, en wat ze met de kleren van haar dochter en haar zoons ging doen, om maar niet te spreken van hun computers, sportspullen, gitaren en speciale hardloopschoenen. Hij nam aan dat hij er dankbaar voor mocht zijn dat muziek tegenwoordig meestal rechtstreeks op de iPod werd gedownload, en dat er dus geen karrenvrachten cd's meer zouden zijn.

Hij bracht nogmaals een bezoek aan Bens slaapkamer. Het lijk was natuurlijk allang weggehaald. Wonderlijk toch, dat als in een bepaalde kamer een moord was gepleegd, of iemand zich daar van het leven had beroofd, er zoveel angst en afgrijzen op werd geprojecteerd, zelfs al had de moord geen sporen achtergelaten, of in elk geval geen sporen die niet gemakkelijk op te ruimen vielen. Een man had hier gestaan met een touw in zijn hand, hij was op een stoel geklommen en had een lamp losgemaakt die aan een ketting aan een haak in het plafond hing. Het enige waar hij aan had gedacht, was dat hij dood wilde, en hoe hij dat zou gaan aanpakken. Toch had hij de lamp voorzichtig neergezet, om die niet te beschadigen. Hij had zijn kleren uitgetrokken – waarom? – ze opgevouwen en netjes op het bed gelegd. Hij had naakt willen zijn als hij stierf, en hij had gewild dat zij hem naakt zou aantreffen. Betekende dat iets? Dat ze had genoten van zijn naaktheid, omdat hij jong en sterk was? Als het om je eigen dochter ging, kon je daar beter niet al te lang over nadenken, dacht Wexford. Misschien had hij alleen maar zijn kleren uitgetrokken om te laten zien dat hij zich zozeer in haar ban bevond dat hij tegenover haar volkomen hulpeloos en kwetsbaar was. Want Wardle had gewild dat Sylvia hem zo zou vinden, niet Ben, natuurlijk niet. Hij zou geweten hebben dat ze voordat Ben thuiskwam even zou kijken, om te controleren of alles was zoals het hoorde.

Wexford keek even om zich heen, naar alle spullen in die kamer, de spullen die een jongen van zestien tegenwoordig nodig had voor een acceptabel tienerbestaan. En hij zag dat computers, tennisrackets, muziekinstrumenten en hardloopschoenen nog lang niet alles waren. Zou zijn huis werkelijk een invasie te verduren krijgen van die gigantische versterker, die duidelijk bedoeld was om gebruikt te worden in combinatie met die enorme gitaar? Dat was allemaal best in deze reusachtige pastorie, waar zo'n jongen onverdraaglijk veel lawaai kon maken op zijn eigen kamer, zonder dat andere mensen daar twee verdiepingen en zes kamers verderop ook maar iets van merkten. Nu begreep hij waarom Ben hier had geslapen, en hij lachte in zichzelf over de lichte verontwaardiging die hij in het verleden had gevoeld toen hij hoorde dat zijn jongste kleinzoon was verbannen naar deze afgelegen ruimte.

Om de een of andere reden, verkende hij het hele huis. Hij liep elke kamer binnen, alsof hij verwachtte nog meer bungelende lijken te vinden. Alsof het een horrorfilm was, dacht hij, waar achter elke deur een nieuw afzichtelijk lijk werd aangetroffen. Maar natuurlijk was er niets. Hij vond de Gouden Gids waarvan Sylvia had gezegd dat die in Bens kamer lag, maar die in werkelijkheid in de ongebruikte kamer tussen die van Robin en Mary bleek te liggen, en liep toen door naar Sylvia's kamer, waar die net het tweeënvijftigste en laatste paar schoenen in de kartonnen doos stopte. Het kostte een hoop tijd om alles de trap af te sjouwen en naar de auto te dragen. Het was een grote auto, maar toen ze klaar waren was niet alleen de kofferbak maar ook de cabine propvol. Terwijl hij de laatste tas naar binnen duwde, realiseerde hij zich hoezeer de gedachte – inmiddels zoveel meer dan alleen maar een gedachte – hem tegenstond dat Sylvia en haar drie kinderen allemaal in zijn huis zouden komen wonen, met die enorme bergen bagage van ze, waarvan deze auto vol nog maar het begin vormde. Ze zouden hun spullen over elke vierkante centimeter uitspreiden, een vreselijke herrie maken, zodat zijn vriendelijke, rustige buren zich gedwongen zouden voelen om te klagen. Ze zouden gaan voetballen in zijn tuin en Ben en Mary zouden voortdurend bij de buren aanbellen om hun bal terug te vragen. Natuurlijk zouden de jongens er niet altijd zijn, maar ze zouden wel thuis zijn voor hun ondraaglijk lange vakanties. En het zou zo maanden en maanden doorgaan, misschien wel jaren.

Hij zou er geen woord over zeggen. Nou, hij zou vele woorden zeggen, tegen Dora, en zij zou hetzelfde tegen hém zeggen, maar tegenover Sylvia en zijn kleinkinderen zou hij zijn mond houden. Natuurlijk zou hij zijn mond houden! Hij was Sylvia's vader, de grootvader van haar kinderen, en dit was nou eenmaal iets wat je als ouders maar moest zien te verduren. Vroeg of laat maken alle ouders iets dergelijks mee, en je mocht van geluk spreken als dat niet zo was. Hij dacht aan die twee broers in de Bijbel, de verloren zoon en zijn oudere broer. De jongste was een verkwistende nietsnut, maar de oudste kreeg van zijn vader geruststellend te horen: 'Jij bent altijd met mij, en alles wat ik heb is van jou...'

'We mogen van geluk spreken dat we het koetshuis hebben,' zei Dora de woensdag daarna, toen ze op weg waren naar Londen.

Op zondag was Robin teruggekomen uit Cambridge in zijn oude rammelbak, en hij had al zijn eigen spullen en die van Mary van de oude pastorie overgebracht naar Wexfords huis in Kingsmarkham. In de loop van de twee dagen daarna had Ben, in de auto van een vriend die werd bestuurd door een andere vriend, al zijn spullen weggehaald, behalve het meubilair, en dat allemaal naar zijn grootouders gebracht. Sylvia had de slaapkamer van Wexford en Dora in beslag genomen, en wilde die delen met Mary. Ben en Robins spullen namen zoveel ruimte in beslag, dat een deel op de overloop stond en de rest in de garage was gezet. Sylvia had het nieuws over haar auto zonder enige blijk van emotie aangehoord. Dat Jason Wardle in haar eigen auto naar de oude pastorie gereden moest zijn, en die daar had achtergelaten, misschien maar een paar uur voordat hij zichzelf had verhangen, leek haar niet veel te doen. Het enige waardoor ze van streek raakte, was de gedachte aan haar huis.

De mantra was een paar keer veranderd, en luidde inmiddels: 'Het is zo lief van jullie dat wij hier mogen wonen. We zijn jullie enorm dankbaar. Ik weet zeker dat jullie het echt afschuwelijk vinden, maar gelukkig begrijpen jullie dat ik daar nooit, nooit meer kan gaan wonen.'

Ze waren nog maar zeven minuten in het koetshuis toen Sheila voor de deur stond die reuze benieuwd (zo noemde ze het) was en precies wilde weten wat er allemaal gebeurd was. Dora vertelde alles, tot in de kleinste details, die Sheila allemaal leek te willen weten, en Wexford hoorde het zwijgend aan. Hij zat te denken hoe treurig het was dat Sylvia, wier minnaar de hand aan zichzelf had geslagen, geen verdriet had getoond.

18

Er waren twee weken voorbijgegaan, en daarna nog twee dagen. Wexford had te horen gekregen dat er 'geen haast' was, en dat hij niet op stel en sprong hoefde terug te komen. Neem rustig de tijd, had Tom gezegd, en intussen had hij hier al iets om over na te denken: het forensisch laboratorium had haren aangetroffen in de kofferbak van de Edsel, en die bevatten voldoende DNA om vergeleken te worden met het DNA-monster dat genomen was van het lijk van de oudere man. Daar schieten we ook niet veel mee op, dacht Wexford. Het enige wat zo'n vergelijking zou uitwijzen, was dat de oudere man zijn hoofd in de kofferbak van de Edsel had gestoken, of dat zijn lijk in de kofferbak was gestopt. Maar misschien was dat een kleine stap voorwaarts.

Hij liep Toms kantoor binnen en trof de hoofdinspecteur van politie daar in opgewonden toestand aan. 'Ik heb haar gevonden.' Tom klonk triomfantelijk. 'Ze is het. Het klopt allemaal als een bus.'

Als er één cliché was dat Wexford nog erger vond dan 'een gelijk speelveld', of 'even in de ijskast zetten' dan was het wel dit. Maar hij liet het bij een onderzoekende blik.

'Francine, bedoel ik. Miles heeft haar gevonden op internet. Ik heb geen idee hoe hij dat gedaan heeft, ik ben min of meer digibeet, voor mij is dat allemaal een gesloten boek, maar hij heeft haar gevonden en ze komt hiernaartoe. Ik heb haar aan de lijn gehad. Ze weet alles over Orcadia Cottage, ze heet Francine Withers, heeft een relatie gehad met een zekere Keith Chiltern, die eindigde toen hij twaalf jaar geleden spoorloos verdween.'

Wexford knikte. 'Waar komt ze vandaan?'

'High Wycombe. Ze is daar bedrijfsleidster van een supermarkt. Ze is getrouwd en gescheiden, geen kinderen. Zij is degene die we zoeken, Reg.'

'Waarom komt ze hiernaartoe? Ik zou verwacht hebben dat wij – jij, bedoel ik – wel naar háár toe zou gaan.'

'Dat zouden we ook gedaan hebben. Maar ze wilde zelf graag hierheen komen.'

Wexford lachte en zei dat daar geen speld tussen te krijgen was, waarmee hijzelf nog een cliché toevoegde. Zoals hij altijd al gevreesd had, was zoiets besmettelijk. Daarna, en dat was eigenlijk iets te laat, vroeg Tom hoe het met Sylvia ging, en Wexford hield zijn antwoord zo beknopt als hij met goed fatsoen maar kon. Een jonge agente kwam koffie brengen. Het dienblaadje was net weggehaald toen de portier aankondigde dat mevrouw Francine Withers bij de receptie stond.

Dezelfde agente liep met haar de kamer binnen. Ze had een gemiddelde lengte, was iets te zwaar, met blond haar dat zwart was aan de wortels en een donker, aantrekkelijk maar te zwaar opgemaakt gezicht, een brede mond, een rechte neus en ogen met het soort starende blik erin die de indruk wekt dat de eigenaar ervan zojuist iets heel schokkends heeft gezien. Ongeveer zoals hij gekeken moest hebben, dacht Wexford, toen hij Bens kamer binnenliep en daar het lijk zag hangen. Ze had zich met zorg gekleed, dat was duidelijk, maar het korte rokje, de strakke jumper en het getailleerde jasje van een soort dat elk pondje te veel extra goed deed uitkomen, gaven aan dat ze op dat gebied niet over een goed oordeelsvermogen beschikte. Haar schoenen waren geschikter voor hartje winter dan voor het einde van de zomer.

'Heel vriendelijk van u om hiernaartoe te komen, mevrouw Withers,' zei Tom.

Francine Withers gaf hen allebei een hand, eerst Tom, daarna Wexford, en zei dat het haar aangenaam was om kennis te maken. 'Ik heb een dag vrij genomen,' zei ze, 'en dat krijg ik niet doorbetaald. Maar ik vond het mijn plicht om te komen. Je moet nou eenmaal een goede burger zijn, hè?'

Noch Tom, noch Wexford reageerde daarop. Het was het soort opmerking dat bij een ervaren politieman onmiddellijk wantrouwen oproept.

'Nou, mevrouw Withers,' begon Tom, 'misschien kunt u ons vertellen over de eerste keer dat u meneer Chiltern hebt ontmoet. Zo heette hij toch? Chiltern?'

'Inderdaad. Keith Chiltern.'

'U woonde destijds in High Wycombe, en hij ook?'

'Ach nee. Ik ben pas na mijn trouwen naar High Wycombe gegaan. Mijn man kwam uit King's Langley. Ik woonde vroeger in Londen, in Battersea. En Keith ook. Ik had een vriendinnetje, dat me voorstelde aan haar broer, en dat was Keith, en toen zijn we een tijdje met elkaar gegaan. Hij was een bouwvakker. Dat moet in 1996 zijn geweest.'

'Waar woonde hij precies?' vroeg Wexford.

'In Clapham. Het adres weet ik niet meer, ik ben er maar één keer geweest. Ik had een kamer in een huis aan Lavender Hill Road, en daar kwam hij altijd naartoe. Ik heb daar gewoond tot mijn trouwen in 2003. Hij werkte aan dat Orcadia Cottage. Heel groot was het niet, maar wel reuze chic. De eigenaars gingen weg, en hij zei dat we daar wel konden gaan logeren terwijl hij aan de patio werkte, en dat ze dat heus niet erg zouden vinden. Er zat een stortgat in de patio, en daar deed hij iets mee. Ik weet niet wat, het kon me niet veel schelen.'

'Moment, mevrouw Withers,' zei Wexford. 'Wanneer was dat precies? In 1996 of later?'

'Ik ben niet goed met jaartallen. Het was zomer. Volgens mij was het 1996. De eigenaars heetten Merton, dat weet ik nog wel.'

'Vertelt u ons eens wat meer over het huis. Groeide er klimop langs de buitenmuren? Of rozenstruiken?'

Ze aarzelde. 'Misschien waren er wel wat rozenstruiken, dat weet ik niet meer. Ik ben er maar een paar keer geweest.'

Tom onderbrak haar. 'Maar u bent wel binnen geweest? U hebt daar overnacht?'

Ze knikte. Wexford zag kleine zweetdruppeltjes op haar gepoederde bovenlip verschijnen. 'Dat stortgat waar u het over had, daar heeft een hoop over in de krant gestaan, hè? Een heleboel foto's van dat stortgat en van de patio?'

'Ik weet het niet. Ik lees geen kranten.'

'En u kijkt geen televisie, en zit ook nooit op internet?'

Ze gaf geen antwoord. 'En u bent nooit in dat stortgat gekropen, en ook niet in de kelder geweest? Vanuit het huis was die toch niet te bereiken?'

'Nee, dat kon niet,' zei ze.

'In 1996 was er geen keldertrap?'

Haar wangen werden donkerrood. 'Gelooft u me niet?'

'Vertelt u ons eens wat meer over die... Chiltern was het toch?'

'Keith Chiltern, ja.' Er lag nu een klagerige klank in haar stem. 'Hij had een auto, een grote Amerikaanse slee. De rechercheur aan de telefoon vroeg me of Keith een grote Amerikaanse auto had en ik heb gezegd dat dat zo was.'

Alsof het hem maar weinig kon schelen vroeg Wexford: 'Wat was de kleur van die auto, mevrouw Withers?'

'Wat de kleur van die auto was?' Ze begon nu verontwaardigd te worden. 'Dat weet ik niet. Dat weet ik niet meer. Het is jaren geleden.'

'Zegt "La Punaise" u iets?'

Ze schudde van nee.

'Wat het huis betreft, Orcadia Cottage, u zei dat het chic was. In welk opzicht was het chic? Heel modern ingericht, abstracte schilderijen, jaloezieën voor de ramen, gepolitoerde parketvloeren, iets in die geest?'

'Allemaal,' zei ze. 'En een grote flatscreen-tv.'

'En Keith en u zijn uit elkaar gegaan. Hebt u ruzie gehad?'

'Ik heb het uitgemaakt. Ik had Malcolm ontmoet, dat is mijn ex.'

'En u hebt Keith nooit meer gezien na... wanneer?'

'Ergens in 1998. Ik weet niet meer wanneer precies.'

'Goed, mevrouw Withers,' zei Tom. 'Zou u uw volledige adres in 1996 en '97 voor ons willen noteren, het adres aan Lavender Hill dus, en ook het toenmalige adres van Keith Chiltern. Agent Debach loopt wel even met u naar een andere kamer, en daar krijgt u pen en papier. En daarna zullen we u niet lang meer bezighouden.'

Ze liep achter Rita Debach de kamer uit, keek even achterom en wierp hun een blik vol venijn toe. 'Nou, Reg,' zei Tom, 'dat was een flinke blunder van mij, hè? En ik was nog wel zo zeker van mijn zaak. Het was zomer, maar al die klimop is haar nooit opgevallen. En de keldertrap heeft ze niet gezien.'

'Het huis was heel modern ingericht, abstracte schilderijen et cetera. En een flatscreen-tv... Bestonden die dertien jaar geleden eigenlijk al?'

'Wat hoopt ze hiermee te bereiken, Reg? Er is geen beloning uitgeloofd, ze krijgt geen geld omdat ze de juiste Francine is.'

'Ik neem aan dat ze beroemd wil worden,' zei Wexford. 'Of wat tegenwoordig voor beroemd doorgaat. Ze komt met haar naam in kranten die ze nooit leest. Ze wordt opgeroepen als getuige tijdens het proces. En ze krijgt zichzelf te zien op haar eigen reusachtige flatscreen-tv.' Hij schoot in de lach, en na een paar seconden lachte Tom met hem mee.

'Ik vraag me af wat ze allemaal opschrijft,' zei Tom. 'Zou ze het allemaal uit haar duim zuigen? Denkt ze nou echt dat we haar verhaal niet gaan natrekken?' En ruimhartig voegde hij daaraan toe: 'Ik kon wel zien dat je het eerder in de gaten had dan ik. Wanneer had je haar door?'

'Toen ze zei dat die jongen Chiltern heette. Ze komt uit High Wycombe en ze zei dat haar man afkomstig was uit King's Langley. Die twee plaatsen liggen allebei in de Chiltern Hills. Toen had ik haar wel door.'

'Goed van je. Het beste jongetje van de klas.' Tom pakte de telefoon en belde agent Debach. 'Rita? Wil je mevrouw Withers weer binnenbrengen?'

Agent Debach kwam alleen binnen. 'Ze is weg, meneer. Spoorloos. Ze heeft niets opgeschreven.'

'Ze is allergisch voor papier, Rita,' zei Wexford doodernstig.

'We kunnen een aanklacht tegen haar indienen,' zei Tom, 'wegens het hinderen van de politie bij een onderzoek, maar volgens mij kunnen we ons maar beter een beetje koest houden, denk je ook niet?'

Zonder te glimlachen om die wat ouderwetse uitdrukking, zei Wexford: 'Inderdaad.'

De vrouw had alle informatie waarover ze beschikte kunnen opdoen in de media, dacht hij terwijl hij naar Highgate reed om weer een andere Francine te gaan spreken, de moeder van Francine Jameson. Tom had haar gebeld en aangekondigd dat Wexford namens hem kwam. Als ze had geweigerd hem te ontvangen, zou dat haar goed recht zijn geweest, maar ze had niet geweigerd. Ze had alleen maar gezegd dat ze geen idee had over welke nuttige informatie ze zou kunnen beschikken. En ze bleek inderdaad niets te weten waar hij wat mee opschoot. Ze was van Franse afkomst, ze heette Francine en ze had haar dochter zo genoemd omdat ze het een mooie naam vond. Ze had nooit van Orcadia Cottage gehoord voordat er foto's van in de kranten hadden gestaan, en niemand had haar ooit gevraagd om 'La Punaise' in het Engels te vertalen. Niemand die ze kende had ooit een grote, lichtgele Amerikaanse auto gehad.

Een lege middag strekte zich voor hem uit. Als hij naar huis ging, naar het koetshuis, dan wist hij dat hij Sheila en Dora daar zou aantreffen, die druk zaten te praten over Sylvia en de gebeurtenissen in de oude pastorie. De repetities voor *Spoken* zouden pas over een week beginnen, en voordat het zover was, had Sheila niets beters te doen dan samen met haar moeder eindeloos beppen over de vraag of Sylvia het huis moest verkopen, of er juist beter aan zou doen om zich over haar angst heen te zetten, of dat ze misschien hoe dan ook beter ergens anders iets kleiners kon kopen en – dat laatste raadde hij alleen maar – dat Dora misschien haar ideeën wat moest bijstellen over oudere vrouwen die een relatie hadden met een man van dezelfde leeftijd als hun zoons. Het leek hem niet prettig om daarbij te zitten. Hij reed door Highgate en parkeerde in Shepherd's Hill. Omdat hij zijn stratenboek niet had meegenomen, had hij niet meer dan een vaag idee van de plattegrond van dit deel van Londen. Alexandra Palace lag ergens die kant op, Muswell Hill lag aan de andere kant van dat stukje bos en Crouch End lag aan de voet van de heuvel waarop hij nu geparkeerd stond. Hij zou een eindje gaan lopen, en wat naar het bos kijken.

Londen had hem verrast. Hij had altijd gedacht dat hij de hoofdstad vrij goed kende, maar de afgelopen zes maanden was hem duidelijk geworden dat hij dat mis had gehad. Zo had hij bijvoorbeeld nooit verwacht dat er zoveel landelijke plekjes zouden zijn, zoals dit stuk bos hier. Toen hij het punt had bereikt waarop hij had verwacht dat het bos zou ophouden, omdat hij een eindje voor zich een straat had gezien, bleek het bos aan de andere kant van de straat gewoon door te gaan, en de straat zelf leek eigenlijk meer een landweggetje. Hij sloeg rechts af en liep een eindje langs dat 'landweggetje', terwijl hij zich ongerust begon af te vragen of hij zijn auto straks nog terug zou vinden.

Orcadia Cottage was nooit helemaal uit zijn gedachten geweest, al hadden Sylvia's problemen wel een afleiding gevormd. Tom leek zich nauwelijks druk te maken over iets wat voor Wexford een groot raadsel vormde. Hij kon zich voorstellen hoe de jongeman, die misschien Keith Hill had geheten of anders iets wat daarop leek, Harriet Merton had gedood, misschien per ongeluk door haar die keldertrap af te duwen; hij kon ook begrijpen hoe 'Keith Hill' een familielid van hem had vermoord, een familielid met wie hij in huis woonde of dat hij in elk geval goed kende, en hoe hij de auto van deze Ken of Keith Gray of Greig had gebruikt om het lijk naar de grafkelder te brengen; maar op de een of andere manier was hij daar zelf ook in terechtgekomen, met zijn zakken vol kostbare juwelen, en hoe was dat in zijn werk gegaan? Iemand moest hem daar neergelegd hebben voordat hij die juwelen van de hand had kunnen doen. Francine? Een of andere onbekende moordenaar? En waarom had de man, die een deur had weggehaald en een deuropening had dichtgemetseld, een veel eenvoudiger klusje achterwege gelaten? Waarom had hij dat stortgat niet dichtgemaakt en er niet even wat tegels overheen gelegd? Misschien omdat hij dat wel van plan was geweest, maar was vermoord voordat hij daaraan toe had kunnen komen?

En Wexford realiseerde zich nog iets. Hoewel ze lang gezocht hadden, hadden ze niemand gevonden die familie was van 'Keith Hill' of die hem zelfs maar gekend had; afgezien van de mensen van Miracle Motors, die hem één keer hadden gezien, was er niemand die de oude man kon identificeren. Ze hadden geen idee waar die twee hadden gewoond, en of ze samen in een huis hadden gewoond of niet, ze hadden geen idee van de volgorde waarin de drie oudste lijken gestorven waren, geen enkele aanwijzing voor een motief of voor de wijze waarop de moorden waren gepleegd. Er liepen mensen rond, dacht hij, dat moest wel, die beide mannen of in elk geval een van hen, goed gekend hadden. Maar toch had niemand zich gemeld toen de details over de lijken in de kranten waren verschenen en op de televisie waren getoond.

Tegen die tijd had Wexford het bos achter zich gelaten en liep hij weer tussen de huizen. Dit zou Muswell Hill wel zijn. Het leek hem een prettige woonomgeving. Hij liep er wat rond, keek met belangstelling naar de verschillende soorten vroeg twintigste-eeuwse architectuur, en probeerde vervolgens te bepalen hoe hij zijn auto terug zou kunnen vinden zonder op zijn schreden terug te keren. Hij had de indruk dat als hij telkens weer rechts afsloeg, hij na verloop van tijd aan de voet van Shepherd's Hill zou komen te staan, maar die strategie mislukte, en hij raakte hopeloos verdwaald. Naderhand zou hij erachter komen dat als hij wat eerder rechts af was geslagen en via Cranley Gardens was gelopen, hij Shepherd's Hill zou hebben bereikt, maar godzijdank had hij dat niet gedaan.

Toen hij zijn auto parkeerde, was hem opgevallen dat hij niet ver van metrostation Highgate was, maar aan welke metrolijn dat lag, zou hij echt niet weten. Als hij hier ergens een metrostation wist te vinden, zou hij op een kaart kunnen kijken, de metro kunnen nemen en op de een of andere manier – met een lange omweg vreesde hij – Highgate weer kunnen bereiken.

Hij keek om zich heen of hij ergens de rood-wit-blauwe cirkel met horizontale balk eroverheen zag die het logo van het Londense openbaar vervoer vormde, maar zag die nergens. Overal reden bussen, maar die gingen allemaal naar plekken waar hij nog nooit van gehoord had, zoals Stroud Green en Manor House, wat 'herenhuis' betekende. Zou er werkelijk een plek zijn die zo heette? Hij vroeg een toevallige voorbijganger, een al wat oudere dame, waar het dichtstbijzijnde metrostation was, en dat leidde ertoe dat ze een woedende tirade hield over het openbaar vervoerbedrijf dat ervoor had gezorgd dat dit deel van de stad volkomen verstoken was van metrostations, en daarom een 'ondergrondse woestijn' vormde.

'Zo noem ik dat,' zei ze. 'Een "ondergrondse woestijn". Het dichtstbijzijnde metrostation is Finsbury Park. Dat is toch niet te geloven?'

Wexford kon het makkelijk geloven, want ze leek te weten waar ze het over had en hij had geen flauw idee waar Finsbury Park lag. Hij vroeg haar hoe hij Shepherd's Hill kon bereiken en ze beschreef hem een ingewikkelde route door Crouch End. Hij liep door, en zocht naar straatnamen die hem bekend zouden voorkomen. Eén daarvan, Hornsey Lane, las hij op een straatnaambordje op de bakstenen muur van een groepspraktijk. De daar gevestigde artsen stonden niet vermeld op de gebruikelijke bronzen plaat, maar op een wit naambord, en een van de namen trok zijn aandacht: Dr James Azziz FRCP, Dr Francine Hill PhD, FRCS, Dr William V. Johns FRCP.

Ach, ja, nog een Francine. Ooit had hij gedacht dat die naam niet veel voorkwam, maar ze waren overal. De kans dat dit niet de Francine was die ze zochten was overweldigend groot. Ze konden het beter over een andere boeg gooien, en zich in plaats daarvan concentreren op de architect, de loodgieter en de bouwvakker. Hij liep over Hornsey Lane, raakte nog erger verdwaald dan ooit, ging linksaf, toen nog eens links, en merkte dat hij opnieuw voor de groepspraktijk stond. Opnieuw keek hij naar het witte naambord en de grote glazen ruit, waardoor hij de patiënten in een wachtkamer zag zitten, met de gebruikelijke waarschuwende posters aan de muur. WAT IS CHLAMYDIA? HEEFT UW KIND AL EEN DKTP-VACCINATIE GEHAD? DRINK JE MEER DAN TWEE GLAZEN ALCOHOL PER DAG? BEROERTE LEIDT TOT INVALIDITEIT EN DOOD! Hij draaide zich om, liep een zijstraat in, en daarna langs een brede avenue waarvan hij hoopte dat dit Shepherd's Hill was.

Waarom kon hij die nieuwe Francine niet uit zijn hoofd zetten? Iets aan haar naam raakte een snaar in zijn geheugen en wilde hem maar niet met rust laten, al had hij geen idee waarom dan niet. Eén ding was zeker: dit was niet Shepherd's Hill. Plotseling kwam een taxi met zijn oranje licht aan om aan te geven dat hij vrij was, een zijstraat uit gereden om hem te redden. Francine, dacht hij, terwijl hij zich in de autostoel liet zakken en plichtsgetrouw zijn veiligheidsgordel omdeed, Francine Hill. Wat is daar anders aan? Het is gewoon de zoveelste vrouw met die voornaam. Er zijn er zoveel. Rokeby moest opnieuw opgezocht worden, hoe vervelend die man dat ook vond. Trevor Oswin... waarom behandelde die zijn huisadres als een geheim? Waarom had de vrouw die vermoedelijk zijn echtgenote was liever het mobiele nummer van haar man doorgegeven dan hem te vragen of hij opnieuw wilde bellen als haar man thuis was? Misschien had het niets te betekenen. Zou Rokeby het zich nog herinneren? Francine, dacht hij, Francine Hill... De taxi kwam tot stilstand achter zijn geparkeerde auto.

Pas drie ochtenden later dankte hij God op zijn blote knieën dat hij een paar keer verkeerd was gelopen en daardoor – twee keer – langs die groepspraktijk was gelopen. Daarvóór had hij Dora gerust moeten stellen, Dora die nu de nadelen was gaan onderkennen die het met zich meebracht om je hoofdwoning af te staan aan het gezin van je dochter, zodat je zelf genoodzaakt was om permanent in je tweede huis te gaan wonen. Hij hielp haar herinneren hoe moeilijk het was om de toekomst te voorspellen, hoe je soms je plannen moest bijschaven (maar dit leek hem wat te veel op een van die gezegden van Tom) en hoe mensen in de loop der tijd van gedachten veranderden. Ze kon een deel van haar favoriete spullen mee hiernaartoe nemen, dat zou niet moeilijk zijn, haar favoriete boeken, wat snuisterijen, foto's.

'Ja, Reg, dat weet ik, maar jij vindt dit toch net zo vervelend als ik?'

'Natuurlijk.'

'Als mensen vóór hun trouwen een cursus zouden moeten volgen waarin ze leerden hoe kinderen zijn, en hoe ze je verantwoordelijkheid blijven totdat ze zelf volwassen kinderen hebben, en zelfs daarna nog, zou de wereldbevolking heel snel krimpen.'

'De mensen zouden niet luisteren,' zei Wexford. 'En trouwens, de helft van de mensen trouwt tegenwoordig niet meer.'

Die avond belde hij voor het eerst in zijn leven een Indiaas afhaalrestaurant, dat het eten liet brengen door een jongen op een fiets. Het telefoonnummer stond op een van die felgekleurde foldertjes die elke dag weer in de brievenbus lagen. 'Dat is iets wat je in Kingsmarkham niet kunt doen.'

'Als het niet lekker is, wil ik dat ook helemaal niet.'

Maar het smaakte goed, en ze dronken er een fles Merlot bij. 'Ongetwijfeld hoort dat niet,' zei Wexford, en hij voelde oprechte nostalgie naar al die oosterse restaurants waar Burden en hij vaak waren gaan eten in een tijd die hij inmiddels als 'vroeger' beschouwde. Maar dat soort dingen zei hij niet hardop. Hij moest Londen aantrekkelijker maken voor Dora, aanvaardbaarder voor haar als een oord waar ze misschien wel een heel jaar zouden moeten blijven.

Dora sliep altijd goed en ging meestal vroeg naar bed. Ze vond het niet erg als er licht brandde in de slaapkamer en sliep rustig door als hij de lamp op het nachtkastje aan en uit deed. Hij zat nog een tijdje te lezen in Kinglakes *Eothen*, een van zijn favoriete boeken over het Midden-Oosten van honderdvijftig jaar geleden, een andere wereld, al net zo gewelddadig als de huidige maar een stuk romantischer. Terwijl hij lag te dromen over de ontzagwekkende *hodja* die met een zwaard in de hand predikte in de grote moskee, schrok hij drie keer wakker met de naam Francine Hill op zijn lippen.

Natuurlijk... Dat was de reden waarom hij had geweten dat dit niet zomaar een andere vrouw met die voornaam was. Hill, daar ging het om. Hill. De jonge man die zijn grote Amerikaanse auto in het laantje achter Orcadia Cottage had neergezet, had zich aan Mildred Jones voorgesteld als Keith Hill. Francine was zijn vrouw of zijn zus, dat moest wel...

19

Een groot deel van wat in de kleine uurtjes van de nacht een openbaring lijkt, is in het felle daglicht plotseling absurd. Deze keer was dat echter niet het geval. Dokter Francine Hill, dacht Wexford, partner in een medische groepspraktijk in Crouch End of Muswell Hill. Hij wist niet zeker welke van die twee het ook weer was, maar hij wist wél dat hij die praktijk zou kunnen terugvinden.

Tom was sceptisch. 'Ja, maar hoe weet je dat het niet gewoon weer de zoveelste Francine is? Of ze zegt nee, ik ben het niet, of ze is net zo iemand als de vorige Francine en ze verdoet alleen maar onze tijd.'

'Ik denk van niet. Dit is niet zomaar de zoveelste Francine. Dit is Francine Hill.'

'Ik neem aan dat het geen kwaad kan om haar te bellen.'

'Wil jij haar te woord staan als ik haar zover weet te krijgen dat ze hierheen komt?'

'Nou, als ik het niet doe, laat ik het Lucy wel doen.'

Artsen mogen niet adverteren, maar hun naam mag wel in telefoonboeken worden geplaatst. Na wat zoeken vond Wexford *Hill, Dr F., The Group Practice, Hornsey Lane, N8*. Nadat hij een tijdje had zitten wachten terwijl *Eine kleine Nachtmusik* uit de telefoon klonk, zei een receptioniste dat dokter Hill op deze lijn uitsluitend telefonisch te bereiken was voor particuliere patiënten, maar ze werd heel wat minder kortaf toen Wexford zei dat ze met de Londense politie sprak, en dat ze dokter Hill moest vragen om hem terug te bellen op dit nummer. Het was de eerste keer dat hij zich in een dergelijk gesprek had moeten voorstellen als Reginald Wexford, met zijn voornaam in plaats van met zijn rang, de rang die hij niet langer had.

Hij zat in het kleine kantoortje waar de nep-Francine naartoe was gebracht en waaruit die was weggelopen toen de grond haar te heet onder de voeten werd. Ongetwijfeld had dokter Hill het grootste deel van de ochtend spreekuur. Heette dat eigenlijk nog zo? Het kon weleens een tijdje duren voordat ze belde, als ze al belde. Zou ze denken dat dit over een verkeersboete ging? Het was onwaarschijnlijk dat ze zou weten dat het te maken had met een vriendje dat ze twaalf jaar geleden had gehad, of gehad had kunnen hebben. Om te voorkomen dat zijn mobieltje in gesprek zou zijn, gebruikte hij de vaste lijn om Owen Clary op zijn werk te bellen.

Clary was de deur uit, maar de receptioniste verbond hem door met Robyn Chilvers.

Ze begroette hem enthousiast, alsof hij een oude vriend was en ze had zitten wachten tot hij belde. 'Ik ben zo blij van u te horen. Ik ben uw nummer kwijtgeraakt... Ja, geeft u het me vooral nog eens.' Dat deed hij. 'Weet u die bouwvakker nog, die loodgieter of wat dan ook, naar wie u vroeg? Nou, het is echt heel toevallig, maar die heeft ons gebeld. Hij wilde weten of wij werk voor hem hadden. Hij klonk wanhopig, die arme drommel. Natuurlijk heb ik zijn naam en telefoonnummer genoteerd, maar ik was uw telefoonnummer kwijtgeraakt, wat ongelooflijk stom van mij hè?'

'Had u werk voor hem, mevrouw Chilvers?'

'We hebben nauwelijks werk genoeg voor onszelf. Ik zei dat ik aan hem zou denken.'

Wexford noteerde de naam van Rodney Horndon en een mobiel nummer. 'Dank u zeer, mevrouw Chilvers. Ik neem aan dat u niets weet over het bezoek dat uw man heeft gebracht aan Orcadia Cottage? Dat was aan het eind van de zomer van 1996. Misschien was u toen nog niet eens getrouwd.'

Ze lachte. 'Nee, we waren inderdaad nog niet getrouwd, maar al wel samen. We waren verloofd, maar dat voorjaar heb ik het uitgemaakt, en in 1997 hebben we een doorstart gemaakt. Maar dat wilt u allemaal vast niet weten.'

Wilde hij dat niet weten? Waarschijnlijk niet. Maar het deed hem denken aan iemand anders: Damian Keyworth, wiens verloving rond die tijd ook was verbroken.

'Dank u wel,' zei hij. 'U hebt ons heel goed geholpen.'

De hoorn lag nog maar net op de haak toen zijn mobieltje begon te piepen. Zodra hij hoorde wie er belde, dacht hij aan Shakespeares Cordelia: 'haar stem was altijd zacht, vriendelijk en laag, en voor een vrouw is dat uitstekend'.

'Mijn naam is Francine Hill. U hebt gevraagd of ik wilde bellen.'

'Ja, dokter Hill. Ik wilde u vragen...'

'O, ik weet wat u wilt. Ik had u wel verwacht... de politie bedoel ik. Ik neem aan dat ik eigenlijk contact met u had moeten opnemen, maar ik vroeg me telkens weer af of ik u wel wat wijzer zou kunnen maken. Ik dacht telkens weer dat ik niets van enig belang wist, maar daar staat tegenover dat ik eigenlijk niet weet wat wél van belang is. Zal ik even langskomen?'

Een ogenblik wist hij niet hoe hij het had. Ze was zo bereidwillig! Zo enthousiast!

'Ja, alstublieft. Als u wilt. Maar vertelt u mij eerst even of u de Francine Hill bent die aan het eind van de zomer of het begin van de herfst in Orcadia Cottage, St. John's Wood is geweest?'

'O, ja. Ja, dat was ik.'

'En samen met Keith Hill, die in een grote gele Amerikaanse auto reed?'

'Dat was de auto van mijn toenmalige vriendje. Zijn naam was Teddy Brex.'

Hij zou Tom niet vertellen hoe anders ze had geklonken dan de Francine van wie hij zich in gedachten een beeld had gevormd: de Francine van de creditcardzwendel, van La Punaise. Dat zou genoeg zijn om de man aan het twijfelen te brengen, en wat Wexford betrof was er geen enkele twijfel meer. Ze had erin toegestemd – ze had zelfs aangeboden – om vanmiddag om vier uur, in haar vrije tijd naar het hoofdbureau van politie in Cricklewood te komen. Haar volgende patiënt kwam pas om zes uur.

Wexford verdreef intussen de tijd door met Lucy mee te gaan naar het appartement van de Rokeby's in Maida Vale. Er viel een miezerige motregen uit de loodgrijze hemel. Ook het viaduct leek wel van lood: een groot en log gevaarte dat overeind werd gehouden door zware betonnen pijlers. Iemand had een fiets vastgemaakt aan het hek voor het huis waarin meneer en mevrouw Rokeby hun appartement hadden, en tegen de afbrokkelende trap had iemand anders een kinderwagen neergezet die niet geschikt leek om ooit nog een baby in te vervoeren. Ook deze keer stond Rokeby, die was gewaarschuwd dat ze in aantocht waren, hen op te wachten op de overloop.

'Ik kan u er niet van weerhouden om hiernaartoe te komen,' zei hij, 'maar ik heb u niets meer te vertellen. Daar kan ik niets aan doen. Er is gewoon niets meer.'

'Meneer Rokeby,' zei Wexford toen ze binnen waren tussen de gecanneleerde Griekse zuilen, 'veel mensen zeggen dat, maar vervolgens blijken ze zich vaak meer te herinneren dan ze denken, en als de juiste vragen worden gesteld, kunnen die herinneringen weer bij hen opkomen.' Snel keek Wexford even de ruime kamer rond, terwijl hij bij zichzelf dacht dat er niets lelijker is dan een interieur dat ontworpen is om groots en overdadig luxueus te zijn, maar dat door een aftandse vaste vloerbedekking en tafels en stoelen uit een goedkope meubelketen juist een armoedige indruk maakte. 'En die juiste vragen zou mijn collega, agent Blanch, u graag willen stellen.'

Maar de eerste vraag die Lucy stelde, was een andere. 'Zou u het licht aan willen doen, meneer Rokeby? Door de regen is het hier wel heel donker.'

Een lamp die te laag, midden in de kamer hing, lichtte plotseling fel op, zodat Wexford met zijn ogen knipperde. 'Dank u wel,' zei Lucy. 'Nou, meneer Clary, herinnert u zich die nog?'

Rokeby knikte.

'Meneer Clary, een van de architecten van Chilvers, Clary Architecten is u in de zomer van 2006 komen opzoeken, en een tijdje later is hij nog eens teruggekomen met een loodgieter, een zekere Rodney Horndon. Is dat correct?'

'Er was een loodgieter bij, en Clary zei dat hij Rod heette. Ik weet niet of dat Rodney Horndon was.'

'Kennelijk wel,' zei Wexford. 'Was hij er ook bij toen meneer Clary voor de tweede keer langskwam?'

'Inderdaad.'

'Het was zomer, zijn uw vrouw en u...' Wexford keek snel even naar Anne Rokeby, die zijn blik met een volmaakt onbewogen gezicht beantwoordde. '... dat jaar nog op vakantie geweest? Ja? En was dat dan voor of na het bezoek van meneer Clary en meneer Horndon?'

Anne Rokeby sprak met een stem die al net zo kil was als de blik in haar ogen. 'Natuurlijk moet dat na de vakantie zijn geweest. We konden alleen maar weg in de schoolvakanties, en die beginnen, zoals u naar ik aanneem wel zult weten, eind juli.'

Lucy liet zich niet afschrikken door mevrouw Rokeby's manier van doen. 'Hoe gemakkelijk zou het zijn geweest om vanaf het laantje achter de huizen op uw patio te komen terwijl u weg was?'

'Heel gemakkelijk, want mijn man nam nooit de moeite om de deur af te sluiten. Ik sloot altijd af, en de eerstvolgende keer dat mijn man door die deur naar buiten ging, vergat hij steevast die af te sluiten. Voor zover ik weet...' Anne Rokeby wierp haar man een blik vol bitterheid toe. '... zijn we de sleutel kwijt.'

Rokeby reageerde daar niet op. Hij barstte uit als een kind dat om een beloofd snoepje smeekt waar hij al te lang op heeft moeten wachten: 'Alstublieft, wanneer kunnen we terug naar Orcadia Cottage? Alstublieft, laat ons hier niet nog langer zitten.'

'U kunt terug wanneer u dat maar wilt, meneer Rokeby,' zei Lucy, 'zolang u er maar tegen opgewassen bent dat er mensen voor het huis staan te loeren, en er geen bezwaar tegen hebt dat wij zo nu en dan wat op de patio rondlopen.'

'Godzijdank.'

Rokeby liep met hen mee naar de overloop en trok de deur achter zich op een kier. 'Teruggaan naar huis gaat mijn huwelijk redden. Op de een of andere manier heb ik het gevoel dat het me zelfs het leven gaat redden.'

'Fijn toch,' zei Lucy toen ze over de trap naar beneden liep, 'om het gevoel te krijgen dat we zo nu en dan sommige mensen een plezier kunnen doen.'

Toen Wexford klein was, was een 'vrouwelijke arts' altijd een formidabele vrouw geweest. In de meeste gevallen was haar reusachtige boezem het enige wat haar onderscheidde van haar mannelijke soortgenoten. Haar grijze haar was kortgeknipt, haar rood aangelopen gezicht had nooit make-up gekend en aan haar brede voeten droeg ze bruine veterschoenen. Natuurlijk wist hij heel goed dat Francine Hill niet zo zou zijn. Hij wist dat artsen tegenwoordig net zo goed jong en mooi konden zijn als vrouwen in welk ander beroep dan ook, maar pas nadat hij haar stem over de telefoon had gehoord, begon hij zich Francine Hill als zo'n vrouw voor te stellen. En zijn verbeelding bleek niet opgewassen tegen de werkelijkheid.

Als hij haar alleen maar op straat had gezien, zou hij haar ingeschat hebben als danseres, als lid van een of ander corps de ballet. Ze was heel slank. Haar bruine haar was zo donker dat het bijna zwart leek, en ze droeg het met een scheiding in het midden en een knotje in haar nek. Ze had een volle rode mond, grote donkerblauwe ogen en een oogverblindend witte huid; net als de 'vrouwelijke arts' uit zijn jeugd (al was ze in alle andere opzichten heel anders) droeg ze geen make-up. Ze ging gekleed in een zwarte rok tot op de knie en een jasje met een donkerblauwe en rode sjaal en aan haar voeten had ze pumps met lage hakken. Sieraden droeg ze niet.

Rita Debach liep met haar het kantoor binnen.

'Gaat u alstublieft zitten, dokter Hill,' zei Tom.

Wexford vermoedde dat ze het soort huisarts was dat haar patiënt vroeg om haar bij haar voornaam te noemen.

'Dus, ik heb van mijn collega hier, meneer Wexford, gehoord dat u in 1997 in Orcadia Cottage bent geweest. Volgens mij bent u daarnaartoe gegaan met een vriend van u?'

'Ik was achttien,' begon ze, 'en ik woonde bij mijn vader en mijn stiefmoeder in Ealing. Ik had net eindexamen gedaan. Teddy Brex was mijn eerste... nou, ik neem aan dat je zou kunnen zeggen dat hij mijn vriendje was.' Ze liet een korte stilte vallen om daar even over na te denken. 'Ja,' zei ze toen, 'ja, natuurlijk was hij mijn vriendje.'

'En hij was de eigenaar van een lichtgele Ford Edsel?'

'Ik weet niet of hij de eigenaar was.' Haar stem klonk wat verlegen, en Wexford kon zien dat ze haar best deed om zo nauwkeurig mogelijk te zijn. 'Hij maakte er gebruik van. Hij reed erin rond. Hij zei tegen me dat die auto van zijn oom was geweest, maar dat zijn oom ergens in Hampshire of Sussex was gaan wonen. Ik weet niet meer waar.'

'Was het soms Liphook, dokter Hill?'

'O ja, dat was het. Natuurlijk, dat was het.'

'Waar hebt u meneer Brex ontmoet?'

'Dat was tijdens een expositie. Ik was ernaartoe gegaan met een vriendin. Teddy zat op een of ander college en de faculteit Beeldende Kunsten hield een expositie van de eindexamenwerken. Hij had een spiegel gemaakt en daar een prijs voor gewonnen.' Ze keek op en plotseling lichtte haar gezicht op. 'Het was een prachtige spiegel, met een lijst van verschillende soorten ingelegd hout. Teddy had echt heel veel talent. Hij maakte prachtige dingen. Hij heeft me die spiegel gegeven, maar die kon ik niet mee naar huis nemen. Er waren, nou eh, redenen waarom dat niet ging. Ik heb hem daar in huis laten staan. Ik weet niet wat er mee gebeurd is.' Ik wel, dacht Wexford, die staat nu in het huis van Anthea Gardner. Francine Hill had zich laten meeslepen door haar herinneringen en schudde zichzelf wakker. 'Maar dat doet er allemaal niet toe. We hadden elkaar leren kennen, Teddy en ik, en we begonnen uit te gaan. Hij was eenentwintig. Ik ben naar zijn huis...'

Tom viel haar in de rede. 'Hij was eenentwintig en hij had een huis?'

'Hij zei dat het zijn huis was,' zei Francine Hill. 'Ik weet dat hij niet altijd de waarheid sprak. Het was in Neasden. Het adres herinner ik me niet meer, maar ik denk dat ik u er nog wel naartoe zou kunnen brengen. Zijn ouders waren dood maar hij had een oma. Ik heb haar nooit ontmoet. Hij nam me mee naar Orcadia Cottage.'

'Daar was hij toch zeker geen eigenaar van?'

Ze keek Tom recht in de ogen. Het was een blik die zei: ik spreek de waarheid. Als je me niet gelooft, kunnen we dit gesprek misschien beter nú beëindigen, want dan zit ik hier mijn tijd te verdoen. Tom knikte en voelde zich duidelijk slecht op zijn gemak.

'Hij nam me mee daarnaartoe,' ging ze verder. 'Natuurlijk was dat zijn eigen huis niet. Het was duidelijk eigendom van een heel rijk iemand. Hij zei dat een vriend voor wie hij aan het werk was, het hem had geleend. U moet niet vergeten dat ik nog maar achttien was, en dat ik heel beschermd was opgegroeid, uitzonderlijk beschermd zelfs denk ik, voor iemand van mijn leeftijd. Ik heb er sindsdien wel over nagedacht, en ik ben tot de conclusie gekomen dat hij geen vrienden gehad kan hebben die zo'n huis hadden, maar toen geloofde ik hem. Ik kon mensen toen nog niet goed plaatsen, snapt u wat ik bedoel?'

'Ja,' zei Wexford, wat hem een strakke, vragende blik van Tom opleverde.

'Het was heel mooi ingericht. Prachtig oud meubilair, Perzische tapijten en heel fraai porselein. Ik keek in een van de garderobekasten, en zag die vol dure kleerhangers, jurken en pakken, dameskleding, en in een andere garderobekast ook wat herenkleding. De laden lagen vol met juwelen. Die zagen er duur uit. Is dat zo ongeveer wat u wilt horen?'

'We willen alles horen wat u ons maar kunt vertellen over meneer Brex,' zei Wexford. 'Werkte hij? Waar leefde hij van? O, en in welke tijd van het jaar is dit gebeurd?'

'Het was herfst. Er lagen veel dode bladeren. U vroeg of Teddy een baan had. Nou, hij werkte voor zichzelf. Hij was meubelmaker.'

Tom vroeg, zonder dat dat veel zin had, vond Wexford: 'Waarom heeft hij u meegenomen naar Orcadia Cottage?'

Francine keek hem opnieuw lang aan, maar deze keer was de blik in haar ogen er een van ongeloof. 'We waren vriendje en vriendinnetje. We wilden ergens alleen zijn, waar we niet gestoord zouden worden.'

'U hebt Frans gehad op de middelbare school,' zei Tom. 'Teddy Brex heeft u gevraagd om een Frans woord voor hem te vertalen. La Punaise.'

Francine Hill haalde nauwelijks merkbaar haar schouders op en hield haar handen met de handpalmen omhoog. Dit was een test, dacht Wexford. Tom wilde erachter komen of ze te vertrouwen was. 'Dat zou kunnen,' zei ze. 'Dat weet ik niet meer.'

'We kunnen dokter Hill het velletje papier laten zien waarop het woord geschreven staat.'

Tom knikte, en gaf Rita Debach opdracht om het relevante bewijsmateriaal te halen, plus de sieraden die waren aangetroffen in de grafkelder. Ze deed er nogal lang over. Intussen praatte Francine over haar ervaringen in Orcadia Cottage. Nee, ze was nooit in de kelder geweest, en ook nooit op de achterplaats. En ze had ook geen stortgat gezien. En voor zover ze zich dat nog kon herinneren, had ze daar nooit een keldertrap gezien.

'Denkt u,' vroeg Wexford, 'dat Teddy Brex in staat zou zijn geweest om een deuropening dicht te metselen, en het metselwerk zo te stuccen en te schilderen dat niet te zien viel dat er ooit een deur had gezeten?'

'Ja, volgens mij had hij dat wel gekund. Ik zou niet weten waarom hij dat zou doen. Het was zijn huis niet. Maar als u me vraagt of hij dat gedaan zou kunnen hebben, dan is het antwoord ja, dat had hij gekund, en hij zou er iets moois van gemaakt hebben. Hij was een perfectionist.'

Het velletje papier werd gebracht, veilig beschermd tussen twee velletjes plastic. Zodra ze het zag, herkende ze het handschrift. 'O, ja. Zo schreef Teddy. Nu herinner ik het me weer.'

'Hebt u nog iets in uw bezit,' zei Tom, die terugkeerde naar het gangbare politiejargon, 'waarop vingerafdrukken van Brex aanwezig zijn?'

'Na twaalf jaar?'

'Wat is er met Teddy Brex gebeurd, dokter Hill? Bent u uit elkaar gegaan? Heeft een van u het uitgemaakt?'

Wexford zag meteen dat dit een vraag was waarop ze niet wilde antwoorden. Tom zat haar onverstoorbaar aan te kijken, het toonbeeld van de fantasieloze diender, zo eentje van het slag dat de hele beroepsgroep een stelletje ploeteraars doet lijken. Toch was Tom niet echt zo iemand. Anders zou hij echt zijn huidige rang niet hebben bereikt. Zou het misschien zo zijn, vroeg Wexford zich zwijgend af, dat hij het soort man was die, als hij een vrouw tegenkomt die hij aantrekkelijk vindt terwijl hij weet dat ze voor hem niet te krijgen is, zich uit frustratie lomp en bozig gaat gedragen?

'Of bent u gewoon langzaam van elkaar verwijderd geraakt?' Deze keer was het sarcasme nauwelijks verhuld. 'Het was gewoon een scharrel?'

Haar blanke gezicht kreeg plotseling kleur. 'Ik werd ziek. Ik ben wekenlang ziek geweest en kon hem niet opzoeken. Ik had problemen thuis... Mijn stiefmoeder overleed. Daarna heb ik nooit meer van hem gehoord.' Wexford voelde aan dat ze hun dit liever niet wilde vertellen. 'Toen ik weer beter was, heb ik geprobeerd contact met hem op te nemen, maar ik kon hem niet vinden.'

Ze keek naar de sieraden, de twee parelkettingen, de ketting met een diamant en een saffier, de ring, de armbanden en het gouden collier. 'Dit zou een deel van de juwelen in de la kunnen zijn, maar eigenlijk kan ik dat niet zeggen. Ik herinner me het niet meer.'

Stilte. Tom belde Rita en zei dat ze de bewijsstukken weer moest komen weghalen. Wexford richtte zijn aandacht op Francine Hill en vroeg of ze hun wilde laten zien waar het huis van Teddy Brex stond.

'Vandaag heb ik daar geen tijd meer voor.'

'Donderdag?' Vrijdag was onmogelijk. Op vrijdag moest hij in Kingsmarkham zijn, bij de rechtszitting ter vaststelling van de dood van Jason Wardle. 'Donderdagmiddag misschien?'

'Zou donderdagmiddag twee uur schikken?'

'Dat zou prima zijn,' zei Wexford, 'en heel vriendelijk bedankt, dokter Hill, u bent uiterst behulpzaam geweest.' Rita Debach begeleidde haar naar de uitgang. Zodra de deur achter haar dichtviel zei Tom: 'Wat een brutaal nest zeg!'

'O, dat vond ik helemaal niet.'

'Ik weet niet waarom je denkt dat het nuttig zou kunnen zijn om het huis van die vent te bekijken, maar je kunt wel met Lucy meelopen als je wilt.'

En als agent Debach werd gestuurd, zou Wexford ongetwijfeld met haar meelopen. Wat is het leven van de assistent van een rechercheur toch zwaar, mompelde hij in gedachten en dat bracht de steeds nijdiger wordende Tom ertoe om te vragen wat er te lachen viel.

'Niets,' zei Wexford. 'Sorry.'

20

Ze haalden haar op in haar huis in Muswell Hill, een bescheiden halfvrijstaande woning in de straat die Wexford in had moeten lopen toen hij de weg zocht naar Shepherd's Hill, maar als hij dat gedaan had, zou hij nooit op Francine Hill en de groepspraktijk in Crouch End zijn gestuit. Een jongeman met een baby in zijn armen kwam met haar mee naar de deur gelopen om haar uit te zwaaien. Wexford, die al veel meer betrokken bij haar was geraakt dan hij over het algemeen bij een getuige betrokken raakte, was verheugd om tekenen van geluk en voldoening te zien. Ze kusten elkaar en daarna kuste ze de glimlachende baby.

Het kostte haar een hele tijd om het huis te vinden. Ze reden het ene rondje na het andere door de kleine straatjes ten zuiden van North Circular Road. Wexford kon begrijpen dat het haar moeite kostte, want al die straatjes zagen er precies hetzelfde uit. 'Het was op een hoek,' zei ze telkens weer, en toen, 'op een hoek, met de weg aan de linkerzijde van het huis.'

Sommige voortuintjes waren goed verzorgd, andere volkomen verwilderd, sommige tuintjes dienden als opslagruimte voor fietsen, motorfietsen of half uit elkaar liggende automotoren. Sommige huisjes, over het algemeen halfvrijstaand, hadden voorgevels van beton dat bestrooid was met kiezelstenen, andere hadden gepleisterde muren en in daarmee contrasterende kleuren geschilderde kozijnen. Hier en daar stonden zelfs nepzuiltjes aan weerszijden van het portiek. Maar de meeste huizen hier waren vervallen, en al waren ze nog zo vrolijk geschilderd, ze zagen er zonder uitzondering uit als wat het waren: huizen voor de armen.

'Ik ben hier niet meer geweest sinds Teddy me hier in 1997 een keer naartoe heeft gebracht,' zei Francine. 'Ik ben er twee of drie keer geweest. Ik realiseerde me destijds niet hoe... nou, hoe triest het allemaal was. Kijk, die daar...' Ze wees. '... Nummer 83 op de hoek. Dat is hem. Daar ben ik bijna zeker van. Wilt u even de hoek om rijden? Ja, kunt u over de schutting kijken? Er staat een afdak. Daar zette Teddy de Edsel altijd onder.'

Het huis was bewoond. Op de een of andere manier – dat weten alle inbrekers – kun je van buitenaf altijd zien of een huis bewoond is of niet. Je kunt niet zien of de bewoners op dat moment thuis zijn, maar wel of iemand er permanent woont. Er hingen gordijnen voor de ramen, en de plant in de pot bij de voordeur was er niet al te best aan toe, maar hij leefde nog, en de aarde rond zijn stengel was vochtig. Lucy belde aan. Als Francine dacht dat Teddy Brex aan de deur zou komen, dan was ze de enige van hen drieën. Na verloop van tijd werd er opengedaan door een oude vrouw, een vrouw die eruitzag alsof ze honderd jaar was. Haar gezicht was een soort landkaart met reliëf, doorsneden door wegen en rivieren, haar oogkassen waren net maankraters, haar mond was een dunne spleet tussen twee steile rotswanden. Met een verrassend krachtige stem zei ze: 'Wie bent u en wat wilt u?'

Lucy liet haar identiteitskaart zien en stelde Francine Hill en Wexford voor. 'We zijn op zoek naar de heer Teddy Brex. Kunnen we binnenkomen?'

'Teddy is er niet. U mag binnenkomen als u dat wilt, maar niet langer dan een paar minuten. Ik heb het druk.'

Van oude mensen wordt verwacht dat ze in propvolle huizen wonen, waar alle rommeltjes en snuisterijen liggen opgehoopt die ze in een heel leven vergaard hebben, en dat wat er nog aan ruimte over is in beslag wordt genomen door ingelijste foto's die zo vervaagd zijn dat er alleen nog wat pasteltinten op te onderscheiden vallen. Er liggen oude, verschoten kussens in de leunstoelen, en op de rugleuningen kleine kleedjes om te voorkomen dat gasten met pommade in hun haar vetvlekken achterlaten. Er staan voetenbankjes die steun moeten geven aan oude voeten, en op de met trommeltjes overdekte salontafel ligt ook een vergrootglas om de oude ogen een handje te helpen. Dit huis leek daar echter helemaal niet op. De kamer die ze binnenstapten, was bijna grimmig in zijn kaalheid. De wanden waren grijs en wit, het plafond had een iets donkerder kleur grijs. Twee leunstoelen, een stoel met een rechte rugleuning en een tv, en twee openslaande deuren naar de tuin, zonder gordijn ervoor, die uitzicht boden op niet veel meer dan een grote open garage.

'Mogen we gaan zitten?' zei Lucy, zonder op antwoord te wachten. Wexford bleef staan totdat de eigenaresse van dit huis, als zij de eigenaresse tenminste was, zelf ook was gaan zitten, wat ze uiteindelijk met stijve bewegingen en duidelijke tegenzin deed. 'Mogen we weten hoe u heet?'

'Mevrouw Tawton. Agnes, als u mijn voornaam wilt weten, zoals alle jonge mensen tegenwoordig willen.'

'Dank u wel. Bent u op de een of andere manier familie van meneer Brex?'

'"Een of andere manier"? Dat kun je wel zeggen, ja. Ik ben zijn enige familielid. Ik ben zijn oma.'

Wellicht was Wexford de enige voor wie dit een spectaculaire verrassing vormde. Na zoveel doodlopende sporen en zoveel vruchteloze speculatie was hier nu een onweerlegbaar feit. Het was alsof Teddy Brex plotseling een echt mens was geworden. Niet alleen had hij nu een 'familielid', hoe oud dat familielid dan ook zijn mocht, maar hij had nu ook een grootmoeder.

'Dit wil ik even duidelijk vaststellen. U weet niet waar meneer Brex zich bevindt? U hebt hem niet meer gezien sinds wanneer?'

Agnes Tawton voelde zich nu duidelijk wat minder op haar gemak en keek hem wat leep aan. De rechtstreekse blik van daarnet was verdwenen. Toen tuurde ze naar de gerimpelde handen in haar schoot. 'Dat moet minstens tien jaar geleden zijn. Nee, dat is niet waar. Het is al twaalf of dertien jaar geleden.'

'Woonde u toen hier bij hem?'

'Eigenlijk niet,' zei ze, en ze liet een stilte vallen. 'Mijn huis staat in Daisy Road aan de andere kant van North Circular Road. Ik kwam hem hier vaak opzoeken.'

'Maar nu woont u hier? Bent u de eigenaresse van dit huis?'

Dat wilde ze niet zeggen. Dat was maar al te duidelijk. 'Ik heb mijn eigen huis verhuurd.' De woorden kwamen er duidelijk met grote tegenzin uit. Ze leek vergeten te zijn dat ze maar kort mochten blijven omdat ze het zo druk had. 'Ik heb er huurders in zitten.'

Wexford begreep precies wat ze gedaan had. Lucy en hij hadden geen verdere uitleg nodig. Na de verdwijning van haar kleinzoon had ze haar eigen huis te huur gezet en zelf hier haar intrek genomen. De kleinzoon, Teddy Brex alias Keith Hill, was de eigenaar van dit minimalistische huis...

Ze had Wexfords gedachtegang gevolgd. 'Het was doodzonde om dit huis leeg te laten staan na alles wat hij eraan gedaan had, al dat schilderwerk, en na de afschuwelijke puinhoop die zijn oom ervan had gemaakt. Ik heb de gemeentebelastingen betaald, en ook het gas en de stroom. Als hij was teruggekomen, was ik er onmiddellijk uit getrokken. Ik zou niet blijven wonen in iets wat niet van mij was.'

Onwillekeurig voelde Wexford bijna bewondering voor haar. Ze was ver in de negentig en bezig met een geweldige zwendel, die eigenlijk helemaal geen zwendel was, want voor zover hij kon zien had ze niets illegaals gedaan. Dit waren afschuwelijke huisjes, en ongetwijfeld waren de huisjes aan de andere kant van North Circular Road al even verschrikkelijk, maar tegenwoordig lag zo'n huisje, hoe klein, benauwd en lelijk dan ook, dicht genoeg bij het centrum van Londen om een hoge huur te kunnen opbrengen. 'U had het over de oom van meneer Brex. Wie is dat? Waar is hij?'

'Dat moet u mij niet vragen. Voor zover ik weet woont hij in Liphook. Dit huis is van hem, niet van Teddy, wat Teddy er ook van mag vinden. Het ging zo. Hij en Teddy's vader waren maar halfbroers, omdat Jimmy, de oudste, was geboren voordat hun moeder getrouwd was. Hij was een bastaard.' Wexford hapte bijna naar adem. Hij had dat woord weleens gelezen, maar het nog nooit door iemand horen zeggen. 'Kathleen Briggs heette ze,' ging Agnes Tawton verder, 'en Keith werd geboren nadat ze met hun vader was getrouwd. Teddy heeft dat als kind nooit geweten. Toen hij het te horen kreeg, was het een schok voor hem.'

'Keith?'

'Dat klopt. Dat is de oom. Die heet Keith Brex.'

Alle stukjes van de legpuzzel pasten nu. Teddy had een pseudoniem gekozen dat was afgeleid van de voornaam van zijn oom, en de achternaam van zijn vriendinnetje. De connectie tussen die twee mannen was geen rechtstreekse oom-neefrelatie, en dat verklaarde de onduidelijkheden in het DNA. Wexford vroeg Agnes Tawton of ze een DNA-monster wilde afstaan, en verwachtte eigenlijk dat ze dat onmiddellijk zou weigeren. Maar ze verraste hem. Hij vermoedde dat ze zich belangrijker voelde door zoiets, dat ze nu iets had om in geuren en kleuren aan haar buren te vertellen, misschien wel aan haar buren in beide straten.

'Dat vind ik niet erg hoor,' zei ze.

'Waar denkt u dat uw kleinzoon nu is?' vroeg Lucy.

'Ergens in het buitenland, vermoed ik. Jongeren zwerven tegenwoordig over de hele wereld. God mag weten waarom, maar het is nou eenmaal zo.' Agnes Tawton keek Francine strak aan, en die lachte haar kort maar vriendelijk toe. 'Hij heeft me nooit gezegd dat hij wegging, maar zo was hij niet. Hij was veel te bang voor wat ik hem allemaal zou aandoen omdat hij het toilet van mijn vriendin niet had geschilderd, zoals hij had beloofd.'

Wexford kon zonder veel moeite geloven dat welke man dan ook bang zou zijn voor deze oude vrouw. Hij liet het aan Lucy over om te vertellen hoe het nemen van een DNA-monster in zijn werk zou gaan.

'Ik word toch niet dit huis uitgezet?'

'Ik zie geen enkele reden waarom dat zou gebeuren,' zei Wexford. Hoewel hij die nooit echt gezien had, verscheen er plotseling een beeld voor zijn geestesoog van die twee lijken in de grafkelder, de jongere en de oudere man, familie maar geen echte oom en neef. Keith Brex en Teddy Brex. 'U zei dat dit huis eigendom is van Keith Brex.'

'Ja,' zei ze. 'Niet dat je daar iets van merkt, want hij heeft nooit meer iets van zich laten horen. Liphook ligt toch zeker niet aan het andere eind van de wereld?'

Als Keith dood was, en Teddy ook, terwijl hij bovendien nooit eigenaar was geweest, en er waren geen andere familieleden, wat zou er dan gebeuren? Als Keith als eerste was overleden, zou Teddy het huis dan geërfd hebben? Waarschijnlijk wel. Al was hij dan misschien geen volle neef van Keith Brex geweest, hij was wel de zoon van diens halfbroer. Maar ook hij was dood, en hij had maar één familielid gehad: deze stokoude vrouw. Het was niet aan Wexford om haar te vertellen dat zij waarschijnlijk de eigenaar was. Het was hoe dan ook onwaarschijnlijk dat wie dan ook zou proberen haar uit dat huis weg te krijgen.

'Goed,' zei mevrouw Tawton bruusk, 'u weet wat u weten wilde, dus nu kunt u wel gaan.'

Later op de dag vertelde Wexford het hele verhaal aan Tom. 'Het lijk van de jongeman in de grafkelder is vrijwel zeker dat van Teddy Brex, en het lijk van de oudere man is zijn oom Keith Brex. Zodra de uitslag van Agnes Tawtons DNA-onderzoek binnen is, krijgen we zekerheid over de identiteit van de jongeman. De identiteit van de oudere man blijft onzeker. Agnes Tawton was geen familie van hem, al weten we wel dat hij op de een of andere manier verwant was aan Teddy Brex.'

'Goed werk,' zei Tom.

'Maar als het Keith Brex niet is, wie is het dan wel? Ik denk dat hij het wel is. Volgens Agnes Tawton had Teddy op haar na geen familie. Hij was enig kind, zijn moeder was enig kind, en zijn vader had maar één halfbroer, die eigenlijk geen echte Brex was.'

'Misschien moeten we die Keith Brex maar eens opzoeken in het bevolkingsregister?'

'De kans lijkt me groot,' zei Wexford, 'dat zijn moeder genoteerd staat als Kathleen Briggs en zijn vader als "onbekend".'

'We moeten het toch maar proberen. Hoe denk je dat die twee samen met Harriet Merton in een kelder onder de patio van Orcadia Cottage zijn terechtgekomen?'

'Ik heb een theorie, Tom, maar veel meer dan theorie is het niet. Teddy Brex was de minnaar – als dat het juiste woord is – van Harriet Merton. Om de een of andere reden, die ik niet ken en die ik ook niet kennen kan, heeft ze gedreigd haar echtgenoot iets te vertellen over Teddy wat... nou, tegen hem zou werken. Misschien wilde hij de relatie beëindigen en had Harriet gedreigd dat ze tegen haar man zou zeggen dat hij haar had verkracht, of had geprobeerd haar te verkrachten, of zelfs dat ze hem op heterdaad had betrapt terwijl hij probeerde haar juwelen te stelen.'

'Nou, hij had een hoop waardevolle sieraden bij zich, zowel in zijn zakken als naast zijn lijk.'

'Inderdaad. Ze hebben ruzie gekregen, misschien zelfs gevochten, en hij heeft haar de keldertrap af geduwd en het lijk daar laten liggen, waarschijnlijk omdat, zoals we allemaal weten, het zich ontdoen van een lijk het grootste probleem van de moordenaar is. Lag het lijk van zijn oom er ook al? Daar komen we nooit achter, maar we kunnen er wel van uitgaan dat Teddy hem ook heeft vermoord. Maar voor- of nadat hij Harriet had gedood? Dat weten we niet. En we weten ook niet waarom hij Keith Brex heeft vermoord. Het is mogelijk dat hij dat gedaan heeft toen hij erachter kwam dat het huis in Neasden niet van zijn vader was, maar van Keith Brex, en dat hij het na het overlijden van zijn vader niet had geërfd. Misschien is hij daar verschrikkelijk boos om geworden.'

'En toen heeft hij het lijk in de kolenkelder gedumpt?'

'Ik denk van wel, maar pas nadat hij het in de kofferbak van de Edsel naar Orcadia Cottage had gebracht.'

'Er zijn sporen van Keith Brex in die kofferbak aangetroffen, maar we weten niet of hij toen nog leefde.'

'Toen Harriet dood was, heeft hij de deuropening naar de keldertrap dichtgemetseld en het metselwerk gestuukt, zodat het leek of er nooit een trap geweest was.'

Tom knikte vergenoegd. 'Maar er blijft nog één vraag open, Reg: als hij in staat was om een deur weg te halen en een deuropening dicht te metselen, zodat het eruitzag alsof er nooit een deuropening had gezeten, waarom heeft hij dan het stortgat niet dichtgemaakt? Dat hebben we ons al eerder afgevraagd. Hij hoefde er alleen maar wat plavuizen overheen te leggen en vast te metselen, en dat moet voor hem kinderspel zijn geweest. Waarom heeft hij dat niet gedaan? Als hij dat had gedaan, zou de inhoud van de graftombe voor altijd verborgen zijn gebleven. Niemand zou ooit hebben vermoed dat zich daaronder een ondergrondse graftombe bevond, laat staan dat er twee lijken in lagen, en er zou tien jaar later geen vierde lijk in gelegd zijn. Waarom heeft hij dat stortgat niet dichtgemaakt?'

'En hoe is hij zelf in die kelder beland?'

*

Op weg naar huis vroeg Wexford zich af waarom dat gat nog steeds in de patio zat. Teddy Brex' problemen zouden opgelost zijn geweest als hij beide toegangen tot de graftombe had dichtgemetseld. Hij probeerde zich voor te stellen dat hij in Teddy Brex' schoenen stond, stelde zich voor dat hij jong was en zo'n vriendinnetje had als Francine Hill. Teddy had alles gehad om voor te leven. Hij had zichzelf een huis bezorgd. Toegegeven, een fantastisch mooi huis was het niet, en het stond niet in een prettige buurt, maar hij had een dak boven zijn hoofd en vanwege de locatie zou het altijd goed te verkopen zijn geweest. Kennelijk had hij de juwelen van Harriet Merton gestolen, en die had hij voor dertig- of veertigduizend pond van de hand kunnen doen. En hij had Francine gehad. Maar toen aarzelde Wexford. Had hij Francine écht gehad? Dat lieve, intelligente meisje zou hem toch wel doorzien hebben, en zeker toen hij over La Punaise en de creditcard begon. En Francine Hill leek hem de laatste vrouw ter wereld die een relatie zou willen hebben met een dief en een moordenaar. Hoewel ze niets wist van die duistere kant van hem, had ze zo jong als ze was, toch vrij snel in de gaten gehad moeten hebben hoe ongeschikt hij voor haar was, hoe ongelofelijk gevaarlijk hij voor haar kon zijn.

Zou ze enig idee hebben gehad van wat zich allemaal had afgespeeld in dat huis? Was het de moeite waard om haar nog een keer te ondervragen? Toch was hij er zeker van dat Teddy Brex Francine Hill niet die aspecten van zijn karakter had laten zien die tot geweld, roof en moord hadden geleid. Hij zou zich ongetwijfeld veel zonniger en vriendelijker voorgedaan hebben. Hij had haar die spiegel gegeven, die spiegel die in het huis van Anthea Gardner was beland. Wat waren mensen toch vreemde wezens! De spiegel die hij Francine had gegeven, maakte Wexford duidelijk dat Teddy Brex niet alleen maar een gewelddadige bruut was, maar iemand die, hoe verdorven hij dan ook geweest mocht zijn, toch had geweten wat schoonheid was en die misschien hoop had gekoesterd op een toekomst die hij nooit in vervulling zou zien gaan.

Wexford bleef een ogenblik stokstijf stilstaan. Er was hem iets ingevallen, iets schokkends. Ze stonden voor een raadsel: waarom had Teddy Brex het stortgat niet dichtgemaakt? Maar er was duidelijk nog een tweede raadsel. Iemand had het lijk van de jonge vrouw bij de andere lijken gelegd. Waarom had diegene het gat niet alsnog dichtgemaakt?

21

Hoeveel gerechtelijke lijkschouwingen in Kingsmarkham had hij inmiddels al bijgewoond? Honderden, misschien wel duizend. Maar dit zou de eerste zijn waarbij hij aanwezig was als getuige, als lid van het publiek, en niet als politieman.

Hij ging erheen met de trein. Het was al erg genoeg dat hij erheen moest, laat staan dat hij zin had om met de auto door die eindeloos uitgestrekte zuidelijke voorsteden te rijden. Als je Streatham eenmaal voorbij was, verwachtte je dat je nu de stad wel uit zou zijn, en dat viel altijd weer tegen, want je moest dan ook nog door Norbury, Croydon en Purley heen zien te komen. De trein vanuit Victoria Station kwam ook door een paar van die plaatsen, maar snel en gemakkelijk, zonder verkeersopstoppingen of andere problemen. Als auto's net als trams op rails zouden rijden waarvan ze niet konden afwijken, zou het verkeer een stuk rustiger en overzichtelijker zijn. Binnen de tijd die het hem met de auto zou hebben gekost om halverwege Brixton te komen, schoot de trein op bijna magische wijze met hoge snelheid al door een halflandelijke omgeving.

Als er, zoals vroeger, een perronopzichter had rondgelopen op station Kingsmarkham, had die Wexford ongetwijfeld herkend en hem gevraagd hoe het ermee stond, maar zo'n vriendelijke beambte was nergens te bekennen. Er stond alleen maar een machine die gulzig zijn kaartje opslokte. Hij liep de stad in. Voor het eerst van zijn leven zou hij een onderzoekszitting bijwonen waarbij hij zich enigszins schuldig voelde. Niets van dit alles was zijn schuld, maar hoeveel ervan was de schuld van zijn dochter? Het was te laat om er nu iets aan te doen en het had geen zin om erover te speculeren hoe Sylvia, ooit zo'n voorbeeldige huisvrouw, zich had omgevormd tot zo'n oermoederachtige, seksueel losbandige, maatschappelijk enigszins onaangepaste en nog steeds jeugdige vrouw.

De lijkschouwer was nieuw, iemand die Wexford nooit eerder had gezien. Wexford stelde zich voor als de particuliere burger die hij nu was, en legde de eed af, waarbij hij zwoer de waarheid, de hele waarheid en niets dan de waarheid te zeggen. Terwijl hij wat verstrooid zat te luisteren naar de vraag die hem gesteld werd – hij kende die al uit zijn hoofd – liet hij zijn blik snel even over de mensen op de publieke tribune gaan om te zien of hij daar iemand herkende. Hij zag geen bekende gezichten, maar wel een echtpaar dat zijn aandacht trok: een man en een vrouw op de grens tussen middelbare leeftijd en ouderdom, die vlak naast elkaar zaten en stevig elkaars hand vasthielden. Het viel hem op dat ze zich kleedden op een wijze waarop niemand van hun leeftijd in Londen dat zou doen: de vrouw droeg een vilten hoedje en een sjaaltje, de man een tweedjasje met leren stukken op de ellebogen, een geruit overhemd en een stropdas.

Hij begon de rechtbank te vertellen wat er die dag was voorgevallen. 'Mijn dochter was net thuisgekomen uit het ziekenhuis. Omdat ze een huissleutel miste, leek het ons verstandig om de cilinders van de sloten te laten vervangen.' Was dat 'de hele waarheid'? De hele waarheid was dat Sylvia en hij allebei bang waren geweest dat Jason Wardle die ontbrekende sleutel in zijn bezit had en die zou kunnen gebruiken om het huis binnen te dringen. Hij voelde – al zou dat ongetwijfeld zijn verbeelding zijn – de ogen van het elkaars hand vasthoudende stel op zich gericht. 'We hadden een slotenmaker nodig. Ik liep de trap op om het telefoonboek te gaan zoeken, dat vermoedelijk in de slaapkamer van mijn kleinzoon op de tweede verdieping lag.' Het moest klinken alsof Sylvia een enorm huis had, het huis van een rijke vrouw. 'Ik deed de deur open. Het lijk van een man bungelde aan de haak in het plafond waar normaal de lamp aan hing.' Koel en emotieloos – niets anders was mogelijk – beschreef hij hoe hij de trap af was gelopen en de politie had gebeld.

De lijkschouwer vroeg of hij de hangende man had herkend en of hij het lijk had aangeraakt, en beide vragen beantwoordde Wexford zonder aarzelen met nee. Dat was alles. Verder was er voor hem niets te doen of te zeggen. De lijkschouwer bedankte hem en hij stapte uit het getuigenbankje en zocht een stoel op de achterste rij van de publieke tribune. Een arts, die hij al net zomin kende als de lijkschouwer, beschreef Jason Wardles verwondingen en doodsoorzaak, en daarna legde een psychiater een verklaring af over Wardles geestelijke gesteldheid, die naar zijn mening bipolair was geweest. De vrouw met het vilten hoedje op slaakte een iel, half gesmoord kreetje.

De lijkschouwer, de griffier en de arts overlegden even en toen werd er uitspraak gedaan: zelfmoord terwijl Jason Wardle minder toerekeningsvatbaar was. Het was voorbij. De man was eenentwintig jaar oud geworden.

Wexford was van plan om naar huis te gaan – naar zijn eigen huis – en even een praatje te maken met wie er toevallig thuis zou zijn. Maar toen hij de trap af liep, zag hij het echtpaar dat hem eerder was opgevallen aan de voet van de trap staan. Ze stonden hem duidelijk op te wachten. Hij kende die mensen niet en was van plan om om ze heen te lopen, maar toen hij hen tegemoet kwam, riep de vrouw met een strijdlustige, deftige stem: 'Waar is uw dochter? Ik neem aan dat ze niet het lef had om hiernaartoe te komen.'

'Vivien,' zei de man. 'Dit heeft geen zin...'

'Ja, dit heeft wél zin. Ik wil het hem zeggen, zodat hij het tegen háár kan zeggen. Hij kan zeggen dat als ze een fatsoenlijke vrouw was geweest, en geen hoer, mijn zoon vandaag nog in leven zou zijn. Dan zou mijn zoon nu aan een gelukkig leven beginnen...'

'Het spijt me,' zei de vader van Jason Wardle en het was duidelijk dat hij zich diep ongelukkig voelde. 'U kunt er niets aan doen. Het spijt me.'

'Het spijt mij ook,' zei Wexford. 'Het spijt me heel erg voor u allebei.'

'En wat schieten wij daarmee op?' Vivien Wardle stond nu te huilen, haar gezicht was nat van de tranen. 'Misschien is het wel ergens goed voor als u doorgeeft wat ik gezegd heb. Doet u dat vooral. Zegt u maar dat ze alle andere vrouwen te schande maakt, en haar eigen kinderen ook. Die arme jongens, dat arme kleine meisje... wat moeten die wel van hun moeder denken?'

Met zachte drang werd Vivien door haar echtgenoot weggeleid. Haar lichaam schokte van het huilen, zo erg dat hij haar bijna de auto in moest tillen. Wexford was erg uit het lood geslagen. Maar toch liep hij Queen Street in, naar zijn huis toe. Dora had gelijk gehad, dacht hij. Afstand houden van al dit gedoe, geen standpunt innemen, geen oordeel vellen, dat was allemaal verkeerd. Een ouder moest zijn mening geven, hoe oud zijn kind ook was, en ook al had hij zich een reputatie verworven als een tolerante en nooit moralistische scheidsrechter. Hij was te gemakkelijk geweest, te vriendelijk, te respectvol. Misschien om zichzelf te bewijzen dat dat nu allemaal anders zou worden, in dit geval tenminste, maakte hij de voordeur open zonder eerst aan te bellen en zonder het telefoontje dat hij in andere omstandigheden van tevoren even zou hebben gepleegd.

Sylvia lag languit op de bank in de woonkamer met een tijdschrift en een kopje koffie. Ze ging rechtop zitten en zei: 'Papa! Je had me even kunnen laten weten dat je kwam.'

Hij keek op de klok. Dat had hij niet willen doen, maar toen hij zag dat ze nog steeds in haar nachthemd zat, dat ze een sjaal om haar schouders had geslagen en dat haar lange, donkere haar loshing, en nodig eens gewassen moest worden, keek hij op en zag dat het tien voor halftwaalf was.

'Er is nog wat koffie. Wil je koffie?'

'Nee, dankjewel. Ik blijf niet lang. Ik ben naar de onderzoekszitting van Jason Wardle geweest.'

'Zelfmoord, neem ik aan,' zei ze.

Hij voelde iets knappen in zijn hoofd, maar bleef rustig, en zei, langzaam en met vaste stem: 'Sylvia, ik heb geen oordeel over je geveld. Ik heb me opzettelijk niet tegen je gekeerd. Maar nu moet ik iets zeggen. Misschien maakt het voor jou niet uit, maar meneer en mevrouw Wardle waren er, Jasons ouders.'

Ze zei niets maar sloeg haar ogen ten hemel.

'Trek niet zo'n gezicht, alsjeblieft. Je bent wel een fraai portret zo, vind je niet? Een mooi rolmodel voor Mary!' Sylvia deinsde terug en bracht een hand omhoog naar haar borst. 'Mevrouw Wardle heeft me verteld hoe ze over je denkt. Ze houdt jou verantwoordelijk voor de dood van haar zoon. Ik niet, maar ik wil wél zeggen dat als jij je niet in zijn leven had gemengd, hij nu nog in leven zou zijn. Beschadigd en labiel misschien, maar nog wel in leven.'

'En heeft hij zich dan niet in míjn leven gemengd?'

'Jason was eenentwintig,' zei Wexford ruw. 'Jij bent een vrouw van middelbare leeftijd met een zoon die maar twee jaar jonger is dan hij. Jij bent maatschappelijk werkster, een zeer hoogopgeleide maatschappelijk werkster zelfs, maar je hebt niet opgemerkt dat die jongen niet in orde was, of misschien kon je dat ook niet schelen. Je had van hem gekregen waar je op uit was en toen heb je hem als een baksteen laten vallen. Mevrouw Wardle noemde je een hoer, en dat vond ik als vader niet prettig om te horen.'

Mevrouw Wardle had gehuild en nu gleed Sylvia's uitdagende houding van haar af op dezelfde manier waarop de sjaal van haar schouders gleed, en barstte ook zij in tranen uit. Hij keek even toe en zei toen: 'Hou op. Huilen helpt niet. Dat weet je toch? Je gaat je er heus niet beter door voelen, wat de mensen ook zeggen,' en terwijl hij naast haar ging zitten, sloeg hij zijn armen om haar heen.

Het omhelzen van een grote, nogal klam aanvoelende vrouw met vettig haar die naar zweet ruikt, is geen prettige ervaring, zelfs al is het je eigen kind. Maar zelfs terwijl hij dat dacht moest Wexford al bijna lachen. Zo mocht hij niet denken.

'Het is hoog tijd dat jij weer aan het werk gaat,' zei hij. 'En dat je mijn huis eens opruimt.' Het was hem opgevallen dat er een hoop stof lag. 'En dat je Mary weer laat thuiskomen. Je moeder of ik brengt haar maandag terug.'

'Het spijt me, papa.'

'Ik zou je moeten aanraden om bij meneer en mevrouw Wardle langs te gaan en hun te vertellen dat het je spijt, maar ik ben geen aanhanger van draconische strafmaatregelen. En bovendien zouden ze je kunnen vermoorden. Vivien Wardle lijkt me daar wel toe in staat. Nou, ga even in bad en trek je kleren aan.'

Ze keek hem aan met dat kleinemeisjesgezicht dat ze zo nu en dan trok. Maar nu stond dat haar niet zo goed meer.

'Neem jij me dan mee uit lunchen?'

Deze keer lachte hij wél. 'Zeker niet. Het idee alleen al! Ik ga meteen terug naar Londen.'

Toen hij in Londen was, ging hij voordat hij aan zijn weekend begon nog even bij Tom Ede langs. Wexford had gehoord dat Rodney Horndon terug was van zijn vakantie in de Cariben. Volgende week zouden ze met hem gaan praten. Hoewel de onderzoekszitting en zijn bezoek aan Sylvia niet meer dan een paar uur hadden gekost, had Wexford er wel het gevoel aan overgehouden dat hij op een merkwaardige manier het contact kwijt was geraakt met de gebeurtenissen in Orcadia Cottage. Hij moest daar nog maar eens langsgaan. Maar net toen hij besloot om de deur uit te gaan, begon het te regenen, eerst een beetje maar toen hard, en terwijl het steeds harder begon te waaien sloeg de regen met grote vlagen tegen de ramen. Pas de volgende dag, aan het einde van de middag, wandelde hij naar St. John's Wood.

Het was pas september, maar toch begonnen de blaadjes al van de wilde wingerd te vallen. Op het trottoir van Orcadia Place waren hier en daar al wat blaadjes te zien, en op de keien van het laantje achter de huizen lagen er nog veel meer. Alle muren waren overdekt met lange uitlopers, met hartvormige blaadjes die nu felrood waren of een kleur rood hadden aangenomen die zo donker was dat ze bijna zwart leken. Eén van die blaadjes dwarrelde neer en kwam op Wexfords schouder terecht terwijl hij rondzwierf over de patio, en half en half op iets van inspiratie hoopte, hier tussen deze muren, ramen, puntgevels en deuren, die zoveel gezien moesten hebben. Toen hij langs het tuinhek van Mildred Jones liep, ging de voordeur open en stapte ze naar buiten, voorafgegaan door een lange, magere jonge vrouw met lang blond haar. Ze zeiden iets tegen elkaar, maar ze waren te ver weg om te kunnen horen wat ze zeiden. Het meisje liep het tuinpad af en mevrouw Jones riep haar na: 'Tot dinsdag dan. Negen uur, en zorg dat je op tijd bent.'

Zodra ze eenmaal buiten gehoorsafstand was, liep Mildred Jones naar het tuinhekje toe en zei op samenzweerderige toon tegen Wexford: 'Ze komt uit Letland. Dus ik weet in elk geval zeker dat ze niet illegaal is.'

Hij keek haar vragend aan. 'Mijn nieuwe schoonmaakster,' zei ze. 'Ze komt uit Riga, zegt ze. Het kan me niet schelen waar ze vandaan komt, als het maar deel uitmaakt van de EU. Maar die zijn moeilijk te vinden. In de veertien jaar dat ik hier woon, heb ik er zeven gehad en die kwamen uit Georgië, Oezbekistan en Oekraïne, om maar een paar landen te noemen.'

'U bedoelt dat ze niet het recht hadden om hier te blijven?'

'Dat bedoel ik, ja.' Ze leek zich er totaal niet van bewust dat het onverstandig was om dat allemaal tegen een politieman te zeggen, maar hij was natuurlijk geen politieman meer, en misschien beschouwde ze hem ook niet als zodanig. 'De eerste is zelfs het land uitgezet. Daarna kwam de eerste Georgische. En daarna het meisje uit Oekraïne met die belachelijke naam, het meisje dat verdween, en kort daarna zijn Colin en ik uit elkaar gegaan, dus u begrijpt wel dat dat voor mij een zware tijd geweest is. Maar één ding moet ik die Russinnen nageven – want voor mij zijn het allemaal Russinnen hoor – het zijn goede schoonmaaksters.'

Wexford was nieuwsgierig, ook al had dit niets te maken met Orcadia Cottage. 'Hoe vindt u die meisjes? Ik bedoel, als ze hier illegaal werken, kunnen ze toch moeilijk een advertentie plaatsen?'

'O, sommige meisjes doen dat wel hoor. Maar over het algemeen schuiven ze gewoon een briefje bij je in de brievenbus. Dat doen ze bij iedereen hier in de straat. Alleen maar een naam – hun voornaam – en daaronder schrijven ze dan dat ze kunnen schoonmaken, strijken, en boodschappen doen, en ze zetten hun mobiele nummer erbij. Ze zetten er nooit een tarief bij, want ze weten best dat ze niet eens het minimumloon krijgen.'

'Werkelijk?'

'O, ja hoor. Het is bijna zes pond per uur, en dat kan ik me niet veroorloven. Die meid die u zojuist hebt gezien, vroeg het minimumloon – je staat er soms echt van te kijken wat ze allemaal over onze arbeidswetten weten – maar ik heb haar gezegd dat ik niet meer dan vier pond per uur kan betalen, en natuurlijk hapte ze toe.'

'Natúúrlijk,' zei Wexford.

Merkte ze de ironie op waarmee hij dat zei, of stond er iets van weerzin op zijn gezicht te lezen? Wat het ook zijn mocht, plotseling zei ze: 'O mijn god, daar heb ik helemaal niet aan gedacht. U bent toch van de politie?'

'Niet meer, mevrouw Jones. Niet meer.'

Ze begon het uit te leggen. 'Omdat ik hier woon – in St. John's Wood, bedoel ik – en elk jaar naar Zuid-Afrika ga, denken de mensen vaak dat ik bulk van het geld. Maar ik heb deze flat gekregen bij de scheiding, en dat was alles. Colin kreeg ons buitenhuis op het platteland, en verder heb ik geen cent van hem losgekregen. Hij heeft dat buitenhuis verkocht en dat heeft hem genoeg opgeleverd om een huis aan Clapham Common te kopen. Ik moet leven van de opbrengst van mijn beleggingen, en u zult wel weten wat dat betekent gedurende een recessie. Ik kon me maar net de vlucht naar Kaapstad veroorloven, en niet eens eerste klas.' Ze haalde een keer diep adem. 'En Colin zit heus niet krap hoor. Die man heeft zoveel ijzers in het vuur, dat is gewoon niet te geloven. Een aandeel in een bedrijf in West Hampstead en een aandeel in een bookmakerskantoor.'

Kort nadat hij afscheid van haar had genomen, begon het te regenen en vol ergernis realiseerde hij zich dat er in het zuidoosten van Engeland de hele dag droog weer was voorspeld. Hij had geen regenjas en paraplu meegenomen en het begon nu echt te hozen. Nergens was een taxi te bekennen – die waren er nooit als je ze werkelijk nodig had – maar gelukkig stonden er vrijwel de hele weg naar huis bomen die enige beschutting boden. Tegen de tijd dat hij het koetshuis had bereikt, waren zijn sokken doornat en was er een stroompje water via zijn nek onder zijn kleren terechtgekomen.

Gelukkig werd Dora en hem een volgend bezoek aan Sylvia bespaard, want Sheila zou Mary die zondag terugbrengen naar haar moeder. De kleine meid vond het prima, want haar nichtjes brachten inmiddels weer een groot deel van de tijd door op de kleuterschool. Ze vond het nog het ergste om Bettina de kat in de steek te moeten laten. Met het enigszins boosaardige gevoel van vermaak dat alle ouders soms voelen als het om een moeilijke zoon of dochter gaat, dacht Wexford dat Sylvia een zware tijd tegemoet ging als haar dochter zou doen waarmee ze nu dreigde: haar moeder voortdurend aan het hoofd zeuren om een jong katje of hondje.

Hij nam Dora mee uit lunchen en daarna gingen ze naar de film. Het was een mooie avond, en het was niet koud. Toen ze weer thuis waren, wilde Dora een van haar lievelingsprogramma's kijken, en dus liep Wexford in zijn eentje terug naar Orcadia Place. Sinds hij afscheid had genomen van Mildred Jones en het was gaan regenen, had hij met tussenpozen teruggedacht aan alles wat de vrouw hem had verteld. En, belangrijker nog misschien, wat ze niet had verteld.

Dit was de eerste keer dat hij op eigen houtje Orcadia Cottage bezocht. Hij duwde de deur in de achtermuur open en liep de patio op. Nu hij hier in zijn eentje was, zonder dat er iemand in huis was en zonder begeleidende politiebeambte, nam hij rustig de tijd om de deur eens goed te bekijken. Die was gemaakt van verticale, zwart geschilderde planken, en aan de boven- en onderkant zat een grendel, net als op Sylvia's voordeur, die ze nooit vergrendelde als ze daar niet toe gedwongen werd. Zou deze deur eveneens nooit vergrendeld zijn geweest?

Dag na dag met regen en harde wind had de bladeren van de wingerd – hij had het opgezocht in een botanisch handboek, en het was eigenlijk geen wilde wingerd maar *ampelopsis* – van de muren en daken gewaaid, en die lagen nu als een dik en doorweekt tapijt op de tegels. Hoeveel erger zou het niet zijn geweest voordat Clay Silverman de wingerd van zijn eigen muren had laten verwijderen! Wexford wist niet goed wat hij hier kwam doen, misschien wilde hij eigenlijk alleen maar nog eens rondkijken, in de hoop dat hij een aanwijzing zou vinden voor wat zich hier twaalf jaar geleden, en tien jaar later, had afgespeeld. Het ging niet alleen om de identiteit van de jonge vrouw in de 'graftombe', maar ook om de vraag wie de moordenaar was van de jongeman die ze inmiddels Teddy Brex waren gaan noemen. Onderzoek naar het DNA van Agnes Tawton zou duidelijk maken of het inderdaad Brex was, maar ook als die veronderstelling juist bleek, was dat nog geen antwoord op de vraag wie hem had vermoord. Vermoedelijk had Teddy Brex Harriet vermoord, en ook de man die vrijwel zeker zijn oom was geweest, maar zou hij daarna op zijn beurt weer door iemand anders zijn vermoord?

Toen hij daar in het langzaam wegstervende daglicht met zijn rug naar de muur stond, merkte Wexford dat hij daar volstrekt niet in geloofde. Teddy Brex had Harriet Merton vermoord, waarschijnlijk om haar ervan te weerhouden naar de politie te stappen omdat hij haar juwelen en haar creditcard had gestolen, en zijn oom omdat hij diens huis en auto wilde hebben. Dat waren allebei heel duidelijke motieven, maar welk motief kon iemand anders hebben gehad om hém te vermoorden?

Wexford besloot het deksel van het stortgat te tillen (PAULSON AND GRIEVE, IRONSMITHS, STOKE) en nog eens een kijkje in de diepte te nemen. Hoewel de ruimte daaronder nu volkomen leeg was, zou de aanblik daarvan hem misschien wel op een idee brengen. Hij deed een stap naar voren, een gladde leren schoenzool gleed weg over het natte rode tapijt en hij ging onderuit.

Gelukkig had hij niets gebroken. Dat komt omdat ik zoveel gewicht heb verloren, dacht hij, want hij was veel minder zwaar gevallen dan een paar jaar geleden het geval zou zijn geweest. Veel meer dan wat schrammen op zijn knieën, en misschien op zijn rechterhand, had hij er vermoedelijk niet aan overgehouden. Hij krabbelde overeind, wat hem niet gemakkelijk viel op die doorweekte bladermassa, deed voorzichtig een stapje naar voren en tilde het deksel van het stortgat.

En toen begreep hij wat Teddy Brex was overkomen.

22

'Maar dat is toch alleen maar een slag in de lucht?'

Wexford was er vrij zeker van geweest dat Tom dat zou zeggen. Hij had zin om Sherlock Holmes te citeren en te zeggen dat als al het andere onmogelijk is, wat er overblijft wel de ware toedracht moet zijn. In dit geval was al het andere echter niet onmogelijk, maar slechts hoogst onwaarschijnlijk. En dat iets hoogst onwaarschijnlijk was vond Tom helemaal niet erg.

'Die Teddy kan allerlei foute kennissen gehad hebben. Soort zoekt soort, weet je wel. Een van hen kan bij hem zijn geweest en hem in dat stortgat geduwd hebben. Want dat is toch wat je zegt? Dat hij is uitgegleden over die bladeren en in het stortgat is gevallen?'

'Dat is wat ik zeg. Als het deksel niet op dat stortgat had gezeten, was ik er zelf in gevallen.'

'Nou, we zullen weleens zien. We hebben de uitslag van het DNA-onderzoek. Het is nu boven alle twijfel verheven dat het hier om Teddy Brex gaat. En het is vrijwel zeker dat de oudere man zijn oom of halfoom Keith Brex is. In het bevolkingsregister staat precies wat jij hebt voorspeld: moeder Kathleen Briggs, vader onbekend. Maar wie is het meisje, Reg?'

'Daar moet ik nog achter zien te komen.'

Rodney Horndon woonde in een deel van Londen waar Wexford nog nooit eerder was geweest, in een van de zijstraten van Fulham Palace Road. De laatvictoriaanse rijtjeshuizen hier hadden iets dreigends. Ze waren opgetrokken in donkerrode baksteen en de kleine voorplaatsjes, want voortuinen kon je het eigenlijk niet noemen, waren zonder uitzondering betegeld of in gebruik als opslagruimte voor kapotte motoren. Toen Wexford en agent Lucy Blanch aanbelden, deed Horndon zelf open. Zijn vrouw en dochter waren aan het werk, zei hij, al had niemand daarnaar gevraagd.

Ooit, dacht Wexford, nog niet zo heel lang geleden, zou de televisie aan hebben gestaan. In plaats daarvan werd het middelpunt van de huiskamer nu gevormd door een grote desktopcomputer waarop Horndon duidelijk een videospelletje aan het spelen was dat iets te maken had met zwaarbewapende personages die waren uitgedost als leden van een motorbende en die elkaar bestookten met machinepistolen. Het spel was stilgezet op een punt waarop het hele scherm gevuld werd door een vrouw met rood haar en enorme borsten. Ze ging gekleed in een bikini van zilverkleurig metaal en laarzen tot aan haar liezen, haar armen waren hoog in de lucht gestoken en aan haar volle, wijd opengesperde mond was te zien dat ze schreeuwde. Rodney Horndon, een jaar of vijftig, tamelijk klein van stuk en met een grote bierbuik, keek snel even naar de pc alsof hij die uit wilde zetten, maar leek zich toen te bedenken. Per slot van rekening kon hij gewoon doorgaan als ze weer weg waren.

'Volgens mij weet u wel waarover we u willen spreken, meneer Horndon,' zei Lucy.

'Dat akkefietje in Orcadia Cottage.' Hij sprak behoorlijk plat. 'Daar heb ik volgens mij niks over te melden hoor.'

'Vertelt u ons maar over de dag dat u daar samen met meneer Clary naartoe bent gegaan. De eigenaren, meneer en mevrouw Rokeby, waren toen toch met vakantie?'

'Al sla je me dood. Ik heb ze niet gezien, maar misschien waren ze ook gewoon even de deur uit.'

'U hebt een bak met planten van het deksel van dat stortgat getild,' zei Wexford, 'en daarna heeft meneer Clary gezegd dat u daarbeneden maar even een kijkje moest nemen?'

Wexford had daarmee duidelijk een teer punt geraakt, want Rodney Horndon reageerde verontwaardigd. 'Die Clary heeft wel kapsones hoor! Natuurlijk ging die geklofte jongen zelf niet onder de grond rondscharrelen. Dat moest ik maar doen. "Heb je een ladder of een trapje in je bestelwagen?" zegt die hoge heer met dat bekakte stemmetje van hem. Natuurlijk had ik die in mijn bestelwagen, die heb ik altijd in mijn bestelwagen liggen.'

'"Ik wip even een paar minuten naar binnen," en weg is ie.'

'Dus u bent teruggelopen naar uw bestelwagen en hebt een ladder gehaald?'

Rodney Horndon keek Lucy strak aan en schudde toen langzaam van nee: 'Ik liet me door die piechem niet beseibelen. Underland, daar had ik toen mijn vreten van. Ik had geen idee wat er allemaal onder die patio kon zitten. Misschien was het hele ding wel ondergelopen. Dat heb ik wel eerder gezien. Een ouwe kolenkelder waar jarenlang niemand meer geweest is, en als je de ladder af loopt, sta je voor je er erg in hebt tot aan je middel in het water.'

'Dus u bent niet onder de patio gaan kijken, meneer Horndon?'

'Nee, heb jij soms stront in je oren?' Rodney Horndon was duidelijk een opvliegend type en hij begon nu boos worden. 'Die bloedlijer zegt tegen me: "Ga maar eens even kijken wat er onder de patio zit, als je wilt." Dat zei hij, "als je wilt". Nou dat wilde ik helemaal niet. Ik had net zo weinig zin om mijn kleren vuil te maken als die linkmiegel. Snap je wel? Dus ik heb die bloembak weer teruggezet waar die hoorde. Dat kon ik in mijn uppie ook wel aan. Ik ging op de muur zitten en toen hij terugkwam, zei ik tegen hem dat er niks te zien viel. "Was er een trap?" zei hij, en ik zei dat er niets te zien viel, dat het leeg was.' Op dat moment leek Horndon zich te herinneren wat er onder de patio had gelegen, en wat hij daar gezien had kunnen hebben. Hij huiverde niet maar trok zijn neus op. 'Ik had geen enkele reden om die bijgoochem de waarheid te zeggen, toch? Het was mijn baas niet.'

Zodra de voordeur achter hem dichtsloeg, zei Lucy: 'Wat praatte die man raar. Bijgoochem, piechem... ik kon hem soms nauwelijks verstaan.'

'Dat is Bargoens,' zei Wexford. 'Ik wist niet dat er nog mensen waren die het spraken.'

'Het klinkt allemaal best wel raar,' zei Lucy.

Wexford lachte.

Op Melina Place stapte hij uit de auto en liep naar het laantje achter Orcadia Cottage. Hij wilde Mildred Jones iets vragen, iets waar hij tot nu toe nog niet aan had gedacht. Orcadia Cottage zag er net zo uit als de vorige keer, op twee uitzonderingen na: er was een krant in de brievenbus geschoven en er stond een bos bloemen voor de voordeur met de stelen in een plastic bakje water.

'Ik vraag me af wat dat te betekenen heeft,' zei Wexford in zichzelf. Hij liep naar de voordeur en belde aan. Er werd niet opengedaan. Die krant kon een gratis exemplaar zijn dat lukraak in de brievenbus was geduwd, en de bloemen waren vermoedelijk bezorgd op het verkeerde adres.

'U gaat me toch niet arresteren?' Dat was het eerste wat Mildred Jones zei toen ze haar voordeur opendeed.

Wexford wilde lachen, maar deed dat niet. 'Die bevoegdheid heb ik niet langer, mevrouw Jones, maar ook als ik die wel had, waarom zou ik dat dan willen?'

'O, ik weet het niet. Ik heb me zo ongerust gemaakt omdat ik u heb verteld wat ik mijn schoonmaakster betaal, weet u. Elke keer dat er wordt aangebeld... Weet u zeker dat het in orde is?'

'Heel zeker.'

'Komt u dan maar binnen.' Ze was heel wat vriendelijker dan de vorige keer, en in een crèmekleurige en zwarte jurk met parels zag ze er knapper uit dan hij haar ooit eerder had gezien. 'Ik ga straks lunchen, maar ik hoef pas over een halfuurtje weg.'

Ze liep met hem naar de overdadig ingerichte woonkamer. 'Nee, ik was echt zo van streek nadat u weg was. Ik was zo verschrikkelijk indiscreet geweest. Dat ik u heb opgebiecht dat ik mijn schoonmaakster onder het minimumloon betaal, dat ik zomaar heb gezegd dat ik illegalen in dienst heb gehad. In elk geval zijn ze niet het slachtoffer van mensenhandel. Ik had wel in de gevangenis kunnen komen, toch?'

'Dat denk ik niet, mevrouw Jones.'

'Nou, een zware boete dan. Of had ik misschien een taakstraf gekregen, tussen al die jongens met die capuchons?' Ze wachtte niet op antwoord. 'U wilt toch zeker wel koffie? Het zal Nescafé moeten worden, want echte koffie duurt te lang, en ik moet om vijf voor half weg.' Ze liep naar de deur, duwde die open en riep: 'Raisa! Koffie!'

Geen 'alsjeblieft', merkte Wexford op. Het was geen beleefd verzoek.

Hij besloot – al deed dat niet ter zake – dat hij Mildred Jones een heel vervelend mens vond. Vroeger, in zijn vorige leven, had hij zichzelf zelden toegestaan om mensen aardig of niet aardig te vinden. Maar nu kon hij zich dat wel permitteren. En dat was een voordeel.

'De vorige keer dat ik u sprak,' zei hij, 'had u het over een schoonmaakster, uit Oekraïne was het volgens mij, iemand met een vreemde naam die verdwenen is. Wat bedoelde u daar precies mee?'

'Nou, ze is weggegaan en niet teruggekomen.'

'Hoe heette ze?'

'Haar achternaam weet ik niet. Haar voornaam was Vladlena. Ik noemde haar altijd Vlad de Spietser, omdat ik daar ooit eens wat over op de tv heb gezien. Al die ingewikkelde buitenlandse namen zijn veel te moeilijk voor mij. Wat hebben die meisjes uiteindelijk nou te betekenen? Waar ze vandaan komen, zijn ze het laagste van het laagste.'

Raisa kwam binnen met een dienblaadje met een koffiepot met een wilgenmotiefje erop, plus bijpassende kopjes en schoteltjes, zilveren lepeltjes, klontjes bruine en witte suiker in zilveren kommetjes en melk in een zilveren kannetje. Wexford vroeg zich af of het dienblad er net zo geciviliseerd en elegant uitgezien zou hebben als mevrouw Jones zelf voor de koffie had gezorgd, en hij besloot dat dat hoogst onwaarschijnlijk was. Raisa zelf – slank, met scherpe gelaatstrekken en lang blond haar – was het meisje met wie Mildred Jones de vorige keer in de deuropening had staan praten. Ze glimlachte naar hem.

'Dankjewel, Raisa,' zei hij.

Ze was nog maar net de deur uit toen Mildred Jones zei: 'Eigenlijk hoort het niet om met ze te praten alsof we op gelijke voet met ze staan. Zodra je daarmee begint, proberen ze daar misbruik van te maken.'

Hij wilde zeggen dat ze zeker in Zuid-Afrika ten tijde van de Apartheid had geleerd om personeel op die manier toe te spreken, maar als hij dat zei, zou hij nooit meer een woord uit haar loskrijgen.

'Vladlena, mevrouw Jones.' Hij was beslist niet van plan om dat meisje Vlad te noemen.

'Ja, nou het was heel raar. Ze stond hier 's ochtends te strijken...'

'Wanneer was dat precies?'

'Drie jaar geleden, misschien iets langer. Zoals ik al zei, ze stond te strijken, in de keuken, met de radio aan. Ze moeten altijd de radio aan hebben, die meiden, zonder radio kunnen ze niet leven. Het maakt niet uit wat er opstaat, muziek, een praatprogramma, een hoorspel of wat dan ook, zolang ze maar achtergrondgeluid hebben. Ik liep de keuken in, en de radio stond aan, en het strijkijzer ook, dat stond op dat metalen rekje aan het einde van de strijkplank. En op de strijkplank lag een van Colins overhemden, met een grote strijkijzervormige schroeiplek erin.'

Mevrouw Jones nam een slokje koffie. 'Over vijf minuten moet ik ervandoor. Nou, zoals ik al zei, er zat een enorme schroeiplek in dat overhemd en de helft van het strijkgoed lag nog in de mand, maar van Vlad de Spietser was geen spoor te bekennen. Ik riep haar, maar ze was niet in huis. Toen zag ik dat haar jas weg was. Het was duidelijk wat er gebeurd was. Ze had Colins overhemd verruïneerd en was bang geworden – volkomen terecht, laat ik dat er wel bij zeggen – en was er zonder ook maar een woord te zeggen vandoor gegaan.'

Dat was niet helemaal wat Wexford had gehoopt. Dat kon je eigenlijk geen verdwijning noemen. 'Hebt u ooit nog van haar gehoord?'

'Wonderlijk dat u dat zegt, want ik heb inderdaad nog weleens van haar gehoord. Een hele tijd later, maanden en maanden later, zag ik haar het huis van meneer Goldberg binnengaan. Weet u waar dat is?'

Wexford herinnerde zich de zonderling die eten liet halen door de werkster. 'Melina Place?'

'Precies. Ze stapte daar naar binnen, zo brutaal als de beul, met twee boodschappentassen. Ik liep naar haar toe en zei dat ik het overhemd met de schroeiplek had gezien, en dat ze de schade zou moeten vergoeden. Daar liet ik haar niet mee wegkomen. Nou, voordat ik er erg in had, hing David Goldberg aan de telefoon. Hij gaat nooit de deur uit. Hij heeft ze niet allemaal op een rijtje.' Ze tikte op haar voorhoofd. 'Maar wel opdringerig, zoals alle joden. En telefoneren kan hij wel. De onbeleefdste man die ik ooit heb gesproken. Nou ja, ik heb eigenlijk niet met hem gesproken. Hij sprak me toe. Hoe haalde ik het in mijn hoofd om zijn werkster lastig te vallen? Lastigvallen noemde hij dat. Wie dacht ik wel dat ik was? Hoe durfde ik me met zijn zaken te bemoeien? Ik zal maar niet zeggen hoe hij me noemde, en zo ging het maar door. Vladlena was weg, zei hij, ze had dezelfde dag nog ontslag genomen omdat ze bang was dat de politie haar zou komen halen om haar op te sluiten in een kamp voor illegalen. En daarna heb ik nooit meer iets van haar gehoord. Ik weet niet hoeveel van dit soort meisjes ik sindsdien heb gehad, maar minstens zeven of acht.'

'En nu moet u de deur uit, zei u toch, mevrouw Jones?' zei Wexford, en hij keek op zijn horloge.

'Ja, ik moet nu echt weg. Stel je voor, ik heb een date met een man! Wie weet wat er van komt? Ik vind het reuzespannend.'

'Ik kom er zelf wel uit,' zei Wexford, en toen hij naar buiten liep, hoorde hij haar tegen Raisa zeggen dat ze goed moest opletten dat het inbraakalarm aanstond en dat ze als ze wegging de voordeur goed moest afsluiten, alle drie de sloten.

Het was twaalf uur. Hij had nog even tijd nodig voordat hij David Goldberg zou aanspreken, tijd om na te denken. Langzaam liep hij naar Alma Square, waar hij wat Japanse esdoorns met felrode bladeren bewonderde, een torenhoge *magnolia grandiflora* bekeek en daarna terugliep naar Orcadia Place. Er stond nu een auto geparkeerd voor Orcadia Cottage, met daarachter een bestelwagen. Boven het achterwiel van de bestelwagen zat een lange, diepe, golvende kras. Wexford stond onder een goudenregen met zwarte zaaddozen en keek toe. Hij was verrast toen hij zag hoe John Scott-McGregor uit de witte bestelwagen stapte, om de wagen heen liep en de achterklep open trok. En toch had hij dat eigenlijk wel kunnen verwachten. Dat was per slot van rekening wat de man voor de kost deed: hij vervoerde bezittingen van klanten van de ene plek naar de andere. Ongetwijfeld maakten alle mensen hier in de buurt van zijn diensten gebruik. Scott-McGregor tilde een doos vol boeken uit de bestelwagen, zette die op een karretje en duwde dat het tuinpad op. De voordeur werd voor hem opengedaan door Anne Rokeby, nog steeds met haar regenjas aan, terwijl haar man vanaf de auto kwam aangelopen met twee armen vol kledingstukken aan hangertjes. Nog meer dozen en een grote plastic zak vol met het een of ander werden uit de bestelwagen getild, en toen ging de voordeur weer dicht.

De Rokeby's waren weer thuis.

23

Eerste indrukken kunnen soms misleidend zijn. Al na vijf minuten in het huis aan Melina Place moest Wexford de waarheid van dit cliché onder ogen zien. David Goldberg mocht dan een kluizenaar zijn, maar hij was bepaald niet het zombieachtige paranoïde schepsel dat Wexford in hem had gezien toen hij de man de vorige keer had verhoord. Goed, de televisie stond aan en het was tien uur 's ochtends, maar de man had een dvd van *Shadowlands* zitten kijken en dat was een van Wexfords favoriete films. Je voelt je altijd vriendelijker gestemd tegenover iemand die dezelfde smaak blijkt te hebben als jij.

'In de ogen van sommige mensen,' zei Goldberg met zijn gruizige, raspende stem, 'is overdag tv-kijken de achtste hoofdzonde.'

'Niet in mijn ogen hoor,' zei Wexford. 'Ik moet u wel vertellen, meneer Goldberg, dat ik niet het recht heb om u te verhoren. Ik ben geen politieman meer. En ik moet u ook vertellen dat als me iets verteld wordt wat nuttig zou kunnen zijn bij het oplossen van deze zaak, ik verplicht ben om dat door te geven aan hoofdinspecteur Ede.'

'Oké. Maar ik heb u niets te zeggen.' David Goldberg pakte de afstandsbediening en drukte op de pauzetoets. 'Ik heb u al eerder gezegd dat ik niets weet over die lijken in de kelder. Ik weet alleen maar wat ik in de kranten heb gelezen.' Hij hield zijn handen op in een ontwapenend gebaar. 'Tussen de maaltijden door drink of eet ik niet, dus ik hoop maar dat u ook niets wilt hebben.'

'Ik hoef niets.'

Het was een kleine maar heel lichte kamer, want de achterwand bestond vrijwel geheel uit glas, en rechts daarvan bevond zich een glazen deur. De kamer keek uit op een keurig verzorgd tuintje, met een gazon en een border vol asters. Midden op het gazon stond een standbeeld van een meisje met een kruik in haar hand.

'Ja, voor het geval u zich dat afvraagt, dat doe ik zelf. Ik mag dan invalide zijn maar dat weerhoudt me er niet van om te wieden en te planten. Ik gebruik mijn handen.'

'Het is prachtig.'

'Waar wilde u me naar vragen?'

'Een jonge vrouw uit de Oekraïne. Vladlena heet ze.'

Goldberg was minder verbaasd dan Wexford had verwacht. Hij knikte peinzend. 'Ja. Vladlena. Ongetwijfeld hebt u over haar gehoord van Mildred Jones, dat valse ouwe kreng. Ik noem haar altijd "nare ouwe Mildred".'

Wexford glimlachte. 'Ik kan maar beter wel zeggen dat ik er niet op uit ben om Vladlena problemen te bezorgen. Als ze tenminste nog in het land is, en inmiddels niet is teruggegaan naar waar ze ook vandaan mag zijn gekomen. Ik heb niets te maken met de immigratie- en naturalisatiedienst. En zoals ik al zei ben ik zelfs geen politieman meer. Niets wat u zegt, zal haar schade berokkenen.'

'Oké. Goed. Vladlena – wat een mooie naam hè? – is hier op een ochtend aan de deur gekomen, en toen ik opendeed, zei ze dat ze was weggelopen uit een huis in Orcadia Mews omdat ze bij het strijken een schroeiplek in een overhemd had gemaakt. Dus heb ik haar binnengelaten en haar even een stoel aangeboden. Over het algemeen doe ik zoiets niet, maar dit was wel een heel ongebruikelijke situatie, vindt u ook niet? Ze had tijdens het strijken een schroeiplek gemaakt in een overhemd en ze was bang voor de politie. Dat zei ze. En die nare ouwe Mildred zat achter haar aan.'

Deze keer lachte Wexford wel. 'Wat hebt u toen gedaan?'

'Nou, in wezen komt het erop neer dat ik haar een baan gaf. Mijn werkster had net ontslag genomen. Vladlena beviel me wel. Ik zei tegen haar dat ik haar zou vragen om boodschappen voor me te doen, en nog een paar klusjes waartoe ik zelf niet in staat ben, en daar was ze maar al te graag toe bereid. Ze vond het fantastisch, het arme kind. Ik zei tegen haar dat ze mijn overhemden niet hoefde te strijken. In dit huis wordt niet gestreken.

Ik legde haar uit dat ik de deur niet uit kan. Dat houdt in dat ik alles wat ik uit de buitenwereld nodig heb,' hij maakte een vaag handgebaar, 'door haar zou moeten laten halen. Ik neem aan dat ik u iets moet uitleggen.' De raspende stem werd dieper. 'Lang geleden, meer dan twintig jaar nu, ben ik op straat overvallen. Omdat ik homofiel ben. Vier van die hufters sloegen op me in. Mijn linkerbeen was op drie plaatsen gebroken en ik had een schedelbasisfractuur. Daaraan heb ik epilepsie overgehouden.'

'Wat erg,' zei Wexford.

'U ziet eruit alsof u dat werkelijk erg vindt. Ik leef van een arbeidsongeschiktheidsuitkering en zo nu en dan verdien ik wat bij als journalist. Ik heb een schadevergoeding gekregen, en daarvan heb ik dit huis gekocht. Maar ik ga de deur niet meer uit. Niet de straat op, bedoel ik. Nooit. Ik ben bang, ziet u. Ik ben eenvoudigweg te bang om me nog op straat te wagen. Ik kijk dvd's, ik schrijf een column die Gaiety heet en ik werk in mijn tuintje.'

'Dan begrijp ik waarom u Vladlena nodig had.'

'Ja. Nou, het was een geweldige meid. Ze kookte zelfs voor me, en dat was een hele verbetering na al die kant-en-klaarmaaltijden, neemt u dat maar van mij aan. Ik wist dat ze niet het recht had om hier te zijn, dat ze geen paspoort had. Dat wist ik allemaal best, maar ik mocht haar graag. Ze paste goed bij me. Ik zal u iets vertellen wat ik nog nooit aan iemand heb verteld. Nou ja, er komt hier ook nooit iemand aan wie ik dat zou kunnen vertellen. Ik dacht, misschien wil ze wel met me trouwen. Ik ben natuurlijk homo, voor zover je kunt zeggen dat ik überhaupt nog iets ben dan, maar daarmee was ze wel Engels staatsburger geworden. Ze had hier niet eens hoeven wonen, als ze daar geen zin in had. Dat was waar ik over zat te denken, en toen werd ze op straat lastiggevallen door die nare ouwe Mildred.'

'Ik neem aan dat ze nog steeds nijdig was over dat overhemd.'

'Het was een heel jaar later. Ze zei dat Vladlena een nieuw overhemd zou moeten betalen en dat ze anders de politie erbij zou halen. Vladlena is gewoon weggelopen. Ze kwam binnen met de boodschappentas en zei dat ze wegging, dat ze ging onderduiken. Natuurlijk heb ik haar gezegd dat ze helemaal niet in gevaar verkeerde. Die nare ouwe Mildred kon haar helemaal niets maken, maar ze geloofde me niet. Toen had ik het haar moeten vragen. Ik had moeten zeggen dat ik wel met haar wilde trouwen, dan had ze kunnen blijven, maar dat heb ik niet gedaan. Ik was er nog niet zeker van, weet u. Ik aarzelde nog. Toen het erop aankwam, deinsde ik terug. Ik had eigenlijk niet verwacht dat ze er echt vandoor zou gaan. Maar toch heeft ze dat gedaan. Ze is weggegaan en ik heb haar nooit meer teruggezien.'

'Hebt u niet geprobeerd haar te vinden?'

'Ja, natuurlijk wel. Ik had haar adres. Ze had een kamer in het huis van een oude Russische vrouw in Kilburn. Ik had Vladlena's mobiele nummer. Iedereen heeft tegenwoordig toch een mobieltje? Behalve ik dan. Ik heb geen mobieltje. Ik belde, maar er werd nooit opgenomen. Ik ben er niet naartoe gegaan. Zoals ik u al heb gezegd, ga ik de deur niet uit. Het klinkt heel slap, maar ik kán het gewoon niet. Ik ben net iemand met agorafobie.'

'Dus daar hebt u het bij gelaten?'

Plotseling klonk Goldberg geïrriteerd. 'Nee, daar heb ik het niet bij gelaten. Ik heb een vriendin van me gevraagd om te helpen. Ik heb wel wat vrienden en vriendinnen al zijn het er niet veel. Sophie heet ze. Ik ken haar al sinds zij een klein meisje was en ik een jonge man, toen ik nog gezond van lijf en leden was.' Zijn gezicht betrok. 'Ik heb haar gevraagd of zij erheen wilde gaan om navraag te doen naar Vladlena.'

Er schoot Wexford iets te binnen en hij gooide een balletje op. Het bleek een voltreffer te zijn. 'Toch niet Sophie Baird, die vrouw in Hall Road?'

'Jawel. Kent u haar?'

'Niet echt, meneer Goldberg. Ik heb haar en haar partner gesproken in verband met het onderzoek.'

'Ja, die partner. Die man is verschrikkelijk homofoob. We moeten elkaar niet. We hebben elkaar één keer ontmoet en dat was meer dan voldoende.'

'Ze heeft mij niets verteld over Vladlena.'

'Zou u me David willen noemen, alstublieft? "Goldberg", dat klinkt net alsof ik een grote dikke bankier ben, die aan Bishop's Avenue woont.'

Wexford moest opnieuw lachen en terwijl hij zich voornam om op te zoeken wat of waar Bishop's Avenue was, zei hij dat hij Goldberg best David wilde noemen. 'En heeft mevrouw Baird iets gevonden?'

'Ze is naar dat adres in Kilburn gegaan en heeft Vladlena daar gezien, maar Vladlena wilde niet met haar praten. Toen niet. Ze leek bang te zijn om iets te zeggen zolang ze binnen was. Binnenshuis bedoel ik. Sophie heeft met haar afgesproken voor de dag daarna, in een café in Kilburn, maar toen ze daar de volgende dag naartoe ging, was Vladlena verdwenen. Mevrouw Kataev bevestigde dat. Ze was plotseling verdwenen.'

'Wanneer was dat?'

'Laat me even nadenken. Twee jaar geleden, iets langer misschien. Het was zomer. Ik weet nog dat Vladlena een grote, dikke jas had, heel shabby. Die had ze elke dag aan, zowel 's winters als in het voorjaar. Maar die keer droeg ze die niet. Toen ze die dag hier binnenkwam met de boodschappen, nadat dat nare ouwe kreng haar had lastiggevallen, droeg ze een jurk, een katoenen jurk. Haar armen waren bloot.'

Wexford bedankte David Goldberg, noteerde het adres en telefoonnummer van mevrouw Kataev en zei dat hij misschien nog een keer wat vragen wilde stellen. Over de reden voor zijn vragen zei hij niets, en Goldberg vroeg er ook niet naar. Toen hij afscheid nam, viel het hem op dat Goldberg met alle genoegen bereid leek te zijn om de voordeur open te maken, maar dat hij vervolgens wel een stap naar achteren deed, zodat hij een volle meter verwijderd bleef van het daglicht en de frisse lucht.

John Scott-McGregor daarentegen kwam zijn huis in Hall Road uit gemarcheerd, zodat Wexford zich gedwongen zag om een stap naar achteren te doen.

'Jij weer!' is geen prettige manier van begroeten, maar Wexford was wel erger gewend.

'Ik had gehoopt mevrouw Baird te kunnen spreken.'

'Dan is uw hoop tevergeefs. Ze is er niet. Ze is op haar werk.'

Wexford drong niet aan. In plaats daarvan liep hij via Hamilton Terrace en

Abercorn Place terug naar Edgware Road. Daar stapte hij op bus 16 naar Kilburn en Brondesbury Villas, de straat waar mevrouw Kataev woonde. De straat verraste hem. Sommige zijstraten van Kilburn High Road mochten dan nogal vervallen zijn, en andere delen juist opzichtig duur en luxe, maar Brondesbury Villas straalde rust en waardigheid uit. Twee woorden die je tegenwoordig nog maar weinig hoorde, kwamen bij hem op: 'exclusief' en 'respectabel'. En Irina Kataev zelf was dat zo te zien allebei: een magere dame op leeftijd, die haar rug kaarsrecht hield en die keurig en nauwgezet Engels sprak, met een licht en aantrekkelijk accent. De gang van haar huis en de woonkamer waar ze gingen zitten, waren schoon en fris. Mevrouw Kataev zelf droeg een zwarte jurk met een rood wollen vest eroverheen.

'Ik wilde dat ik u kon helpen,' zei ze. 'Ik heb me ongerust om haar gemaakt. Ze heeft niet aangekondigd dat ze wegging. Op een dag kwam ze thuis van haar werk bij meneer Goldberg, zoals gebruikelijk, en heeft de hele avond alleen op haar kamer gezeten. Het was een stil meisje. Erg op zichzelf. De volgende dag is ze ook de hele dag op haar kamer gebleven. Nu denk ik dat ze bang was om de deur uit te gaan, net zoals die arme meneer Goldberg.'

'Waar is ze heen gegaan?'

'Ik heb haar vaak horen telefoneren. Ik luisterde mee omdat ik me zorgen over haar maakte. Ze was nog maar negentien, weet u. De volgende dag, 's ochtends heel vroeg – het moet vroeg zijn geweest, want ik lag nog in bed en ik sta altijd om zes uur op – is ze de deur uit gegaan, met die ene koffer waarmee ze gekomen was. Ze was me nog wat huur schuldig, en heeft het juiste bedrag achtergelaten in een envelop.'

'Hoe lang heeft ze bij u in huis gewoond, mevrouw Kataev?'

'Een jaar of twee. Daarvoor had ze een kamer in een flat in Kensal. Heel vies en akelig, zei ze. Ze is hier in 2006 vanuit Oekraïne naartoe gekomen, en alles waar u nu naar vraagt, is meer dan twee jaar geleden gebeurd.'

'Hoe is ze vanuit Oekraïne naar dit land gekomen?'

'Zoals ze dat allemaal doen. In een bestelbusje. Ze is samen met haar zus gekomen, en daarvoor hebben ze een heleboel geld moeten neertellen. Ze heeft me verteld dat ze tijdens het laatste deel van de reis de zee zijn overgestoken – het Kanaal bedoelde ze – en toen ze in Engeland waren, zijn ze uit het busje gehaald en in een woonwagen gezet. Haar zus en zij hadden van een van de andere meisjes te horen gekregen dat ze niet zouden worden opgeleid tot fotomodel, zoals ze hadden verwacht, maar dat ze als dienstmeisje bij rijke mensen thuis zouden moeten werken. Ze zouden betaald worden, maar een tijdlang zouden ze alles wat ze verdienden moeten afdragen aan de mensen die hun hiernaartoe hadden gebracht. Ze vond dat ze al had betaald, en dus is ze dezelfde dag nog weggelopen, maar haar zus durfde niet met haar mee te gaan. Wat mij betreft, ik denk dat er bij die rijke mannen thuis iets heel anders van die meisjes verwacht werd. Als u begrijpt wat ik bedoel.'

Wexford knikte. 'Toen ze ervandoor ging, waar is ze toen heen gegaan?'

'Ze had een nichtje hier, in Londen. Die is getrouwd met een Engelsman die ze heeft gevonden via een – ik weet het juiste woord daar niet voor – een bureau? Om te daten? Een huwelijksbureau?'

'Ik begrijp het.'

'Vladlena had geen geld. Ze is naar Londen gereisd. Ze heeft ook een heel stuk te voet afgelegd. Ze sliep op straat, ze bedelde. Uiteindelijk heeft ze die vrouw gevonden, maar die liet haar maar twee nachten logeren. Haar man was geen aardige man. Hij was oud, veertig jaar ouder dan Vladlena's nichtje, en die vrouw sloofde voor hem alsof ze een bediende was. Het was geen gelukkige situatie. Maar die nicht hielp haar een kamer te vinden en vertelde haar hoe ze schoonmaakster kon worden.'

Dergelijke verhalen hoorde je wel vaker. Wexford betrapte zichzelf erop dat hij het heel jammer vond dat David Goldberg zijn instinct niet had gehoorzaamd. Had hij de sprong in het diepe maar gewaagd en Vladlena een aanzoek gedaan! Maar daar was Goldberg voor teruggedeinsd en nu was het te laat. Moest hij tegen mevrouw Kataev zeggen dat ze Vladlena maar beter als vermist kon opgeven? Waarschijnlijk niet. Het meisje zelf zou te bang zijn voor de autoriteiten om te reageren op een poster waarop ze als vermist werd opgegeven.

'Weet u de naam en adres van dat nichtje?'

'Nee,' zei Irina Kataev. 'En zelfs als ik die wel kende, zou u er niets aan hebben. Vladlena zou daar nooit meer heen gaan. Die echtgenoot, die oude man, heeft haar... ik weet niet hoe ik dat moet zeggen...'

'Avances gemaakt die niet welkom waren?'

'Dat is het precies. Avances die niet welkom waren.'

'Weet u nog hoe haar zuster heette?'

'Vladlena noemde haar Alyona.'

'Kunt u dat even spellen?'

'A-l-y-o-n-a.'

Hij liep terug door High Road en zocht een straat die rechtstreeks naar West Hampstead liep. Hij had weleens gehoord dat er in lang vervlogen tijden veel Ierse immigranten in Kilburn hadden gewoond, en een pub die Biddy Mulligan's heette, leek daar een laatste teken van te vormen, maar inmiddels leken de Ieren plaatsgemaakt te hebben voor mensen uit Azië en het Midden-Oosten. Vrouwen in allesverhullende boerka's, en een paar in de nikab, waarachter alleen de ogen zichtbaar waren, deden hun inkopen te midden van een inheemse bevolking die zich vrijwel zonder uitzondering in gewatteerde parka's met capuchons had gehuld. Een klein zaakje – het juiste woord daarvoor was eigenlijk 'bedoeninkje' dacht hij – maakte reclame voor schoonheidsbehandelingen en verschillende soorten massage, hairextensions, waxen en nagelverzorging. De naam van het bedrijfje, Doll-Up, maakte op hem een wat dubbelzinnige indruk. Het was heel goed mogelijk dat die alleen maar verwees naar een vrouw die zich mooi maakte voor een date, maar het zou ook kunnen betekenen dat de belangrijkste bedrijfsactiviteiten zich op de bovenverdieping afspeelden, en dat daar een hoer zat. Op de poster die een groot deel van de etalageruit vulde, was een heel mooie jonge vrouw van Zuidoost-Aziatische afkomst te zien. Ze ging gekleed in een witte overall die een groot deel van haar lange bruine benen onbedekt liet, en gaf een 'Taiwanese' massage aan een tanig en gerimpeld mannetje van een jaar of negentig. Het winkelend publiek liep erlangs zonder het ranzige bedoeninkje ook maar een blik waardig te keuren.

Wexford dacht aan het verhaal van Tithonus, de herdersjongen op wie Eos, de godin van de dageraad, verliefd was geworden. Eos vroeg de goden om hem onsterfelijk te maken en haar wens werd vervuld, maar ze had er niet aan gedacht om ook om zijn eeuwige jeugd te vragen. Tithonus werd oud terwijl zij eeuwig jong bleef. Hij groeide krom en kreeg rimpels, hij droogde uit en verschrompelde, net als het mannetje op de poster. Uiteindelijk kreeg Eos zo met hem te doen dat ze hem veranderde in de cicade waarop hij inmiddels zoveel leek. In die tijd deden ze kennelijk niet aan verjongende massage, dacht Wexford terwijl hij Iverson Road in liep.

Op het politiebureau stelde Tom Ede voor om samen te gaan lunchen, niet in de kantine, als Wexford daar geen bezwaar tegen had, maar in een Frans restaurantje aan West End Lane. Het was voor het eerst dat Wexford door Tom voor iets dergelijks werd uitgenodigd, en dat deed hem plezier.

'Het heet toch niet toevallig La Punaise?' zei hij, maar Tom leek zich die verhulde pincode niet meer te herinneren.

Tom dronk niet en hoewel hij Wexford een glas wijn aanbood, gaf hij duidelijk aan dat het voor hem een te zware belasting zou vormen om te moeten toezien hoe zijn tafelgenoot alcohol dronk terwijl hij zich dat niet kon permitteren. 'Ik was geen alcoholist,' zei hij, 'maar ik ging wel hard die kant op. De dokter zei dat mijn lever er niet al te best aan toe was en dus heb ik de sprong maar gewaagd en ben ik helemaal met drinken gestopt. Ik had mijn geloof natuurlijk, en dat hielp, dat helpt altijd.'

Zoals de meeste mensen geneerde Wexford zich altijd een beetje als iemand over God of religie begon, een vooroordeel waar hij zich tevergeefs tegen verzette, maar hij liet het bij een glimlach en zei dat hij dan natuurlijk geen wijn zou nemen. Gelukkig wist hij daarna snel van onderwerp te veranderen door Tom te vertellen over Mildred Jones, Vladlena, David Goldberg en mevrouw Kataev. Tom knikte peinzend, en tuitte zijn lippen op een manier die zowel kon aangeven dat hij er geen woord van geloofde als dat hij het verhaal volkomen aanvaardde.

'Op grond waarvan vermoed je dat deze Vlad... of hoe ze dan ook heten mag, het meisje in de kelder onder de patio is?'

Wexford nam een slokje water en vond het nog smakelozer dan anders. 'Ze is van de juiste leeftijd. Ze werkte in de omgeving, op twee verschillende plekken en moet de buurt dus goed gekend hebben. Het is mogelijk dat ze op een bepaald moment, tussen de twee en drie jaar geleden, heeft ontdekt wat er in de graftombe lag... dat er drie lijken lagen.'

'Chantage, bedoel je?'

'Ik neem aan van wel.' Nu het zo duidelijk werd uitgesproken, merkte Wexford dat hij dat een onprettig idee vond. Hij had inmiddels – en dat was ongetwijfeld niet verstandig – sympathie voor Vladlena opgevat, maar misschien had die arme meid... zou iemand die zich in zo'n rare positie bevond als zij geen gebruik hebben gemaakt van belastende informatie als ze daar wat geld mee kon verdienen?

'Dus jij vindt dat we een poging moeten doen om haar op te sporen?'

'Ik denk dat Lucy of Miles nog een keer met mij mee moet gaan, of ik met haar of hem mee, om met Sophie Baird te gaan praten. Dat is de vrouw die namens David Goldberg op zoek is gegaan naar Vladlena.'

Tom knikte, zij het zonder enthousiasme. Plotseling moest Wexford terugdenken aan alle prettige en nuttige lunches die hij in het verleden had gehad met Mike Burden. 'Misschien kan ik Lucy het beste sturen,' zei Tom. 'Een vrouw om met een vrouw te praten.' En, misschien omdat ze in een Frans restaurant zaten, zei hij toen: '*Cherchez la femme.*'

Sheila en haar dochters zaten bij Dora toen Wexford binnenkwam. 'Waar is Bishop's Avenue?'

'Dat is een straat vol met grote huizen, van het soort dat in de media "villa's" wordt genoemd,' zei Sheila. 'Het is een zijstraat van Hampstead Road. Je bent van de Spaniard's Inn naar Highgate gelopen, papa. Je moet erlangs zijn gekomen.'

Amy wilde weten wat een bisschop was en Wexford begon het haar uit te leggen. Ze zei dat ze graag bisschop zou willen worden als ze groot was, en kreeg te horen dat dat op dit moment nog niet mogelijk was, maar dat dat tegen de tijd dat ze volwassen was ongetwijfeld anders zou liggen.

'Ik word bankier,' zei Anoushka, en daar wist niemand iets op te zeggen.

'Nou, ik vind het allemaal heel bemoedigend hoor,' zei Wexford toen. 'Het is heel anders dan wat ik in de kranten lees, over al die meisjes die alleen maar fotomodel willen worden en met een voetballer willen trouwen.'

Vijf minuten nadat Sheila en haar dochters afscheid hadden genomen, zat Dora met hem te praten over naar de film gaan toen de telefoon ging. Het was Sophie Baird.

'Ik wilde u net bellen, mevrouw Baird,' zei hij. 'Ik had gehoopt met agent Blanch naar u toe te kunnen komen om nog eens te praten.' Ze zei niets. Hij dacht dat de verbinding verbroken was.

'Mevrouw Baird?'

Haar zucht werd gevolgd door een ademloos 'John en ik zijn uit elkaar. Hij is weg. Ik had niet gedacht dat hij weg zou gaan. Ik had gedacht dat hij zou proberen mij het huis uit te zetten, ook al is het van mij. Maar ik zei tegen hem dat het uit was en hij ging gewoon weg. Dat had ik al jaren geleden moeten doen.' Plotseling liet ze een hysterisch lachje horen. 'Het spijt me. Ik sta gewoon te stuiteren van de adrenaline. Ik moet u dit allemaal niet vertellen. Ik ken u nauwelijks.'

'Het blijft onder ons hoor,' zei Wexford.

'Dat weet ik. Op de een of andere manier weet ik dat. David heeft me gebeld. David Goldberg.'

'Ja.'

'Hij zei dat hij u had verteld over Vladlena en mij. Maar Vladlena heeft me veel meer verteld dan hij weet. Het had geen zin om hem dat allemaal te vertellen. Ik heb wel geprobeerd er met John over te praten, maar die zei alleen maar dat ik niet betrokken moest raken bij zo'n stelletje smerige illegalen. Dat waren zijn woorden, "zo'n stelletje smerige illegalen". Ik had toen bij hem weg moeten gaan, of tegen hem moeten zeggen dat hij bij mij weg moest gaan.' Ze haalde eens diep adem. 'Ik wil het u vertellen.'

'Wanneer zullen agent Blanch en ik langskomen?'

'Die agent wil ik niet, wie het ook zijn mag. Ik bedoel, misschien is ze wel heel aardig, maar ik wil het alleen maar aan u vertellen. Volgens mij zult u het wel begrijpen. Maar niet vandaag, niet vanavond. Ik heb een slotenmaker gebeld om de cilinders te laten vervangen, voor het geval John weer terug probeert te komen. Hij zegt dat hij zich hier nooit meer laat zien, alleen die uitdrukking al... maar als hij van gedachten verandert, probeert hij hier misschien toch weer binnen te komen. Dus laat ik de cilinders vervangen, en daarna ga ik naar David toe om voor hem te koken en daar blijf ik dan logeren. Hij is op dit moment de enige die ik werkelijk wil zien.'

'Morgen dan, mevrouw Baird?'

'Ik heb de rest van de week vrij. Ik heb toch nog vrije dagen uitstaan. Wat dacht u van morgenochtend om een uur of tien?'

Dat was in orde, zei hij, gevleid door haar vertrouwen in hem, en geïntrigeerd door de manier waarop ze erop had gezinspeeld dat ze hem iets te vertellen had, wat weleens een doorbraak zou kunnen zijn. Ze had jarenlang met Scott-McGregor samengewoond, maar toch had ze hem kennelijk in een paar uur van zich afgeschud, de deur uitgezet en een zucht van opluchting geslaakt. Al zou de uitgelatenheid natuurlijk snel wegtrekken en plaatsmaken voor spijt en verwijten. Voor de eerste keer gaf hij toe dat hij bang was dat het lijk van de jonge vrouw in de graftombe Vladlena zou kunnen zijn. Of hoopte hij dat nou juist? Nee, het was angst. Hij was te veel medelijden met haar gaan voelen, die arme vluchtelinge, om te kunnen hopen dat zij het lijk in de kelder zou zijn.

Ze zouden beslist naar de film gaan, zei hij tegen Dora. Wilde ze naar *Revolutionary Road* of naar *Bright Star*? Ze wist het niet goed. Ze zou het hem wel laten weten als hij terugkwam van waar hij nu ook naartoe mocht gaan.

Hij ging naar Mapesbury Road, Cricklewood. Hij wilde nog een keer naar de kleren kijken die op het lijk van de jonge vrouw waren aangetroffen. Tom was de deur uit, maar Miles Crowhurst liet hem het treurige hoopje kleren nog eens bekijken. Hoerige spulletjes, dacht hij, en onmiddellijk had hij een hekel aan zichzelf omdat hij zo streng oordeelde. Een heleboel 'nette meisjes' droegen tegenwoordig strakke T-shirts, motorjacks, minirokjes, netkousen met jarretelles en laarzen tot over de knie. Maar liepen die ook rond zonder ondergoed?

'Waar zijn haar broekje en beha?' zei hij tegen Miles.

'Die droeg ze niet, meneer Wexford.'

'Jij bent jong,' zei hij. 'Je bent een jonge, heteroseksuele man. Ik weet dit soort dingen niet meer, daar ben ik te oud voor. Maar wat denk jij, loopt een normaal meisje zonder ondergoed rond?'

'Voor zover ik weet niet,' zei Miles.

Wexford had die kleren al eerder gezien toen hij de kleding van de beide mannen bekeek, het briefje met de Franse naam erop en de juwelen die waren aangetroffen in de zakken van Teddy Brex, maar destijds had hij niet opgemerkt dat er geen ondergoed bij zat. En Tom al evenmin. Zou Sophie Baird morgenochtend in staat zijn om al die puzzels op te lossen?

24

Bright Star zorgde ervoor dat hij naar het huis van de dichter Keats wilde gaan kijken. Het was niet ver. Maar eerst naar Grove End Road. Wat hij daar te weten zou komen, zou ertoe kunnen leiden dat hij alle andere plannen uitstelde tot later. Hij ging net de deur uit toen Sophie Baird belde. Zou hij naar het huis van David Goldberg willen komen in plaats van naar haar adres? Dat was prima, zei hij. En daarna gaf ze antwoord op een aantal vragen die hij niet gesteld had.

'Ik zou me beter voelen als ik niet in dat huis zit. Ik wil daar een tijdje niet zijn. Het is mijn huis en John is weg, maar op de een of andere manier heb ik nog steeds het gevoel dat hij daar rondhangt en hoort wat ik zeg.'

'Ik vind het echt prima, mevrouw Baird.'

'David is een goede vriend van me. Ik weet niet wat ik zonder hem zou moeten beginnen.'

Wexford nam bus 13 naar Finchley Road. Hij zat voorin op de bovenverdieping en dacht na over het korte telefoongesprek dat hij zojuist had gevoerd. De klank in Sophies stem had haar woorden een gewicht gegeven dat niet uit de letterlijke betekenis daarvan viel af te lezen. Had ze belangwekkende ontdekkingen gedaan en wilde ze David Goldberg daar nu pas over vertellen?

Hij liep via Orcadia Place naar het huis van David Goldberg. De dikke jonge vrouw met de baby in de wandelwagen stond weer voor Orcadia Cottage, en tuurde naar een raam op de bovenverdieping waar ze zojuist misschien een glimp van Martin of Anne Rokeby had opgevangen. Wexford knikte haar toe en ze glimlachte. Hij dacht eraan dat toen zijn vader jong was, de meeste mannen hoeden droegen, en die even optilden als ze een vrouw tegenkwamen die ze kenden, al was het alleen maar van gezicht. Zou hij willen dat dat weer gewoonte werd? Eigenlijk niet.

Sophie Baird kwam aan de deur toen Wexford aanbelde. Ze zag er heel anders uit dan de vorige keer dat hij haar had gezien. Jonger en gezonder, de transformatie die hem was opgevallen als ze glimlachte, was nu permanent. Het was een mooie dag en de tuindeuren stonden open. Goldberg zat ervoor, maar toen Wexford binnenkwam, stond hij op en trok ze dicht. 'Het is te laat in het jaar voor al die frisse lucht,' zei hij.

Sophie bracht koffie, vruchtensap en water, en bordjes met cake en biscuits. 'Ik had geen feestje verwacht,' zei Wexford.

'Ik had er gewoon zin in,' zei ze. 'Een klein feestje. "God zij dank dat ik nooit met John getrouwd ben," zeg ik telkens weer tegen mezelf. Hij wilde het. Maar zelfs toen onze relatie op zijn hoogtepunt was, hoorde ik altijd een waarschuwend stemmetje in mijn innerlijk dat zei: "Niet doen."'

David Goldberg trok zijn wenkbrauwen op en er speelde een flauwe glimlach om zijn lippen. Sophie ging naast hem zitten en hield zijn hand vast. Een klassiek geval, dacht Wexford, van een vrouw met een homo als beste vriend.

'Mevrouw Baird,' begon hij, 'ik hoop dat u me gaat vertellen wat u weet over de huidige verblijfplaats van Vladlena.' Ze keek hem aan. Het was de eerste keer dat ze hem recht aankeek. Hun blikken kruisten elkaar even en toen sloeg ze haar ogen neer. 'Ik heb David alles verteld wat ik weet,' zei ze. 'Ik bedoel, vlak voor uw komst heb ik het hem verteld. Daarvoor heb ik tegen hem gelogen. Dat was verkeerd van me, dat weet ik. Ik wist niet dat hij heeft overwogen met haar te trouwen. Dan zou ik alles verteld hebben. Maar ik heb het John wel verteld, ziet u.'

'En dat was een vergissing?'

'Dat is het understatement van het jaar! Hij werd razend. Hij schreeuwde tegen me dat ik hulp en bijstand verleende aan een illegale immigrant. Dat ik in de gevangenis kon belanden. Is dat waar?'

'Natuurlijk niet,' zei Wexford.

'Ik geloofde hem. Hij maakte me bang. Hij maakte me altijd bang. Hij was jaloers op David en probeerde me ervan te weerhouden bij hem langs te gaan. O, laten we daar niet over doorgaan. Dat is nu allemaal achter de rug. Maar dat heeft er wel toe geleid dat ik tegenover David mijn mond maar heb gehouden. Nu heb ik het wel verteld, en ik zal het u ook vertellen.'

Ze had Vladlena ontmoet in het café, zoals afgesproken. Dat moest een merkwaardige ontmoeting geweest zijn, dacht Wexford, de ene vrouw die neurotisch bang was dat haar partner ergens in de omgeving op de loer lag en in staat was om alles te horen wat ze zei, terwijl de andere (met heel wat meer reden voor haar angst) bang was dat mensen van de vreemdelingendienst in vermomming aan het tafeltje naast hen zaten. Vladlena had een kamer gevonden in Willesden en een baan bij een bedrijf waar auto's met de hand gewassen werden. Ze zou de volgende dag beginnen.

'Ik heb haar gevraagd of mevrouw Kataev wist dat ze wegging, en ze zei nee, dat wilde ze haar niet vertellen. Ze was van plan om gewoon te verdwijnen. Daar was ze goed in, zei ze. Ze was goed in verdwijnen. En toen zei ze dat ze de man was tegengekomen die haar zus en haar samen met een stel andere meisjes naar Engeland had gebracht. Ik weet niet wie dat was. Ze zei dat hij haar had aangesproken op straat en haar een drankje had aangeboden. Hij had haar in de gaten gehouden, zei hij, toen ze werkte voor dat valse ouwe kreng en voor David. Ze wist dat hij niet van de vreemdelingendienst was, en daarom ging ze met hem mee. Ze gingen naar een pub in Kilburn High Road.

Vladlena sprak heel goed Engels. Dat moest ook wel, want ze was in Engeland nooit iemand tegengekomen die haar eigen taal sprak, behalve dat nichtje dat... tja, iemand was met wie ze nu om verschillende redenen geen contact meer kon opnemen. Dus ze begreep wat deze man tegen haar zei. Hij vroeg haar of ze nog maagd was.'

'Wat?' zei Wexford.

'Ja, u hebt me goed verstaan.' Sophie gaf een kneepje in David Goldbergs hand en liet die toen los. 'Hij vroeg haar of ze nog maagd was en zij vroeg hem waarom hij dat wilde weten. "Ik kan duizend pond voor je krijgen als je nog maagd bent," zei hij.'

Hoewel hij het al gehoord moest hebben, trok Goldberg toch een lelijk gezicht en hij liet een walgend geluid horen.

'Het spijt me, David. Het is afschuwelijk, dat weet ik. Jij bent net zoals ik. Jij dacht dat alleen wellustige ouwe bokken uit het victoriaanse tijdperk zo dachten, maar dat is niet zo. Er lopen nog steeds van die mensen rond. Alleen denken die tegenwoordig dat vrijen met een maagd aids geneest. Vladlena dacht dat niet. Ze klonk alsof het haar niet veel kon schelen, maar het geld wel graag wilde hebben. Als ze duizend pond had, kon ze een paspoort kopen, zei ze. Ik zei tegen haar dat die man misschien wel ergens duizend pond voor haar kon krijgen, maar dat ik me afvroeg waarom zij dacht dat ze daar zelfs maar de helft van te zien zou krijgen?'

'Wat zei ze daarop?'

'Dat ik me daar niet druk om moest maken, omdat hij haar had verteld dat zij duizend pond zou krijgen en de mensen die... nou, dit organiseerden, nog veel meer. En trouwens, ze kon het ook doen zonder zijn tussenkomst. Hij had haar op een idee gebracht.'

'Ik neem aan,' zei Wexford langzaam, 'dat die meisjes en Vladlena zelf oorspronkelijk waren voorbestemd voor... Ja waarvoor precies? Een of andere massagesalon die in werkelijkheid een bordeel is? In het meest gunstige geval voor een of andere escortservice?'

'Ik heb het niet gevraagd,' zei Sophie Baird. 'Het klinkt belachelijk, maar ik was zo geschokt. En toen ik het John vertelde schrok hij zich wild. Hij zei dat hij nog nooit zoiets had gehoord, maar hij moet toch weleens van vrouwenhandel hebben gehoord? De kranten staan er vol mee. Ze noemde de naam van de chauffeur – nou, zijn voornaam dan – het was Gregory of iets dergelijks. Of ze ook werkelijk naar die man toe is gegaan, weet ik niet. Ze wilde me zijn adres niet geven, of liever gezegd... ik heb er ook niet om gevraagd. Ik heb met haar afgesproken voor een volgende keer, maar ben niet gegaan. John had me echt bang gemaakt, zo boos was hij. Hij had me geslagen, en dat had hij nooit eerder gedaan.'

*

Met een aandacht die grensde aan enthousiasme zat Tom te luisteren naar Wexfords verslag van zijn gesprek met Sophie Baird. 'Ja, maar het is allemaal nogal vaag,' zei Wexford. 'De bestuurder van een bestelbusje waarmee meisjes vanuit Oost-Europa naar ons land zijn gebracht, heet Gregory, maar heeft geen achternaam. Vladlena heeft een nichtje, van wie we niet weten hoe ze heet. Vladlena's eigen achternaam is eveneens onbekend.'

'Is dat niet een tamelijk defaitistische instelling?'

'Dat kan zijn, al bedoelde ik niet dat ik het opgaf. Sophie verkeerde in een... laten we het maar een hoogst emotionele toestand noemen. Misschien herinnert ze zich meer als ik nog eens met haar ga praten.'

'Deze keer kun je maar beter met Lucy meegaan. Zoals ik al eerder heb gezegd, heb je een vrouw nodig om met een vrouw te praten. Dat is het beste. Ik wil niet zeggen dat je geen goed werk hebt geleverd, Reg, maar jij bent altijd wel erg van de psychologie en de mensenkennis en zo, en ik denk dat je in dit geval geen rekening houdt met het feit dat die Sophie weleens jaloers geweest zou kunnen zijn op Vladlena. Die was toch een stuk jonger dan zij? Een knap blondje, en de hele dag alleen in huis met die meneer Goldberg... Misschien is het beter om nog eens met mevrouw Jones te gaan babbelen, en eens te kijken of die soms een ander licht op de zaak kan werpen. Lucy en jij gaan terug naar mevrouw Jones. Praat met de andere buren, die meneer en mevrouw Milsom bijvoorbeeld. Misschien hebben die haar wel gesproken. Zelfs meneer en mevrouw Rokeby. Daar had je zeker niet aan gedacht, hè? Maar die wonen nu weer in Orcadia Cottage.'

Om zijn eigen oubollige manier van praten te gebruiken: Tom had het bij het verkeerde eind. Wexford was er zeker van dat praten met al die mensen nutteloos zou blijken, en met name met Mildred Jones, die er heel goed voor zou zorgen dat ze niets te weten kwamen over de achtergrond van haar schoonmaakster. Ze zou zelfs nu nog boos kunnen zijn over die schroeiplek.

'Dat idee van die Vladlena bevalt me wel, vergeet dat niet,' zei Tom bij het afscheid. 'Wel een naam waar je je in kunt verslikken trouwens. Het bevalt me wel. Dat zou het meisje in de kelder kunnen zijn. Het is zelfs hoogstwaarschijnlijk.'

'Ik zou Sophie Baird hier graag naartoe willen laten komen om die kleren te bekijken.'

'Goed idee. Doe dat maar. En nu moet ik ervandoor. Ik heb een drukke middag voor de boeg. En daarna het avondmaal in mijn kerk.'

Pas de volgende dag slaagde Wexford erin om Sophie Baird te bereiken. Hij probeerde haar thuis te bellen, en op een mobieltje dat permanent uit leek te staan. Uiteindelijk wist hij haar aan de lijn te krijgen op het vaste nummer van David Goldberg. Nee, ze woonde daar niet; ze was niet bij hem ingetrokken. Ze ging vandaag weer terug. Wilde ze naar het hoofdbureau van politie in Cricklewood komen? Ze zou gehaald worden.

'Mag ik vragen waarom?'

'Ik wil u wat kledingstukken laten zien die misschien van Vladlena zijn geweest.'

'Die hebben toebehoord aan een van de lijken die gevonden zijn in Orcadia Cottage,' was wat hij had moeten zeggen. Maar tot dusverre had hij Sophie niet verteld waarom hij zoveel belangstelling had voor Vladlena, en ze had daar ook niet naar gevraagd. Lucy stapte in de auto om Sophie Baird op te halen. Wexford zat op haar te wachten toen ze het hoofdbureau binnenliep en liet haar de kledingstukken zien. Sophie zelf was gekleed zoals ze er over het algemeen bij liep: een rok van tweed en een jumper met een crèmekleurig jasje eroverheen, en bruine leren pumps. De kledingstukken die waren aangetroffen op het lijk van de jonge vrouw in de kolenkelder waren in Wexfords ogen inmiddels nogal meelijwekkend geworden; ze maakten de draagster bijna tot een ding, en waren vrijwel zeker alleen maar gedragen als werkkleding en niet omdat de jonge vrouw ze mooi had gevonden of er uit vrije wil voor had gekozen om daarin rond te lopen. Sophie Bairds reactie was echter heel anders. Ze deinsde terug van de tafel met de laarzen, het jack en de netkousen en begon te blozen. Wexford had op het punt gestaan om haar te vragen niets aan te raken, maar dergelijke voorzorgsmaatregelen waren onnodig. Ze deed zelfs een stap naar achteren.

'Ik heb Vladlena nooit in iets dergelijks zien rondlopen,' zei ze met onvaste stem. 'Hoe bent u – hoe is de politie – hieraan gekomen?' Toen schoot haar een mogelijkheid te binnen en ze huiverde. 'Zijn die... zijn die aangetroffen op een lijk?'

'Ik vrees van wel.'

'De drie keer dat ik Vladlena heb gezien, droeg ze een zomerjurkje van katoen, nogal verschoten en versleten, met een dikke winterjas eroverheen. Haar schoenen zagen er heel versleten uit, en ze droeg vaak ook slippers.'

'Maar als ze ging doen wat u heeft gesuggereerd, omdat ze daar duizend pond mee kon verdienen, had ze dan dit soort kleding gedragen kunnen hebben?'

'Ik neem aan van wel,' zei Sophie Baird.

'Nog een vraag voordat we even met hoofdinspecteur Ede gaan praten. Zou Vladlena ondergoed gedragen hebben?'

'Waarom zou ze dat niet gedragen hebben?'

'Dus u denkt van wel?'

'Ik ga er wel van uit. Maar ik kan u daar geen zekerheid over bieden. Ik zou het echt niet weten.'

Tom Ede vroeg haar of Vladlena sieraden had gehad. Sophie Baird zei dat ze zich dat niet kon herinneren; een ring misschien. De halskettingen, ringen en armbanden waarvan ze inmiddels al hadden besloten dat die eigendom waren geweest van Harriet Merton, werden aan haar getoond, maar al na een enkele blik schudde ze ongeduldig haar hoofd.

'U begrijpt het niet. Ze was arm. Ze was heel wat armer dan de armen in dit land. Ze had niets. Ze verdiende net genoeg om eten te kopen en de huur te betalen aan mevrouw Kataev, maar daar bleef het dan ook bij.'

'U hebt gezegd dat ze misschien een ring had,' zei Tom.

'Ja, maar daar ben ik niet zeker van. Misschien verbeeld ik me dat maar. Ik heb een vage herinnering aan iets van zilver, een ring of een hangertje. Dat meen ik me te herinneren, maar meer dan dat kan ik niet zeggen.'

Terwijl hij voorbereidingen trof om samen met Dora terug te rijden naar Kingsmarkham, waar ze het weekend zouden doorbrengen, vroeg Wexford zich af welke stappen Vladlena genomen zou hebben om haar plan uit te voeren. De bestuurder van het busje, een zekere Gregory of Grigori, leek hem degene met wie ze in dat geval vermoedelijk contact zou hebben opgenomen. Maar waar zou zo iemand te vinden zijn? Als de transactie het stadium had bereikt waarin Vladlena zichzelf had geprostitueerd, waar zou ze dat dan gedaan hebben? Niet in het huis van Irina Kataev. In een hotelkamer die iemand voor haar had geboekt? Hij dacht van niet. Waarschijnlijk in een bordeel dat vermomd was als iets anders. Hij had maar weinig ervaring met dergelijke oorden. Voor zover hij wist was er in Kingsmarkham nooit een bordeel geweest.

Maar dat had hij mis, vertelde Mike Burden die zaterdagavond. Met de gezamenlijke borrel na het werk waren ze opgehouden toen Wexford met pensioen ging en Burden promotie maakte, maar in plaats daarvan zagen ze elkaar nu elk weekend dat Wexford weer thuis was, en vaak in een nieuwe pub, waar ze nog niet eerder waren geweest. Het begon nu traditie te worden met een ritualistisch tintje. In de omringende dorpen hadden veel pubs hun deuren gesloten, wat vooral kwam doordat de klanten werden afgeschrikt door de wetten tegen rijden onder invloed, maar in Kingsmarkham zelf leidde de Olive and Dove nog steeds een bloeiend bestaan, en ook de Dragon ging het voor de wind. Vanavond hadden ze afgesproken in de Mermaid, een kleine en knusse pub in een smal zijstraatje van York Street.

Maar daarvoor hadden Wexford en Dora de halve dag, een nacht en meer dan de helft van de daaropvolgende dag in hun eigen huis doorgebracht. Hun beide kleinzoons waren thuis en Robin had een studiegenoot meegenomen. Hoewel hij zelf niet had gestudeerd, zei Wexford dat het vroeger door universiteiten niet werd aangemoedigd dat studenten in het weekend naar huis gingen, en in sommige gevallen was dat zelfs expliciet verboden. Maar dat was inmiddels allemaal veranderd. Ben was er ook, want voor hem was de vakantie al begonnen. Sylvia had de slaapkamer die ze met haar dochtertje deelde, afgestaan aan haar ouders, al zorgde ze er wel voor dat ze zich daar schuldig over voelden door enorm te zeuren over het feit dat Mary en zij een eenpersoonsbed moesten delen, dat zolang in de eetkamer was neergezet.

'Ik krijg het gevoel dat we beter een hotelkamer hadden kunnen nemen,' zei Dora. 'Waarom zijn we eigenlijk gekomen?'

'We waren vergeten – als we het ooit al geweten hebben – hoeveel mensen er zouden zijn.'

Het werd er niet beter op door een ontmoeting die Wexford had op weg naar de pub. Hij was halverwege York Street toen een man en een vrouw een van de huizen uit kwamen en de man met een afstandsbediening een langs de stoeprand geparkeerde auto openmaakte. Wexford herkende hen onmiddellijk. Het waren meneer en mevrouw Wardle. En zij herkenden hem ook. Ze keken allebei zijn kant op, keken hem strak aan en wendden toen nadrukkelijk hun blik af.

'Ik vraag me af,' zei hij toen hij samen met Burden in de pub zat, 'wat er straks gaat gebeuren om me voor de derde keer een schuldgevoel te bezorgen.'

'Je gelooft toch niet dat zulke dingen altijd in drieën komen?'

'Vorige week vond ik dat nog bijgeloof, maar dit gedoe begint wel op mijn zenuwen te werken.'

Burden haalde een glas rode bordeaux voor Wexford en een glas chardonnay voor zichzelf. Nootjes, ooit een begeerlijke vijand, waren inmiddels niet meer of minder dan een prettig bijverschijnsel bij de drankjes.

'Je bent een stuk magerder geworden. Je ziet er heel anders uit.'

'Dat is misschien zo slecht nog niet. Wat wilde je nou vertellen over bordelen?'

'We hebben er hier een gehad,' zei Burden. 'Een paar maanden geleden.'

'Wat, je bedoelt toch zeker een massagesalon, of zo'n schoonheidssalon waar ze ook een zonnebank hebben staan?'

'Het was in een appartement boven een kledingzaak in High Street. Een uiterst respectabele zaak, waar dameskleding werd verkocht in de maten 44 tot en met 56.'

'Als ik een travestiet was geweest, zouden die me vroeger redelijk gepast hebben.'

Burden lachte. 'Er waren een heleboel mannen gesignaleerd die 's avonds aanbelden bij de deur rechts van de winkel. Ik heb agent Thomson erheen gestuurd, die zich voordeed als klant. De meisjes waaruit hij kon kiezen, werden aan hem voorgesteld, maar hij heeft zich aan mijn preutse instructies gehouden, beleefd bedankt en afscheid genomen. De volgende avond hebben we een inval gedaan.' Hij nam een flinke slok witte wijn. 'Het was heel opwindend.'

'Ik kan me de regels niet goed meer herinneren. Er moet toch meer dan één meisje werken om het een bordeel te kunnen noemen?'

'Precies. Ik was er niet bij, maar Thomson vertelde me dat een van de mannen zich op zijn knieën liet zakken en op het hoofd van zijn moeder heeft gezworen dat hij het nooit meer zou doen, als we maar niet openbaar zouden maken dat hij daar was aangetroffen.'

'Toen ik een jonge politieman was in Brighton, een jaar of honderd geleden, stuitten we daar voortdurend op. Op bordelen, bedoel ik. Ik neem aan dat als ik iemand internet laat afzoeken op de term "bordeel" dat alleen maar karrenvrachten porno oplevert.'

'En dat is nog zwak uitgedrukt,' zei Burden. 'Als je iets over bordelen wilt weten, moet je het gewoon aan mij vragen. Wat wil je precies weten?'

Wexford vertelde hem over Vladlena en wat die had willen verkopen. 'Waar zou ze dan naartoe gaan? Wie zou ze daarnaar hebben gevraagd? Bij zo'n uiterst respectabel uitziende massagesalon, in Kilburn High Road, niet ver van het Tricycle Theatre – sorry, je weet niet waar dat is – maar het is bij me opgekomen dat ze het daar geprobeerd zou kunnen hebben. Ik zal moeten uitzoeken hoe lang die zaak daar al gevestigd is, want je weet hoe snel dat soort bedrijfjes komen en gaan. En dat meisje in de kolenkelder was al minstens twee jaar dood.'

'Weet je, Reg,' zei Burden, terwijl hij de nootjes doorgaf, 'zoals je zojuist volkomen terecht hebt opgemerkt, ken ik Londen niet goed, maar ik weet genoeg van de manier waarop dit soort dingen werken om te kunnen zeggen dat dit meisje het waarschijnlijk in Soho heeft geprobeerd. Die zaken zullen misschien niet openlijk adverteren, maar iedereen weet dat het daar om prostitutie gaat.'

'Je bedoelt dat ze gewoon bij de een of andere stripteasetent of paaldansclub heeft aangebeld?'

'Dat zou ze gedaan kunnen hebben, als ze zo wanhopig verlegen zat om die duizend pond,' zei Burden. 'Voor haar moet dat een enorm bedrag zijn geweest.'

Maar het was meer dan twee jaar geleden, hield Wexford zichzelf voor. Had ze gedaan wat er van haar gevraagd was en was ze daarna vermoord om wat ze misschien zou kunnen doorvertellen? Het leek hem niet onmogelijk.

25

Het was maandagochtend en Wexford en Lucy Blanch waren op weg naar Mildred Jones. Geen van beiden keek uit naar dit bezoek. De dag was slecht begonnen met Martin Rokeby die zijn huis uit kwam stormen en boos tegen Lucy riep dat ze de auto niet voor zijn huis mocht parkeren. Ze zette de auto een paar meter verderop en legde uit dat ze een paar mensen hier in de buurt moesten spreken, en dat er nergens anders plaats was om te parkeren. Rokeby was van wal gestoken met een lange, chagrijnige tirade, die erop neerkwam dat de politie nou al maandenlang onderzoek deed naar deze zaak en nog steeds geen stap verder was gekomen.

Ze liepen de hoek om, Orcadia Mews in. Wexford was blij dat hij weer in Londen was, al was het alleen maar omdat zijn verblijf in Kingsmarkham afschuwelijk was geweest. Toen hij terugkwam van zijn avondje uit met Burden, had Dora hem fluisterend verteld dat er nog een kind bij was gekomen, een schoolvriendje van Mary. Vorige week had Sylvia de moeder van het jongetje beloofd dat haar zoon een nachtje mocht komen logeren terwijl zijn ouders hun zoveeljarige huwelijksdag vierden. Ben zou zijn kamer moeten delen met het kind, iets wat hij aanvankelijk botweg had geweigerd en waarin hij zich vervolgens slechtgehumeurd en op allerlei voorwaarden had geschikt.

'Pa en jij hadden wel iets langer van tevoren kunnen laten weten dat jullie kwamen,' had Sylvia gezegd, en toen was Dora ontploft.

'Dit is óns huis, Sylvia! Hoe durf je tegen mij te zeggen dat we van tevoren moeten laten weten dat we ons eigen huis willen bezoeken!'

'Ik wilde maar dat ik hier niet hoefde te zijn,' zei Sylvia. 'Ik doe dit echt niet voor mijn lol, hoor. Godzijdank ben ik weer aan het werk.'

Wexford had niet eens geprobeerd een wapenstilstand tussen die twee te regelen, maar was meteen naar bed gegaan. Terwijl hij zich er schuldig over voelde dat Dora en hij de grootste van de vier slaapkamers in beslag namen, had hij lange tijd wakker gelegen en vervolgens was hij vrijwel onmiddellijk nadat hij in slaap was gevallen, wakker geschrokken van geschreeuw en hollende voeten op de gang. Het logeetje was misselijk geworden. Hij moest getroost en gewassen worden, en zijn lakens werden verschoond. Toen hij 's ochtends aanbood om met z'n allen ergens te gaan lunchen, had Sylvia nee gezegd, en dus waren Dora en hij om elf uur 's ochtends al weer op weg gegaan naar Londen.

Mildred Jones had haar roze voordeur een nieuw kleurtje laten geven. Die was nu lichtgroen. Hoewel Lucy van tevoren had gebeld om hun komst aan te kondigen, gedroeg mevrouw Jones zich alsof ze volkomen onverwacht voor de deur stonden. 'Ik heb u alles verteld wat ik weet,' waren de woorden waarmee ze hen begroette, zonder zelfs maar de moeite te nemen om Lucy's beleefde groet te beantwoorden met een 'goedemorgen'.

Terwijl hij nadacht over het karakter van deze vrouw, was het Wexford opgevallen hoe heftig ze werd beïnvloed door haar verwachtingen voor de dag die ze voor de boeg had. Als ze op het punt stond om met een man te gaan lunchen, was ze uitbundig en assertief, maar op een dag waarop ze geen afspraken had of alleen maar vervelende klusjes moest doen, werd ze somber en klagerig, en vandaag had ze duidelijk niets leuks te doen. Haar stemming bleek ook van invloed op haar manier van kleden, en dat ging zelfs zover dat ze op slechte dagen onflatteuze kleren droeg, en mooie kleren als de vooruitzichten goed waren.

'Ik kan u niets te drinken aanbieden,' zei ze toen ze voor hen uit de woonkamer binnenliep. 'Raisa heeft het te druk.'

Die houding, dat elk huishoudelijk klusje gedaan moest worden door de schoonmaakster, en nooit door de mevrouw, ontlokte Wexford een humorloze glimlach, een reactie waarvan hij naderhand spijt zou hebben.

'Wat is er zo grappig?'

Hij beschouwde dat als een retorische vraag en zei niets.

Lucy zei dat ze haar wilden spreken over Vladlena. Was ze zich ervan bewust dat Vladlena een zus had, die samen met haar naar dit land was gekomen in een minibusje waarin ze door heel Europa waren gereden?

'Dus dat is ook al een illegale immigrant? Want als dat het geval is, dan wil ik niet over haar praten, noch over een van de anderen. Ik heb u al eerder gezegd...' Ze wierp Wexford een woedende blik toe. '... dat ik enorm bang ben geweest dat ik problemen zou krijgen met de immigratie- en naturalisatiedienst.'

'Het gaat ons niet om immigratie, mevrouw Jones...' begon Wexford, en Lucy nam het van hem over en zei wat hij naar zijn gevoel beter niet zelf had kunnen zeggen: 'Het gaat ons om de identiteit van de jonge vrouw waarvan het lijk is aangetroffen samen met de drie andere lijken in de kelder onder Orcadia Cottage.'

Omdat ze vandaag geen opwindende plannen had, droeg Mildred Jones geen make-up die kon verhullen dat ze plotseling verbleekte. Haar gezicht nam een geligwitte kleur aan. 'U bedoelt dat u denkt dat het meisje in die kolenkelder Vladlena is?'

'We willen alleen maar weten of we haar verder buiten het onderzoek kunnen laten,' zei Wexford.

'Dat zeggen jullie allemaal. Ik zou best een pond willen hebben voor elke keer dat ik dat op de tv heb gehoord. Wat een afschuwelijk idee.'

Hoe graag hij ook had willen zeggen dat hij – gezien haar houding ten opzichte van haar vroegere werkster – had verwacht dat dat denkbeeld haar juist een genoegen zou doen, was dat niet verstandig. Als jonge politieman, tientallen jaren geleden, had hij er trouwens veel meer behoefte aan gehad om zulke dingen te zeggen. Maar inmiddels was hij oud, en had hij nog meer reden om zich in te houden. In plaats daarvan vroeg hij mevrouw Jones beleefd hoe Vladlena over het algemeen gekleed ging.

Kleding was een onderwerp dat haar zeer interesseerde, dat kon hij wel merken. 'Ze was bepaald de elegantste niet.' Ze lachte en liet een korte stilte vallen om haar gasten de gelegenheid te geven die geestige opmerking goed tot zich te laten doordringen.

'Ze had een katoenen jurk, en die droeg ze dag in dag uit. Ik heb haar ernaar gevraagd en ze zei dat dat het enige was wat ze had. En dus kreeg ik medelijden met haar en heb ik haar een paar afdankertjes van mezelf gegeven. Die meid had bijna anorexia, dus natuurlijk moest ze die een beetje innemen voordat ze pasten.'

'Hebt u haar ooit gezien in een minirok en een leren jack?'

Ze keek Wexford aan alsof hij iets obsceens had gevraagd. 'Waarom wilt u dat weten?'

'Geeft u alstublieft antwoord, mevrouw Jones.'

'Een leren jack, ja. Een minirokje, nee.'

Terwijl ze aan het woord was, stak Raisa verlegen haar hoofd om de deur. 'Wilt u koffie, mevrouw?'

'Nee, ik wil geen koffie. Als ik je nodig heb, roep ik je wel.' Mildred Jones richtte haar aandacht weer op Lucy. 'Ik heb haar gezien in een zwart leren jack en een lange bloemetjesjurk, wat naar mijn mening geen erg aantrekkelijke combinatie is.'

'Waar was dat?' vroeg Wexford. 'Toen ze boodschappen aan het doen was voor meneer Goldberg?'

'Nee, natuurlijk niet. Hoe komt u daar nou weer bij? Het was helemaal niet hier in de buurt. Het was in Oxford Street. Ik was bij Selfridge's geweest en toen ik naar buiten kwam, merkte ik dat de politie de straat had afgesloten voor het verkeer. Een of ander dom wijf was vlak voor een bus de straat overgestoken en aangereden, en dus moest iedereen daaronder lijden, en terwijl ik helemaal naar Marble Arch moest lopen om een taxi te nemen – met een paar zware tassen, wil ik daar wel aan toevoegen – zag ik haar die goedkope winkel uit komen, de Primark. Het ging haar kennelijk voor de wind, want ze had tassen vol met kleren bij zich.'

Dat zei Wexford weinig, maar Lucy reageerde heel anders. 'Weet u dat zeker, mevrouw Jones? Die keer dat Oxford Street werd afgesloten voor het verkeer vanwege een ongeluk is nog maar een jaar geleden.'

'Dat weet ik.' Mildred Jones keek Lucy verontwaardigd aan. 'U gaat toch hoop ik niet zeggen dat ik hier zit te liegen?'

'U verklaart dat u Vladlena een jaar geleden gezien hebt?' zei Wexford.

'In godsnaam, hoe vaak moet ik u dat nou nog zeggen?'

'Nog een keer, alstublieft. Om er zeker van te zijn.'

'Ik heb haar een jaar geleden gezien.'

Lucy en hij zeiden niets totdat ze de hoek om waren gelopen en weer op Orcadia Place stonden. Toen keken ze elkaar eens aan en begonnen te lachen. 'Voor ons is dat een kleine tegenvaller,' zei Wexford, 'maar toch is het goed om te weten dat dat meisje nog leeft en dat het haar kennelijk voor de wind gaat. Vind jij ook niet?'

'Ja natuurlijk. Ik ben blij dat ze het meisje in de kelder niet is, maar er is daar wel een lijk gevonden, en het zag er wel naar uit dat zij dat was.'

'Ik zou graag denken dat we haar nu buiten beschouwing kunnen laten, maar volgens mij is dat niet het geval. Ze zou weleens van alles kunnen weten waar wij nog niet eens van dromen. Ze kan het meisje in de kolenkelder niet zijn, maar misschien weet ze wel wie dat meisje is. En bovendien moet ik bekennen dat ik nieuwsgierig ben.'

'Ik ook,' zei Lucy. 'Ik zou graag willen weten wat er met haar is gebeurd, hoe ze van een dakloos, in armoede levend... nou eh, verschoppelingetje is uitgegroeid tot een vrouw met een leren jasje die gaat shoppen bij de Primark.'

Wexford zei niets. Hij dacht aan wat Vladlena aan Baird had verteld over wat ze zou gaan doen om aan geld te komen. Hij begon kennelijk echt oud te worden, of in elk geval soft, als de manier waarop ze dat geld bemachtigd zou kunnen hebben, hem zo van weerzin vervulde en... ja, zelfs choqueerde. En dat voor iemand die had gedacht dat niets hem nog van zijn stuk zou kunnen brengen.

Hij was nieuwsgierig, en Lucy was ook nieuwsgierig, maar kon die gedeelde nieuwsgierigheid het rechtvaardigen dat ze nog langer doorgingen met hun pogingen om Vladlena op te sporen? Het was te laat. Het enige wat voor hen van belang was, was dat zij het meisje in de kelder niet was. Ze had een zus ergens hier in het land, en een nichtje ergens in Londen. David Goldberg wist niet waar ze zich nu bevond, en Sophie Baird al evenmin. Hoe zat het met de andere mensen hier in de buurt? Met meneer en mevrouw Milsom? Met de Rokeby's? En met Colin Jones, de ex van Mildred Jones? Hij had Vladlena gekend, zelfs al had hij haar nooit aantrekkelijk gevonden. Het leek Wexford niet onmogelijk dat Vladlena in de twee jaar dat ze voor Mildred Jones had gewerkt, en daarna voor David Goldberg, zo nu en dan weleens een praatje zou hebben gemaakt met de buren, en zich daarbij misschien iets had laten ontvallen over haar familieleden. Als je het zo formuleerde, kon hij wel zien dat de kans dat navraag daarnaar iets nuttigs zou opleveren wel heel klein was. En dan was er ook nog de bestuurder van het busje, de man die haar had voorgesteld om haar maagdelijkheid te gelde te maken. Wie was die man? Had het ook maar enige zin om al die mensen daarnaar te vragen?

Sophie zei dat Vladlena en de bestuurder elkaar hadden ontmoet in een pub in Kilburn. In gedachten ging hij terug naar die massagesalon in Kilburn High Road. Zou die man haar misschien verteld hebben dat als ze op zijn voorstel inging, de transactie kon plaatsvinden in een van de bovenkamertjes van Doll-Up?

Vladlena leefde nog, of was in elk geval een jaar geleden nog in leven geweest. Wat er van dit alles ook waar mocht zijn, wat al die mensen ook te zeggen mochten hebben, het lijk van de jonge vrouw in de graftombe kon niet dat van Vladlena zijn.

Het zou een kwestie kunnen worden voor de zedenpolitie, dacht Wexford, maar eerst moest hij nog maar eens een verkenningsmissie uitvoeren. Tom stemde erin toe om een online-onderzoek te laten doen naar Colin Jones en wees die taak toe aan agent Debach. Wexford zelf ging op weg naar het bedrijfje dat zichzelf omschreef als 'schoonheidssalon'. Hij had een verhaal voorbereid om zichzelf toegang te verschaffen tot de twee bovenverdiepingen, als hij daar niet onmiddellijk werd toegelaten. Voordat hij naar binnen liep, keek hij snel even omhoog naar de bovenste ramen. Voor alle vier hingen ondoorzichtige jaloezieën.

De receptioniste vroeg of ze hem ergens mee van dienst kon zijn. Wexford had de hele reeks behandelingen die hier geboden werden al opgemerkt, van chiropodie tot een 'full-body scrub'. Eén ervan viel hem op en hij vroeg of hij een Braziliaanse massage kon boeken. Zeker, dat kon, maar de masseur was tot aanstaande maandag volgeboekt.

'Masseur?'

Dat leverde hem een onvriendelijke blik op. 'Is dat een probleem voor u?'

'Ik had een masseuse verwacht.'

'Werkelijk? Ik vraag me af of dit eigenlijk wel de locatie is die u zoekt?'

De locatie! Hij hield zijn hoofd een beetje scheef en zei zachtjes: 'Wat gebeurt er boven dan?'

'Ik heb geen idee,' zei ze stijfjes. 'Met dat deel van het pand hebben we niets te maken. De bovenverdiepingen hebben een aparte opgang en voor zover ik weet, staan ze op dit moment te huur.'

'Weet u wie de makelaar is?'

'Nee, dat weet ik niet. Als dat alles is, meneer... Ik heb het eigenlijk nogal druk.'

Hij liep een smal zijstraatje in van waaruit hij de achterkant kon zien van de rij huizen waarvan Doll-Up het dichtstbijzijnde vormde. Van hieruit gezien leek het zelfs nog kleiner dan vanaf Kilburn High Road. Het gebouw was maar één kamer breed, en als er meer dan twee kamers per verdieping waren, dan zouden dat wel heel kleine hokjes moeten zijn. Terug in High Street zag hij een nogal verveloze deur naast de 'schoonheidssalon'. Geen naambordje, geen bel, geen klopper, alleen maar een brievenbus. Hij klepperde wat met de brievenbus, zonder veel hoop dat er iemand open zou doen, en er werd ook niet opengedaan, maar boven hem werd wel een raam omhoog geschoven en een bejaarde man leunde naar buiten.

'Oprotten jij! Hoe vaak moet ik jullie nou nog vertellen dat dit geen hoerenkast is, stelletje hitsige klootzakken?'

Wexford begon te lachen. Hij wilde maar dat hij deze boze meneer kon vertellen dat hij van de politie was. 'Het spijt me,' zei hij. 'Ik had gehoord dat uw huis te huur staat.'

'Ik kom wel even naar beneden.'

Het was een kort, en mager mannetje in een zwarte trui en spijkerbroek. Hij had een heleboel haar op zijn gezicht, maar niet op zijn hoofd. 'Ik heb ze telkens weer gezegd wat er ging gebeuren als ze die zaak zo'n stomme naam gaven. Maar denk je dat dat hun wat kon schelen? Geen flikker! Daarom ga ik hier weg. Ik heb hier tien jaar in alle rust gewoond en toen kwamen die mensen onder me zitten en die hebben het allemaal hopeloos verknald.'

'Dus u kunt me de ruimte niet aanbevelen?'

'Nee, zeker niet, maar als u wilt kan ik u de naam van de makelaar wel geven.'

Tom kon er wel om lachen.

'Goed opgemerkt, Reg,' zei hij. 'Je kon er niets aan doen dat het een dood spoor bleek. Zal ik nu Miles naar de makelaar sturen, zodat hij die flat kan doorzoeken?'

'Als je denkt dat het de moeite waard is, maar ik ben er inmiddels wel zeker van dat het allemaal volkomen onschuldig is.'

'Rita Debach heeft Colin Jones gevonden.'

Ze had hem gevonden op een adres aan Kendall Avenue. SW 12, met een telefoonnummer erbij. Het was tegenwoordig niet moeilijk om iemand te vinden, dacht Wexford, zelfs als hij een naam had die hij deelde met honderden andere mensen. Maar ook al wist je waar iemand woonde, daar schoot je weinig mee op als hij niet opendeed en ook de telefoon niet opnam. Er waren berichten voor hem ingesproken waarin gezegd werd dat hij contact moest opnemen met de politie, maar waarvoor eigenlijk? De man was ooit getrouwd geweest met Mildred Jones, had in het huis gewoond waar Vladlena werkster was geweest en had Martin Rokeby meer dan eens een aannemer aanbevolen, maar dat hield niet in dat hij hen verder zou kunnen helpen. Als ik aan die man denk, peinsde Wexford, is hij altijd de man van het overhemd waarin Vladlena een schroeiplek had gemaakt...

Het weekend dat over twee dagen zou beginnen, zouden ze niet doorbrengen in Kingsmarkham. Daarvoor stonden Wexford en Dora op dit moment te zeer op gespannen voet met hun oudste dochter. Sylvia had gebeld, maar van beide kanten was de toon niet hartelijk geweest. De reden waarom ze belde – dat ze een huis had gevonden, al had ze haar eigen huis nog niet verkocht – bracht haar ertoe om te zeggen dat ze alles zo snel mogelijk zou regelen omdat ze 'maar al te goed besefte' dat haar kinderen en zij niet welkom waren in het huis van haar ouders.

En dus bleven die ouders in Londen, wandelden over Hampstead Heath, kochten boeken bij Hatchard's en sokken voor Wexford bij Marks & Spencer, en op zaterdagavond gingen ze naar het theater om te zien hoe Sheila mevrouw Alving speelde in Ibsens *Spoken*. Op maandagochtend, toen hij het nummer van het huis aan Kendall Avenue belde, werd er opgenomen door een vrouw.

Ze was mevrouw Jones, zei ze. Haar man was een paar dagen van huis wegens zaken, maar op woensdag zou hij weer terug zijn. Ze zou hem vertellen dat de politie hem wilde spreken. De klank in haar stem was die van een vrouw die een belofte doet, en niet van iemand die zich bedreigd voelt of dreigt.

De dreiging was afkomstig van de eerste mevrouw Jones. En ook al was die dreiging niet op Wexford gericht, hij had er wel mee te maken. Tom vertelde het hem zodra hij het kantoor met de glazen wanden binnenstapte.

26

'Ze heeft contact opgenomen met de IPCC,' zei Tom. 'Mildred Jones, bedoel ik.'

Wexford moest even nadenken om zich te herinneren waar die afkorting ook weer voor stond. Natuurlijk wist hij dat maar al te goed, maar de betekenis was hem heel even ontschoten.

'De Independent Police Complaints Commission? Wat is er in hemelsnaam aan de hand?'

'Nou, het gaat over jou.' Tom lachte erbij om de klap wat te verzachten. 'Lucy zit in de problemen omdat ze jou heeft meegenomen tijdens het verhoor.'

'Goldberg noemt haar "die nare ouwe Mildred".'

'Ja, maar in hemelsnaam, dat heb je toch niet tegen haar gezegd, hoop ik?'

'Natuurlijk niet, Tom. Waar klaagt ze over?'

'Het is allemaal flauwekul, maar ze beweert dat jij "minachtend gelachen" hebt toen ze "weigerde om je van een verversing te voorzien". En ze verklaart dat je haar hebt gevraagd om een vraag te beantwoorden op een wijze waarop je iemand zou toespreken die onder arrest staat, en dat Lucy heeft toegelaten dat jij het woord voerde, alsof jij een politieman was en zij, ik citeer, "alleen maar even met hem mee was gereden".'

'Juist.'

'Het probleem is dat er een onderzoek naar Lucy wordt ingesteld en dat er twee mensen zijn aangesteld om het onderzoek uit te voeren. Naar jou wordt geen onderzoek ingesteld natuurlijk. In de ogen van de OKP ligt de schuld volledig bij Lucy, en besta je niet eens.'

'Nou, je wordt vriendelijk bedankt hoor,' zei Wexford. 'Het was dus eigenlijk niet zo'n goed idee dat ik als jouw assistent zou optreden, hè?' Tom reageerde niet. 'Dan zal ik maar met stille trom vertrekken.'

'Nee, ik ben degene die dit verkeerd heeft ingeschat,' zei Tom met die zachte en rechtvaardige manier van praten die hij soms had, en die de reden vormde waarom Wexford hem wel mocht. 'Ik heb erop gestaan dat je meeliep met een agent, terwijl ik je juist op eigen houtje had moeten laten opereren. Dat doe ik daarom vanaf nu dan maar, zonder dat ik vragen zal stellen over hoe je het precies aanpakt.'

'Dat is niet onbillijk.' Terwijl hij het zei, was Wexford zich ervan bewust dat dat een uitdrukking was die hij in geen jaren had gehoord, en hij herhaalde die met grote nadruk. 'Dat is niet onbillijk.'

Daarna had hij niets te doen tot woensdag, tenzij hij zichzelf allerlei taken oplegde. Alles wat te maken had met deze zaak zou van nu af aan zorgvuldig nadenken vereisen. Hij moest degene die hij vragen stelde goed uitleggen dat ze niet verplicht waren om hem te woord te staan. Ze konden hem de deur wijzen, en waarschijnlijk zouden ze dat ook doen. Hij moest een privédetective worden, zonder dat hij daarvoor een vergunning had, en zonder over de roem te beschikken van Hercule Poirot of Lord Peter Wimsey, namen die iedereen kende, en over wie hele romans waren volgeschreven. Zijn rol was meer die van een privédetective die, omdat er bij scheidingen geen scheidingsgrond meer hoefde te worden opgegeven, zich niet meer bezig hoefde te houden met het bespioneren van mensen die overspel plegen waardoor er niets anders overbleef dan het zoeken naar vermiste personen. En hij vroeg zich af hoe hij zich in hemelsnaam zou moeten voorstellen aan Colin Jones.

Gelukkig hielpen andere mensen hem die twee dagen te vullen. Hij kon gewoon niet lang wegblijven bij Orcadia Cottage, al was het inmiddels wel van wezenlijk belang om het laantje achter de huizen daar te mijden. Maar hij was voor Orcadia Cottage blijven staan om naar de voortuin te kijken en te peinzen over de aannemers en architecten die het onmogelijk hadden geacht om daar een ondergrondse ruimte aan te leggen – Kevin Oswin, de zware roker, meneer Keyworth, de aarzelende verloofde, Owen Clary en Rod Horndon – toen Martin Rokeby het huis uit kwam en hem aansprak. In het licht van hun vorige ontmoeting vond Wexford dat verrassend, en dat was nog zacht uitgedrukt.

'Hebt u het te druk om binnen te komen voor een kopje thee?'

'Ik heb het helemaal niet druk.'

Wat zou het leven simpel zijn als alle mensen die bij deze zaak betrokken waren zo bereidwillig naar hem toe kwamen. Hij liep achter Rokeby aan het huis binnen.

'Anne is aan het winkelen. Ik heb het gevoel dat ik u mijn excuses moet aanbieden. Ik ben de afgelopen maanden in een vreselijk slecht humeur geweest, niet alleen tegenover de politie. Ik had het gevoel dat ik plotseling mijn bestaan uit geduwd werd, dat ik eigenaar was van een huis waarin ik niet kon wonen, dat mijn kinderen me niet meer wilden zien en dat ik gedoemd zou zijn om voor altijd bekend te staan als de man die in dat huis woont met al die lijken in de kelder, terwijl iedereen dacht dat ik die daar had neergelegd.'

'Maar nu voelt u zich beter?'

'Het is merkwaardig hoe snel zulke dingen kunnen veranderen. We weten allemaal dat dat zo is, maar als we te graag willen dat er iets verandert, zijn we er tegelijkertijd van overtuigd dat deze keer alles hetzelfde zal blijven. Melk? Suiker?'

'Een wolkje melk graag, maar geen suiker. Dank u wel.'

'Er staat geen menigte meer voor mijn huis. Ik woon hier weer en het voelt net als vroeger. Mijn vrouw gaat niet bij me weg en mijn kinderen komen weer gewoon naar huis. Opmerkelijk eigenlijk, hè? U zult het niet geloven, maar ik laat die ondergrondse ruimte nu toch aanleggen, en die kolenkelder wordt erin verwerkt. Het huis zal heel anders aanvoelen als we beneden een echte kamer hebben. Het schijnt dat er een complete keldertrap is, en aan het einde van de gang laat ik een deuropening maken. Anne is daar heel blij mee. Ik heb al een vergunning aangevraagd, en volgens mij krijg ik die deze keer wel.'

'Ik neem aan dat u deze keer geen gebruik gaat maken van Subearth of Underland.'

'Merkwaardig dat u dat zegt, want ik heb Chilvers, Clary Architecten, een ontwerp laten maken. Zo heet dat toch? Een ontwerp? Dat omvat de gehele ruimte onder de patio en dat gat in de grond daar verdwijnt dan. Je kunt er alleen nog maar in vanuit huis. Ik kan best zonder daglicht als het moet, maar Owen Clary zegt dat hij een soort dakraam in de patio kan maken. Sorry, ik zit u te vervelen.'

'Helemaal niet,' zei Wexford.

'Ik ben hier zo druk mee bezig dat ik me een beetje liet meeslepen. Nog een kopje thee?'

'Dank u wel, maar over een paar minuten moet ik weer verder. Er is nog één ding dat ik u graag zou willen vragen. Er zitten grendels op die deur van u naar het laantje achter de huizen. Hebt u die deur daar ooit mee afgesloten?'

'Alleen als we met vakantie waren.'

'Dus toen u in Australië zat, zaten die grendels ervoor, en toen u dit jaar in Florence was, ook?' Wexford keek hem aan en Rokeby knikte. 'U bent de afgelopen vier jaar wel vaker van huis geweest, neem ik aan?'

'O ja. Het is voor mij het handigst om het per jaar op te sommen. In 2007 zijn we twee keer met vakantie geweest, naar Spanje en naar Wenen. En daarna in 2008 naar Thailand, Vietnam en China. In 2009 zijn we weer naar Spanje geweest en in datzelfde jaar ook naar Italië.'

'Dat moet dan een lange reis zijn geweest, in 2008. Hoe lang bent u daar in het Verre Oosten geweest?'

'Nou, als dat voor u van belang is, eind mei zijn we eerst een paar dagen bij

Annes moeder in Wales geweest,' zei Rokeby. 'En een paar dagen na onze te-rugkeer zijn we aan die lange reis begonnen. De grendels hebben op de deur gezeten – laat me even denken – van eind mei tot medio juli. Al die tijd is die deur op slot geweest.'

Wexford voelde een lichte opwinding, die uitgroeide tot een forse adrenali-nestoot toen Rokeby zei: 'En trouwens, daarna hebben we die nog een paar weken afgesloten gelaten. We hebben die deur pas opengemaakt toen de gla-zenwasser kwam en hij de patio niet op kon. Hij stond met zijn vuisten op de deur te bonzen totdat we de grendels wegtrokken.'

Wexford besloot dat de hele weg naar huis lopen een beetje al te veel van het goede was en dat hij een deel van de tocht wel met de bus kon afleggen. Hij liep door Pattison Road, in de richting van Hampstead Heath, toen een jonge vrouw die hij herkende, een van de huizen uit kwam, en een auto opende met een ARTS OP HUISBEZOEK-kaartje achter de voorruit.

'Goedemiddag, dokter Hill.'

Ook zij had een goed geheugen. 'Wexford, is het toch? Bent u nog steeds bezig met de zaak Orcadia Cottage?'

'Laten we het erop houden dat er nog steeds aan gewerkt wordt,' zei Wex-ford cryptisch. O, wat kan de indirecte rede toch handig zijn! 'U bent een heel eind van uw praktijk in Hornsey.'

'Ik ben op huisbezoek geweest bij een particuliere patiënt.' Ze trok het por-tier open. 'Ik ben blij u te zien. Ik had u nog iets moeten vertellen. Ik weet niet waarom ik dat niet gedaan heb toen ik naar die sieraden keek die zijn aangetroffen in de... de tombe.'

'Wat had u dan willen zeggen, dokter Hill?'

'Ik zei toen dat ik dacht dat dat allemaal eigendom was geweest van de arme vrouw die daar heeft gewoond. Het was toch mevrouw Merton? Nou, sinds-dien heb ik erover nagedacht en er zat één ding bij, waarvan ik denk dat het niet van haar kan zijn geweest. Dat was helemaal niets voor haar. Een eenvou-dig zilveren kruisje aan een ketting. Volgens mij is dat van iemand anders ge-weest. Ik had contact met u moeten opnemen om dat te laten weten.'

'U hebt het me nu laten weten,' zei Wexford. 'En dat is het belangrijkste.'

Het was een kille dag met een harde wind, een voorbode van de komende herfst. De blaadjes waren nog groen, al maakten ze een wat afgeleefde indruk. Een beginnende regenbui zorgde ervoor dat er druppels in zijn gezicht waai-den toen hij van Clapham North Station door de straat liep waar Colin Jones woonde.

Het was het laatste huis van een lang huizenblok. Een wit huisje, met een boven- en benedenverdieping en een kelder, dat toen het halverwege de negentiende eeuw gebouwd werd als klein beschouwd zou zijn. Wexford vroeg zich af of hij te voorzichtig was toen hij de huidige marktwaarde op ruim een miljoen pond schatte. We verwachten van nare mensen dat ze ook nare echtgenoten hebben of hebben gehad, en Wexford was dan ook voorbereid op een norse en onbeleefde man. Maar de man die de deur opendeed maakte een vriendelijke indruk.

'Goedemorgen, ik geloof dat u mij wilt spreken over de gebeurtenissen in Orcadia Place. Komt u binnen. Koud hè?'

Hij was net zo lang als Wexford, en vijf of zes jaar jonger dan Mildred. Hij had een fraaie bos grijzend blond haar en een blozend gezicht, met ogen in die aantrekkelijke groenig-blauwe kleur die bijna turquoise is. Dit was de man in wiens overhemd Vladlena een schroeiplek had achtergelaten, maar vandaag droeg hij een zwarte spijkerbroek en een sweater die zo donkerbruin was dat geen enkele schroeiplek daarop zichtbaar zou zijn geweest.

Zijn huis was zo anders ingericht dan dat van zijn ex als het maar kon. Sober en minimalistisch, de kleuren voornamelijk wit, zwart en beige, en het enige ornament in de woonkamer werd gevormd door een grote, zwart met rode vaas vol gedroogde grassoorten en beukenbladeren.

'Kan ik u iets te drinken aanbieden? Ik neem aan dat het nog te vroeg is voor iets alcoholisch.'

'Heel vriendelijk van u, meneer Jones, maar voor mij is het inderdaad nog iets te vroeg.'

'En ik kan het ook maar beter laten. Als mijn vrouw me nog voor twaalven al betrapt met een Scotch, gaat ze me uitgebreid de les lezen. Ze maakt zich zorgen over mijn gezondheid, de schat! Waar wilt u mij over spreken?'

'Ik heb gehoord dat u meneer Rokeby voor het aanleggen van een ondergrondse ruimte onder zijn huis een bedrijf hebt aanbevolen dat Subearth Structures heette.'

'Nee, dat bedrijf heette Underland, en hij was er al naartoe geweest om een afspraak te maken. We stonden met elkaar te praten over de tuinmuur – dat was in dit geval letterlijk zo – en toen hij Underland noemde, zei ik dat ik weleens van hun diensten gebruik had gemaakt en dat dat wel een goed bedrijf was. Kort daarna gingen ze failliet.' Colin Jones lachte. 'Maar dat kon ik toen niet weten. De man die langskwam, had een architect meegenomen, maar over die firma weet ik niets. Sorry dat ik u niet verder kan helpen. Weet u, ik denk dat ik die Scotch toch maar neem. Een kleintje maar.'

Hij liep de kamer uit. Wexford hoorde hem met iemand praten en ving ook de klank op van een zachte vrouwenstem. Met het glas in de hand, waar hij, zoals hij had gezegd, een heel klein beetje onverdunde Scotch in had gedaan, kwam Colin Jones terug, voorafgegaan door een slanke jonge vrouw met lang blond haar, die een spijkerbroek en een lichtgrijze sweater droeg. Om haar nek hing een ketting met een zilveren kruisje eraan. Ook zij had iets te drinken bij zich, maar zo te zien was het een glas water.

'Ik zal ook iets voor u inschenken,' zei ze tegen Wexford. 'U hoeft geen – hoe heet het ook weer? – sterkedrank te nemen. Waarom neemt u niet wat mineraalwater met bubbels, net als ik.' En met een zangerig slavisch accent voegde ze daaraan toe: 'Waarom niet?'

Jones lachte. 'Dit is mijn vrouw Vladlena.'

27

Bijna had hij eruit geflapt dat ze haar overal hadden gezocht, maar hij wist zich te beheersen en zei in plaats daarvan: 'Hoe maakt u het, mevrouw Jones?'

'Zegt u maar Lena hoor.'

Colin Jones was degene die begon met een uitleg. 'Ik neem aan dat u wel weet dat Lena vroeger voor mijn eerste vrouw heeft gewerkt, en daarna gelukkig voor een heel aardige man die Goldberg heet. Kent u hem?'

'Ik heb hem ontmoet en hij is inderdaad heel aardig.' Wexford richtte zijn blik op Vladlena. 'En ik heb nog iemand ontmoet met wie u bevriend bent, Sophie Baird.'

Ze zette het glas bruisend mineraalwater met wat ijsblokjes en een stukje citroen op de rand op het bijzettafeltje. 'Sommige mensen zijn heel aardig voor me geweest.'

'Maar Mildred niet, hè?' Colin Jones moest hartelijk lachen en terwijl hij dat deed begon Vladlena te stralen, zodat ze er plotseling heel mooi uitzag. 'Dat ouwe kreng. Ik weet niet hoe ik het zo lang met haar heb uitgehouden. Nou, laat ik doorgaan met mijn verhaal. Mildred heeft Lena echt de stuipen op het lijf gejaagd en daarom is ze er opnieuw vandoor gegaan. Ze had een groot deel van het salaris dat David haar betaalde gespaard en huurde een kamer in een naar klein straatje ergens achter Lisson Grove.'

'Het was best een leuk kamertje, Colin,' protesteerde Lena.

'Als jij het zegt.' Colin Jones' glimlach leek aan te geven dat alles wat zijn vrouw zei, wat hem betreft goed was. 'Maar goed, Lena liep door Marylebone Road en ik kwam net Baker Street Station uit. We kwamen elkaar tegen, herkenden elkaar en... Nou, van het een kwam het ander en hier zijn we dan.'

'Hij kocht een kop koffie voor me en we praatten en...'

'En sindsdien zijn we eigenlijk onafscheidelijk geweest, hè? Een maand later zijn we getrouwd.'

Ze keken elkaar aan en de pure, onverhulde liefde op het gezicht van deze volkomen door elkaar betoverde mensen, wekte bij Wexford plotseling een scheut van jaloezie en afgunst op, die gelukkig al even snel wegstierf als hij was opgekomen. Per slot van rekening had hij een dergelijke verliefdheid ook gekend, en beleefde hij die ook tegenwoordig nog wel. Wat mensen ook mogen zeggen – hoezeer ze verliefdheid ook afkammen en haastig zeggen dat die niet blijvend kan zijn – er is niets zo mooi als verliefd zijn. Misschien was dat een deel van de reden waarom hij zo voorzichtig en behoedzaam was bij wat hij zei en vroeg. Hij wilde niets doen om dit te bederven. Hij was per slot van rekening geen politieman meer. En dat, een feit dat hij soms vervloekte, kon in dit geval een enorm voordeel zijn, want daarom was hij niet verplicht, zoals hij dat ooit weleens zou zijn geweest, om alles wat hij wist door te geven aan de vreemdelingenpolitie.

Maar toch, hoe minder hij wist over de omstandigheden van deze twee hoe beter. In veel opzichten had hij daar niets mee te maken. Konden ze hem helpen bij het achterhalen van de identiteit van de jonge vrouw in de grafkelder? Dat was het enige waar het hem om ging.

'Ik wil me niet al te veel met uw omstandigheden bemoeien,' zei hij voorzichtig. 'Ik ben geen politieman meer. Ik ben niets. Ik ben niet meer dan een doodgewone gepensioneerde.'

Colin Jones viel hem in de rede. 'Hoor eens, ik ben nu hard aan een echte borrel toe.' Hij keek naar Vladlena. 'Mag ik een borrel, schat?'

'Natuurlijk.' Het verraste Wexford dat ze daar zo gemakkelijk in toestemde. 'En neem er ook een mee voor onze gast. Wat hij ook zegt.'

Zodra hij weg was, viste ze een kaartje uit de zak van haar spijkerbroek, krabbelde daar iets op en overhandigde het snel aan Wexford. Een paar seconden voordat haar man weer binnenkwam, las hij wat erop stond: *Sainsbury's 12:45.*

Wexford was geen whisky meer gewend, maar hij nam gehoorzaam een slokje en schrok een beetje van de manier waarop de drank onmiddellijk naar zijn hoofd steeg. Hij had een hand in zijn broekzak gestoken en hield die om Vladlena's kaartje geklemd. Ze praatten nog wat over koetjes en kalfjes: over het weer, dat zo vroeg in de herfst eigenlijk nog helemaal niet zo koud hoorde te zijn, en over hoe prettig het was om zo dicht bij Clapham Common te wonen en over de uitstekende plaatselijke winkels, en terwijl ze het daarover hadden, wierp Vladlena Wexford snel een veelbetekenende blik toe. En toen kwamen ze op iets belangrijks: het kind dat Vladlena in april verwachtte.

Om tien voor twaalf nam hij afscheid. Terwijl hij in de richting van Balham liep, vroeg hij naar Sainsbury's en kreeg te horen dat die hier nog geen honderd meter vandaan zat. Waarom had ze daar met hem afgesproken zonder dat haar man ervan mocht weten? Niet omdat ze van plan was om Colin op de een of andere manier te bedriegen, dacht hij. De liefde die hij tussen die twee had gezien, was echt. Waarschijnlijk wilde ze niet dat Colin betrokken zou raken bij verdere problemen die zouden kunnen voortkomen uit haar onthullingen.

Hij stapte een café binnen en vroeg om zwarte koffie. De whisky zinderde door zijn hoofd op een manier die beslist niet onprettig was, maar waar hij nu wel snel vanaf wilde. Hij probeerde zich te herinneren hoe lang je in het land gewoond moest hebben voordat je genaturaliseerd kon worden. Je moest minstens drie jaar in het Verenigd Koninkrijk woonachtig zijn voorafgaand aan het moment waarop je een aanvraag deed, en in die tijd niet meer dan ruim tweehonderd dagen in het buitenland hebben doorgebracht – hij kon zich niet precies herinneren hoeveel precies – en, dit was de crux, gedurende die drie jaar mocht je op geen enkele manier de immigratiewetgeving overtreden hebben. Je zou echter kunnen zeggen dat Vladlena de afgelopen periode elke dag weer de wet had overtreden. Nou, dat was het dan. Maar via hem zou de vreemdelingenpolitie daar niet achter komen. Hij was geen politieman, dacht hij, en hij moest bijna hardop lachen. Zou het voor de baby wat uitmaken? Hij meende zich te herinneren dat de nationaliteit van de moeder bepalend was voor de nationaliteit van het kind, maar misschien lag dat anders als de moeder met een Brits staatsburger was getrouwd. Wat er ook zou gebeuren, dat huwelijk kon niet ongedaan gemaakt worden. Hij rekende zijn koffie af, liep het café uit en ging op weg naar Sainsbury's.

Het was een heel grote winkel, maar hij zag haar al van grote afstand, terwijl ze langzaam met een leeg karretje tussen de schappen met ontbijtgranen en brood door liep. Ze had een zwart leren jack aan, en hij vroeg zich af of dat het jack was waarin Mildred haar had gezien toen ze Vladlena in Oxford Street had herkend. Ze glimlachte en hief haar hand een eindje op.

'Ik heb mijn man hier niet over verteld,' zei ze, met die typisch Oost-Europese tongval van haar. 'Ik wil hem niet kwetsen. Ik wil niet dat hij weet wat ik van plan was. Ik heb het nooit gedaan, maar ik was het wel van plan.'

'Volgens mij weet ik wel waar u het over hebt,' zei Wexford. 'Sophie Baird heeft het me verteld.'

Ze knikte. 'Ja, maar het is er nooit van gekomen. Ik was weggegaan bij mevrouw Kataev en ik had die kamer gehuurd waarover ik u verteld heb. Ik had mijn spaargeld, maar dat was bijna op en ik dacht dat ik zou moeten doen wat Grigori me had gevraagd.'

'U had zijn telefoonnummer?'

'Ik belde hem en hij zei tegen me dat ik naar een huis moest komen. Hij zou me ontmoeten in het huis. Het is in West Hampstead. Begrijpt u?'

De massagesalon, dacht Wexford. Die massagesalon met die belachelijke naam, Elfland, niet ver van Chilvers, Clary Architecten. 'In Finchley Road?'

'O nee. Dit was in een huis niet ver van West Hampstead Station. Ik kwam met de metro vanuit Baker Street naar West Hampstead, en het huis lag vlak bij het station.' Vladlena aarzelde, en tuurde naar de pakken muesli op de bovenste plank. 'Ik heb het mijn man nooit verteld,' zei ze. 'Ik heb het nooit gedaan, maar hij mag niet weten dat ik er zelfs maar over gedacht heb.'

'Vladlena,' zei hij. 'Ik denk niet dat ik je man ooit nog zal spreken. Maar als ik hem nog eens ontmoet, zal ik hem niet vertellen wat wij hier besproken hebben.'

Ze glimlachte, zodat haar prachtige witte tanden zichtbaar werden. 'Kijk naar mijn tanden. Mijn man heeft de tandarts betaald. Hij is zo goed voor me. Mijn zus en ik, wij hadden toen we hier kwamen allebei slechte tanden, en dat deed veel pijn.'

'Je zus...' – Wexford moest even denken – '... Alyona?'

Ze leek verbaasd. 'Kent u haar?'

'Ik weet alleen maar wat ik van Irina Kataev heb gehoord. Dat je haar voor het laatst hebt gezien in een woonwagen in Dover. Hoe lang geleden was dat? Drie jaar geleden? Vier?'

'Ik heb haar twee jaar geleden weer gezien. Misschien iets langer geleden, in de zomer.' De glimlach was nu volledig weggestorven en er lag een trieste uitdrukking op haar gezicht. 'Ik zag haar dat huis binnengaan, waarover ik u verteld heb. Ik stond daarbuiten omdat ik... báng was. Ik was báng.' Haar accent was in de loop van het gesprek zwaarder geworden. 'Ik keek omhoog, naar de ramen, en ik dacht, waar moet ik nou naartoe? En toen zag ik haar. Ik zag Alyona.'

'Voor het raam van een huis in West Hampstead?'

Vladlena knikte. 'Laten we even doorlopen.' Ze duwde het karretje over het gangpad, sloeg links af en toen rechts af, zodat ze nu tussen de koffie, thee en suiker liepen.

'Als ik lang blijf staan, word ik altijd bang dat er mensen naar me kijken.'

'Wat gebeurde er toen je je zus zag?'

'Eerst dacht ik dat ik naar boven moest gaan om haar te zoeken, maar toen snapte ik wat voor een huis dat was. Sophie en David vertelden me waar die mensen Alyona mee naartoe hadden genomen, en mij ook, als ik dat had toegelaten. Gregory heeft het me ook verteld. Dus keek ik naar haar en ik maakte gebaren. Zoals dit.' Vladlena wenkte met haar rechterhand, en toen met beide handen in een gebaar dat iets smekends had. 'Dat deed ik, en met mijn mond deed ik zó, maar zonder geluid.' Met haar mond vormde ze de woorden: 'Kom hier. Kom naar mij toe.'

En hardop zei ze tegen Wexford: 'Ik heb niet aangebeld, ik ben niet naar binnen gegaan. Ik vond een bankje niet ver daarvandaan, en daar ben ik gaan zitten wachten tot Alyona naar buiten kwam. Ik heb daar heel lang gezeten. Ik wachtte. Ik keek omhoog naar het raam, maar ze was weg. Ik bleef zitten tot tien uur 's avonds, tot elf uur. Er kwamen mannen. Ze belden aan en werden binnengelaten, dus toen wist ik zeker wat voor een huis het was. Toen kwam er een man naar me toe. Hij sprak me aan en hij vroeg of ik... u weet wel. Ik zei nee, maar toen kwam er nog een man, en ik werd bang. Ik heb de metro genomen en ben teruggegaan naar mijn kamer.'

'Ben je daar ooit nog geweest?'

'Ja, ik ben er nog weleens geweest. Ik heb omhoog gekeken naar het raam, en ik heb gewacht, maar Alyona heb ik nooit meer gezien. Op een dag heb ik aangebeld omdat ik dacht dat ze misschien zou opendoen. Maar er kwam een man aan de deur, die vroeg wat ik wilde, maar dat durfde ik niet te zeggen en toen ben ik weer weggegaan. U moet begrijpen dat ik te bang was om naar Alyona te vragen, en dat ik ook te bang was om naar de politie te gaan. Voor de politie ben ik altijd bang.'

'Je hebt haar nooit meer gezien?'

'Nee, nooit meer. Ik maak me zorgen om haar. Ik denk de hele tijd aan haar, maar ik weet dat het geen zin heeft. Ik kan niets doen. En op een dag liep ik van Baker Street Station terug naar Lisson Grove, en toen kwam ik Colin tegen, en hij was zo aardig voor me en... Nou, u weet wat er toen gebeurde.'

'Wil je me dat huis aanwijzen?' vroeg Wexford. 'Ik bedoel het huis waar je je zus voor het laatst hebt gezien.'

Ze liep met haar wagentje in de richting van de kassa's. 'Ik wil niet dat Colin het te weten komt. Hij zou kunnen vragen waarom ik daarnaartoe ben gegaan, en dan zou hij weten wat ik van plan ben geweest.' Ze liet een korte stilte vallen, en toen legde ze de spullen uit haar karretje op de lopende band. 'Morgen is hij de hele dag op zijn werk.' Ze draaide zich naar Wexford toe en keek hem recht in de ogen. 'Ik hou van mijn man,' zei ze. 'Hij is een engel voor me geweest. Maar als we te weten kunnen komen wat er met Alyona is gebeurd...'

'Daar hoop ik wel achter te komen.' Wexford voelde de neiging om te zuchten, maar hij hield zich in. 'Ik haal je morgenochtend om negen uur op. Is dat goed?' Ze knikte, zij het met enige tegenzin. 'Tot morgen dan,' zei hij, en hij liep weg.

Het zilveren kruisje op die grijze sweater... Dat had hij eigenlijk liever niet opgemerkt. Eigenlijk wilde hij dat hij wat minder opmerkzaam was, of een wat minder goed geheugen had. Maar in elk geval zou hij haar niet hoeven meenemen naar een plek die haar de stuipen op het lijf zou jagen, en waar ze misschien zelfs niet naartoe zou willen gaan... naar een politiebureau. Ze zou niet naar die vernederende kledingstukken hoeven kijken, die alleen maar bedoeld waren om pornografische effecten te bereiken. Zelfs een DNA-onderzoek zou vermoedelijk niet nodig zijn, al wist hij dat daar niet aan te ontkomen viel, want toen hij dat zilveren kruisje zag, had hij al geweten dat het meisje in de grafkelder Alyona was.

28

Donaldson had hem altijd overal naartoe gereden; en zo nu en dan had hij ook zelf wel gereden. Hij had nooit hoeven lopen of met het openbaar vervoer hoeven gaan. Geen wonder dat hij toen zo zwaar was geweest, zo enorm zwaar dat zelfs het van zijn menu schrappen van cashewnoten en andere heerlijkheden maar weinig had uitgemaakt. Daarom kwam hij nu voor een keuze te staan die hij nooit eerder had hoeven maken. Zou hij Vladlena gaan ophalen met zijn eigen auto, zodat hij zich door het ongetwijfeld afschuwelijke spitsverkeer van het zuidelijke deel van Londen heen zou moeten worstelen, of zou hij de metro nemen naar Clapham? Dan zou hij met de Northern Line moeten gaan, die hij niet kende, maar waarover hij angstaanjagende verhalen had gehoord. Alle metroreizigers hadden hun eigen horrorverhalen over de Northern Line. Een van Toms uitweidingen had betrekking gehad op die keer dat hij tussen Mornington Crescent en Camden Town drie kwartier had vastgezeten in een metrowagon, omringd door steeds meer in paniek rakende medepassagiers.

Misschien was het dat verhaal dat hem deed besluiten om de auto te nemen, al kwam daar natuurlijk bij dat hij een man was, en mannen nemen bijna altijd de auto. Vrouwen doen dat minder vaak, en nemen eventueel ook weleens een taxi, als ze zich dat kunnen veroorloven. Zou dat een nieuwe Wet van Wexford kunnen worden? Dat zou dan inmiddels de zeventiende of achttiende zijn. Een van de problemen die deze autorit met zich meebracht, was dat hij niet goed wist hoe laat hij de deur uit moest, en toen hij kort na halfacht klaarstond om te vertrekken ging plotseling de telefoon, op de vaste lijn. Het was Sylvia, die vertelde dat ze een bod op haar huis had gekregen.

'Je moeder slaapt nog.'

'Ja, misschien wel, maar dit wil ze ongetwijfeld weten, pa. Ik beloof je dat ze het niet erg vindt als je haar wakker maakt. Kun je haar niet wakker maken?'

'Dat kan ik wel, maar dat doe ik niet. Bel over een uurtje nog maar eens. Gefeliciteerd trouwens, heel fijn voor je.' Maar ik vind het nog veel fijner dat ik binnenkort mijn eigen huis weer terug heb, dacht hij.

Het kostte hem minder tijd dan de anderhalf uur die hij ervoor had uitgetrokken. Hij parkeerde aan de overkant van de straat tegenover haar huis, als de chauffeur van een huurauto die nadrukkelijk wat te vroeg komt. Maar er zat een gele streep langs de trottoirband en daarom moest hij wegrijden toen een parkeerwachter met een dreigend gezicht naar zijn auto toe kwam lopen. Langzaam een blokje om rijden dan maar, terwijl er door andere automobilisten ongeduldig naar hem getoeterd werd, en terug naar zijn uitverkoren plekje, waar hij nog net op tijd weer aankwam om te zien hoe de parkeerwachter de hoek om liep. Terwijl hij opnieuw parkeerde, drong het tot hem door dat het ontlopen van parkeerwachters en het overtreden van parkeerverboden iets was wat hij nog nooit eerder had gedaan. Met die kleine strubbelingen had Donaldson zich altijd beziggehouden, of zijn brigadier, als zij reed.

Hij was Colin Jones volkomen vergeten en hij schrok dan ook een beetje toen hij Vladlena's man om tien voor negen met een koffertje naar buiten zag komen en zag weglopen in de richting van het dichtstbijzijnde metrostation. Als hij daarnet meteen had aangebeld... Maar dat had hij niet gedaan, dus er was niets aan de hand.

Ze had zijn auto zien staan en net toen hij aanstalten maakte om de weg over te steken, kwam ze de deur uit. Het eerste wat hem aan haar opviel, was dat zilveren kruisje. Het leek te glinsteren in het ochtendlicht. Ze had zich mooi aangekleed, in een mantelpakje en een gestreepte blouse, alsof ze een belangrijke afspraak had, terwijl ze hem toch alleen maar ging helpen om een bordeel te vinden.

'Het is niet goed om mijn man om de tuin te leiden,' zei ze toen ze instapte. 'Wat er ook gebeurt, naderhand zal ik het hem vertellen. Ik doe toch niets mis?'

'Zeker niet,' zei Wexford. 'Integendeel zelfs. Je doet iets goeds.'

Opnieuw een lange rit. 'Dat huis,' begon hij, 'was het oud... een jaar of honderd of zo, of was het nieuwer?' Terwijl hij dat vroeg, realiseerde hij zich dat ze dat waarschijnlijk niet zou weten. 'Lijkt het daarop...' Hij wees naar een huis. 'Of lijkt het daarop?'

Ze koos een vrijstaand huis uit de laatvictoriaanse periode, een tamelijk groot huis, waarin tegenwoordig een tandartspraktijk was gevestigd. 'Zoiets, daar lijkt het wel op,' zei ze met dat zangerige Oost-Europese accent van haar. 'Het is er meer dan één.'

'Meer dan één?'

'Meer dan één van die huizen. Naast elkaar, maar niet aan elkaar vast. Bij de volgende straat moet u linksaf.'

Dus het huis stond niet aan West End Lane, een vrij bochtige straat die nu heuvelopwaarts en dan weer heuvelafwaarts ging, maar in een zijstraat. Hij ging linksaf, Churchlands Road in. Overal stonden vrijstaande en halfvrijstaande huizen uit de victoriaanse en edwardiaanse periode. Niet de overdadige slagroomtaarten die hij zo bewonderde, maar uit stevige baksteen opgetrokken huizen, waarvan een groot deel inmiddels was opgesplitst in appartementen. Nergens was een parkeerplaats vrij, en terwijl hij West Hampstead Station passeerde, drong het langzaam tot hem door hoeveel verstandiger het zou zijn geweest om de metro te nemen. Opnieuw linksaf, rechtsaf en West End Lane weer op, en toen drong eindelijk tot hem door wat hij moest doen. Je bent geen politieman meer – het begon een mantra te worden – hield hij zich voor, terwijl hij de auto op een plek parkeerde waar dat niet was toegestaan. Het druiste in tegen alles waar hij voor stond, maar toch was het eigenlijk geen misdrijf... Samen met Vladlena liep hij de heuvel weer op en Churchlands Road in. Ze zei niets. Hij zag dat ze haar handen tot vuisten had gebald. Om te voorkomen dat die zouden gaan trillen? Er stonden drie huizen, nummer 6, 8 en 10, die niet precies hetzelfde waren maar alleen in detail van elkaar verschilden: één van de huizen had een portiek met zuilen, het andere een erker op de benedenverdieping en het derde een garage links van het huis.

'Die,' zei Vladlena. 'Het middelste. Nummer 8. Het raam boven de voordeur, daar heb ik Alyona gezien.' Alle kleur was uit haar gezicht verdwenen. 'Nu zijn de jaloezieën neergelaten, maar toen waren ze opgetrokken en ik zag haar gezicht.'

'Hier, geef me een arm,' zei hij. 'Dan gaan we even ergens een kop koffie drinken.'

Ze leunde op hem en hij nam zichzelf nu ernstig kwalijk dat hij haar had meegenomen. Ze had hem het huis ook kunnen beschrijven, en ze had het trouwens al heel goed beschreven. In het kleine cafeetje bracht een *latte* weer wat kleur op haar gezicht.

'Het spijt me. Ik ben stom.'

'Nee, je hoeft er niet meer naartoe. Ik bel een taxi, en die kan je naar huis brengen.' Hij zou het wel betalen van het taxiabonnement dat Dora in een verkwistende bui had genomen. Hij moest haar eerst bellen, omdat hij het abonneenummer was vergeten.

'Ik kan ook de metro nemen,' zei Vladlena.

'Nee, daar komt niets van in.' Het nummer bleek Dora's geboortedatum te zijn: dag, maand en jaar. 'Over een kwartiertje komt er een taxi en die brengt je naar huis.'

'Ik ging op een bankje zitten voor die huizen. Van hieruit is het nog net te zien. Er kwamen mensen het metrostation uit en die liepen langs me heen, en een man probeerde... Nou, dat weet u wel. Ik weet niet of Alyona me kon zien. Iemand had de jaloezieën omlaag getrokken. Ik had moeten blijven, maar toen er weer een man naar me toe kwam, werd ik bang en ben ik weggegaan. De volgende dag ben ik teruggekomen, en de dag daarop ook, maar volgens mij is ze daar weggehaald en hebben ze haar ergens verborgen.'

Wexford zette haar in de taxi. Hij herinnerde zich zijn auto, die nog steeds geparkeerd stond op een plek waar dat verboden was en een gemakkelijk doelwit vormde voor de eerste de beste parkeerwachter, maar die gedachte was al snel weer verdwenen. Zonder Vladlena voelde hij zich vrij en sterk. Wat hem ook te wachten stond, in elk geval hoefde hij nu geen rekening te houden met haar veiligheid. Aan de overkant van de straat, duwde een postbode zijn felrode karretje langzaam de heuvel op. Hij liep de smalle tuin van nummer 10 in, trok het rode elastiek van een handvol post, liet het op het trottoir vallen en schoof een envelop in de brievenbus, die halverwege bleef steken. Kennelijk had de postbode niets voor nummer 8, maar wel een pakketje voor nummer 6. Dat pakketje bleef eveneens half in de brievenbus steken.

Wexford stak de straat over. Nummer 8 had maar één bel. De installatie zag eruit als een intercom, maar toen hij op de knop drukte, klonk er een kreunend geluid en sprong de deur open. Daarachter lag een gang, precies het soort gang dat je zou verwachten in een dure artsenpraktijk in Harley Street. Geen rood pluche, geen verguld hout, geen kandelaar, maar witte muren, donkergroen tapijt en een lange gepolitoerde tafel met twee tijdschriften erop: een nummer van *Country Life* en een van *Vogue*. Een trap met een donkergroene loper en een lift. Hij stond zich net af te vragen wat hij nu zou doen, de trap op lopen of de lift nemen – maar waar zou hij dan terechtkomen? – toen er een deur openging met PRIVÉ erop en een kleine, wat dikkige man de hal in kwam, gevolgd door een heel magere vrouw in een zwarte jurk.

Wexford zag onmiddellijk dat het Trevor Oswin was, maar de man leek hem niet te herkennen. Zelfs op twee meter afstand was de tabakswalm die er om het mannetje heen hing goed te ruiken. 'Het is nog wat vroeg, m'neer,' zei hij. 'Ik weet niet of er al een jongedame beschikbaar is. Had u iemand in gedachten?'

'Alyona,' zei Wexford.

'Dat spijt me zeer, maar kennelijk bent u al een hele tijd niet geweest. Alyona is al heel lang bij ons weg.'

'Ik kan even kijken of Tanja vrij is,' zei de vrouw.

'Dank u wel, maar dan kom ik later nog weleens.'

Had Trevor geweten wie hij was? Wexford dacht van niet. Hij liep terug naar de straat. Het pakketje dat vastzat in de brievenbus van het huis ernaast, het huis met de erker, nummer 6, gaf aan dat er niemand thuis was, en dat gold ook voor de brief die was blijven steken in de brievenbus van nummer 10. Dat laatste huis was zeer goed onderhouden, de gele baksteen was kort geleden opnieuw gevoegd, de kozijnen zaten goed in de verf en de voordeur was lichtgroen geschilderd. De koperen brievenbus was net een blinkende mond en de brief die eruit hing, leek wel een tong.

Dat het huis ernaast een bordeel was, vormde geen reden om aan te nemen dat dit huis daar iets mee te maken had. Het leek in niets op wat vroeger een 'huis van slechte reputatie' werd genoemd. Ook dit huis was kortgeleden geschilderd, al was de eveneens van een koperen brievenbus voorziene voordeur niet groen maar donkerblauw. Dat was het gemeenschappelijke element, dacht Wexford. Het hoefde niet per se zo te zijn, maar de kans bestond dat nummer 8 en nummer 10 dezelfde eigenaar hadden. Aan het aantal deurbellen naast de voordeur kon hij zien dat het huis aan de andere kant, nummer 6, het huis met de zuiltjes aan weerzijden van de voordeur, was opgesplitst in éénkamerappartementen. Als de huurders al weet hadden van het bedrijf dat ernaast werd uitgeoefend, zouden ze er waarschijnlijk weinig bezwaar tegen hebben om naast een bordeel te wonen. Hij liep door de tuin van nummer 10 naar de voordeur, en keek toen snel naar rechts en naar links. Er was niemand op straat, niemand die aan deze kant van de straat de heuvel op liep, en aan de andere kant van de weg was alleen maar een man die zonder op- of om te kijken een koffer met wieltjes voorttrok en het metrostation probeerde te bereiken.

Wexford probeerde de enveloppe uit de brievenbus te trekken. Hij bleef ergens haken en scheurde, maar niet zover dat de in blokletters geschreven naam en het adres niet meer zichtbaar waren. *Dhr. D. Keyworth*, las hij. Langzaam duwde hij de brief weer in de brievenbus. Deze keer ging die er wel doorheen, en hij hoorde een zachte plof toen hij op de mat viel.

Naderhand, toen het allemaal voorbij was, vond hij dat hij een paar dingen niet goed had aangepakt. Hij had zichzelf – op belachelijke wijze – in een gevaarlijke positie gemanoeuvreerd. Hij had meteen naar Tom Ede moeten stappen, en Lucy of Miles moeten vragen om met hem mee te gaan naar Hendon (of liever gezegd: hij had Tom moeten vragen of hij met Lucy of Miles mee mocht lopen), maar hij was bang geweest voor een vernederende weigering. Hij was met zijn gedachten echter vooral gericht op de klacht die die nare ouwe Mildred had ingediend tegen Lucy, en indirect ook tegen hem.

En dus ging hij Louise Fortescue in zijn eentje opzoeken. Maar eerst ging hij zijn auto halen. Het leek wel een wonder, maar er zat geen parkeerbon onder zijn ruitenwisser, en al evenmin zo'n afschuwelijke gele klem om een van de wielen. Hij reed via Hendon Way en Watford Way. Er was een parkeerverbod voor het kantoor van K,K & L Ltd Below Surface Home Extensions, maar een die geen grote problemen opleverde; je mocht je auto een uur laten staan op het kleine parkeerterreintje voor de winkels. Het was bijna drie maanden geleden sinds hij Louise Fortescue had gesproken, maar hij kon wel zien dat die inmiddels een heel ander mens was. Haar zwarte broekpak had plaatsgemaakt voor een strak kokerrokje, een al even strakke witte trui en schoenen met hoge hakken, maar wat hem nog het meest opviel, was de verlovingsring aan haar linkerhand.

'Het was nogal een ellendige toestand toen u hier de vorige keer was,' zei ze.

'Het leven is tegenwoordig zeker wat vriendelijker voor u?'

'O, jazeker. Zaterdag ga ik trouwen.'

Wexford feliciteerde haar. Hij legde uit dat hij geen politieman meer was, en dat ze dus geen antwoord hoefde te geven op zijn vragen als ze dat niet wilde.

'Als het over Damian Keyworth gaat,' zei ze, 'moet u wel weten dat ik alleen maar voor hem ben blijven werken omdat ik het geld nodig had. Dit is mijn laatste week hier, en ik sta gewoon te trappelen om hier weg te gaan. Niet dat hij er vaak is trouwens. Wat heeft hij gedaan?'

'Ik weet het niet, mevrouw Fortescue. Iets ernstigs, denk ik. Meer kan ik u in dit stadium niet vertellen.'

'Goed, maakt niet uit. Godzijdank gaan er soms hele weken voorbij dat ik hem niet zie.' Ze haalde eens diep adem. 'Waarom gaat u niet zitten? Ik ga ook even zitten.'

'U zei dat u bij Damian Keyworth was ingetrokken, maar dat u na een week uw verloving hebt verbroken en bij hem bent weggegaan. Zou u me daar wat meer over willen vertellen?'

Er stonden maar twee stoelen in het piepkleine vertrek. Louise Fortescue ging aan haar bureau zitten en toen ze begon te praten, viel het Wexford op dat haar gezicht ineens heel wat meer kleur kreeg. 'Dat zou ik helemaal niet erg vinden. Dat zou ik zelfs met alle genoegen doen. Ik heb niets te verbergen. Het was zo... Nou, het was echt schandalig. We konden goed met elkaar overweg en ik woonde daar pas, dus ik had twee dagen vrij genomen om een beetje te settelen. Het was vrijdag en hij was net thuis van het werk. Om een uur of zes werd er aangebeld en op de voordeur geklopt, en toen weer aangebeld, alsof er iemand aan de deur was die volslagen in paniek was. Ik liep naar de deur en Damian kwam achter me aan. Er stond een meisje voor de deur, een heel jong kind, blond, en wel aantrekkelijk, veronderstel ik. Ze had afschuwelijke kleren aan, een heel kort minirokje, een leren jack en... nou u kunt het zich wel voorstellen.'

'Meneer Keyworth heeft haar gezien?'

'O, jazeker. En hij kende haar ook. Het was wel duidelijk wat er aan de hand was. Hij zei geen woord tegen me, maar liep met haar naar de woonkamer en ik ben naar boven gegaan en heb ze maar laten doen wat ze kennelijk niet laten konden. Het begon al donker te worden, maar het was nog niet zo donker dat ik niet kon zien hoe die twee het huis uit liepen en in de auto stapten. Een hele tijd later kwam hij in zijn eentje weer terug en probeerde het uit te leggen. Hij zei dat het zijn vriendinnetje was geweest, dat ze dat eigenlijk nog steeds was. Hij had geprobeerd het uit te maken, en dat had hij al moeten doen voordat ik bij hem kwam wonen. Ik hield nog steeds van hem, maar dat was meer dan ik kon verdragen. Ik heb mijn spullen gepakt, een taxi gebeld en ben ervandoor gegaan. Hij heeft echt geprobeerd om het weer goed te maken. Hij ging maar door en door, en toen hij zag dat het geen zin had, vroeg hij of ik voor hem wilde blijven werken. Dus uiteindelijk zei ik dat ik wel zou blijven, maar dat het verder echt uit was tussen ons. Eigenlijk zien we elkaar tegenwoordig nauwelijks meer. Ik run het bedrijf, voor zover daar nog iets van over is, en ik bel met hem. Dat is het wel zo'n beetje.'

'Meneer Keyworth heeft dus niet veel te doen?'

'Bijna niets. Ik weet niet waarom hij het bedrijf nog gaande houdt, tenzij het een dekmantel vormt voor iets anders. Voor zover ik weet – en ik zou het toch moeten weten – heeft hij geen vervangster voor me aangenomen.' Ze gaf een zelfvoldaan knikje. 'O, en dan is er nog iets,' zei ze. 'Ik weet niet of het belangrijk is, en misschien heeft het niets te betekenen, maar die dag, het was in augustus, hing er een meisje rond voor het huis ernaast, en de dag daarvoor had ze er ook al rondgehangen. Er staat een bankje op het trottoir tegenover het huis, en daar is ze gaan zitten. Ik stond naar haar te kijken en vroeg me af wat er aan de hand was. Ze was verdwenen voordat dat andere meisje bij ons aan de deur kwam. Het zal wel niet belangrijk zijn geweest, toch?'

'Misschien is het wel belangrijk geweest,' zei Wexford. 'U wordt vriendelijk bedankt, mevrouw Fortescue.' Hij keek snel even naar de ring. 'Ik hoop dat u heel gelukkig wordt.'

29

Het was dom en overmoedig, maar toch ging hij weer terug. Dat deed hij omdat hij uitging van bepaalde veronderstellingen: dat Tom Ede liever zou willen dat hij uit de buurt bleef terwijl het onderzoek naar Mildred Jones' klacht werd uitgevoerd; dat de mannen die het bordeel in het huis met de erker dreven niet gevaarlijk waren; dat Louise Fortescue Damian Keyworth niet over hun gesprek zou vertellen. Maar waarom zou ze daar haar mond over houden? Uit wraakzucht kon ze hem dat best toevertrouwd hebben, ongetwijfeld tijdens een telefoongesprek. Wexford kon haar bijna horen. 'Ik weet niet wat je hebt uitgespookt, maar je kunt maar beter op je tellen passen. De politie heeft belangstelling voor je activiteiten, wat die ook mogen zijn.'

Voordat hij op weg ging, praatte hij met Dora over het bod dat Sylvia op haar huis had gekregen. Ze had al bijna besloten om erop in te gaan, zelfs al was het minder dan de vraagprijs.

'Ik heb haar gezegd dat ze tegenwoordig echt niet anders kan verwachten,' zei Dora. 'En ze neigt ertoe om ja te zeggen. Ik vraag me af of ik het haar niet beter had kunnen afraden, want dan zou ze er waarschijnlijk onmiddellijk op ingaan.'

Wexford lachte, maar intussen dacht hij peinzend over wat jonge, arme vrouwen uit de Kaukasus allemaal moesten doen om aan geld te komen. 'Ik denk dat ik hier snel klaar ben,' zei hij. 'Terwijl Sylvia verhuist, kunnen wij misschien wel even met vakantie gaan. Ergens waar het warm is misschien? Denk er eens over na.'

Hij dacht aan de vakantiereizen die meneer en mevrouw Rokeby hadden gemaakt. Die tocht van Thailand via Vietnam naar China was de vakantie waar het in deze zaak om ging, dacht hij. De deur in de achtermuur was toen zes weken lang vergrendeld geweest, en daarna nog twee weken lang, totdat de glazenwasser kwam en er niet in kon. Dat was in de zomer van 2008 geweest. Toen het echtpaar op bezoek was bij de moeder van mevrouw in Wales. Het lijk van Alyona was in de kelder gedumpt. Omdat hij van plan was om te doen wat Teddy Brex niet gelukt was, of waar hij niet aan toe was gekomen, was de dader teruggekomen met materiaal om het stortgat dicht te maken. Maar tegen die tijd was de deur vergrendeld geweest.

Waarschijnlijk was de dader nog weleens teruggekomen. Misschien wel een paar keer. Maar acht weken lang had de grendel erop gezeten, en toen de Rokeby's weer terug waren en de deur open was, was de kans verkeken. Je kunt nou eenmaal geen bouwwerkzaamheden uitvoeren op een achterplaats, zonder dat de bewoners dat in de gaten krijgen. Zelfs niet 's nachts.

Het was zondagavond en het was koud geworden. De kleine Sint-Lucaszomer, een korte periode waarin de zomer lijkt terug te keren rond de naamdag van de heilige Lucas op 16 oktober, was alweer voorbij, en het was klam en koud. De blauwe lucht ging nu schuil achter een dikke laag wolken. Nadat hij een donkerbruin gevoerd jack had aangetrokken, dat hem helemaal niet beviel maar waarvan hij wel moest toegeven dat het warm was, besloot hij dat hij nu wel genoeg had gelopen en nam de auto. Hij verwachtte in het weekend geen parkeerproblemen, want de doordeweekse parkeerverboden waren dan niet geldig. Toch was het lang niet zo gemakkelijk als hij had verwacht. Hoewel het nog maar net acht uur was geweest en het nog steeds zomertijd was, was het al heel donker. Hij durfde niet goed op West End Lane zelf te parkeren en reed daarom moeizaam heen en weer door de zijstraten om ergens een parkeerplaats te vinden. De straten slingerden zich over de heuvelhellingen. Hier en daar waren bedrijven gevestigd – een benzinestation, een café met een leeg terras en een met schijnwerpers verlicht, uit gele baksteen opgetrokken kapelletje, dat volgens een bord aan de gevel THE UNITED FREE CHURCH heette – maar alle parkeerplaatsen waren bezet. Toen vond hij er eindelijk een, een heel eind van West End Lane, in een heel lange straat die heuvelafwaarts liep, in de richting van Kilburn.

Hoewel Wexford het gevoel had dat hij Damian Keyworth inmiddels heel goed kende, en zelfs een karakterschets van hem had kunnen opstellen, hadden de twee mannen elkaar nog nooit ontmoet, en het was heel goed mogelijk dat de man, zodra hij eenmaal wist dat Wexford geen politieman meer was en niet meer dan een 'deskundig adviseur', de deur in zijn gezicht zou dichtslaan. Daar stond tegenover dat Keyworth wel zou begrijpen dat de man die bij hem op de stoep stond nauwe banden had met de politie, en er op elk gewenst moment voor kon zorgen dat de politie bij hem zou aanbellen – was dat trouwens echt zo? – en dat Keyworth waarschijnlijk ook wel zou weten dat Wexford niet lang geleden bij Trevor Oswin in het huis ernaast op bezoek was geweest.

Hij stond al bijna in West End Lane voordat het tot hem doordrong dat niemand wist waar hij zich nu bevond. Erger nog, op Vladlena na wist niemand wat er zich afspeelde in het huis met de zuilen. En zou Vladlena dat ooit onthullen? Hij had het moeten melden. Zonder verder nog te aarzelen haalde hij zijn mobieltje tevoorschijn en toetste Toms nummer in. Hij werd vrijwel onmiddellijk doorverbonden met de voicemail. Maar in elk geval kon hij nu een bericht inspreken. En wat Dora betrof: die was te zeer gewend aan het leven met een hoofdinspecteur van politie om te vragen waar hij naartoe ging of waar hij op dat moment mee bezig was. Nu hij erover nadacht, zijn baan had eigenlijk een vrijbrief gevormd voor overspel, en hij had ook wel een keer of twee overwogen om daar gebruik van te maken, maar toch had hij dat nooit gedaan.

Toen hij langs het huis van Keyworth was gereden op zoek naar een parkeerplaats, had er geen licht gebrand. Maar nu was de benedenverdieping hel verlicht en in een slaapkamer aan de voorzijde brandde een tafellamp. Hij belde aan. Toen hij een karakterschets van Keyworth opstelde, had hij zich een beeld van de man gevormd, en het verraste hem dat de man stevig gebouwd bleek, met brede schouders, tamelijk gezet en met een grote bos blond haar.

'Waarmee kan ik u van dienst zijn?'

Wexford vroeg of hij even binnen kon komen voor een kort gesprek. Hij had besloten om min of meer de waarheid te spreken en zei dat hij weliswaar geen politieman meer was, maar wel connecties had met de politie. Hij was op zoek naar een vermiste vrouw, de zus van mevrouw Colin Jones uit Clapham. Terwijl hij sprak had hij al in de gaten dat Keyworth wist wat er aan de hand was. Hij wist dat Wexford aan de deur was geweest bij het huis ernaast. Hij wist dat Wexford met Louise Fortescue had gesproken, zowel gisteren als drie maanden geleden.

Keyworth liep voor Wexford uit de gang in en de woonkamer binnen. Zowel de gang als de woonkamer waren ingericht in 'Franse' stijl. De tafel en stoelen waren rijkelijk van ornamenten voorzien, de muren waren behangen met vuurrode zijde en alles had een gouden randje. Het leek veel meer op Wexfords idee van een bordeel dan het echte bordeel in het huis ernaast.

'Ga zitten.'

Ik ben je hondje niet, dacht Wexford. Keyworth was een van die mensen die denken dat je door kortaf te zijn blijk geeft van een krachtige persoonlijkheid, de persoonlijkheid van een man die leiding weet te geven, en niet die van een man die vrouwen uitbuit en aan kinderhandel doet.

'Wat wilt u weten dat u niet al weet?'

Wie A zegt moet ook B zeggen. Dat was een uitdrukking die zijn vader vaak gebruikte, en hier was die wel van toepassing. 'Waarom is Alyona Krasnikova vermoord?'

Hij had gehoopt dat zo'n rechtstreekse benadering zou werken, en werd niet teleurgesteld. 'Ik weet niet waar u het over hebt. U kunt niet van mij verwachten dat ik dat beken. Dat is belachelijk. Waar ziet u me voor aan? Ik ben een beëdigd taxateur.'

Je bent een pooier, dacht Wexford. Maar dat zei hij niet hardop.

'Het huis hiernaast, ik weet wat het is, maar het is daar stil en rustig. Het wordt goed gerund. Meneer en mevrouw Oswin doen dat heel discreet.' Keyworth had over Wexford heen gebogen gestaan, maar ging nu plotseling zitten. 'Bordelen... Eigenlijk is het hoog tijd dat die eens een nieuwe naam krijgen, iets dat wat meer van deze tijd is. Bordelen zijn respectabel aan het worden. Mannen uit alle lagen van de samenleving maken er gebruik van, en dat wordt steeds meer geaccepteerd. Hoe eerder dat tot de politie doordringt, hoe beter.' Wexford hoorde het geduldig aan. 'Maar goed, ik heb daar niets mee te maken. Als dat meisje hier aan de deur is geweest – en dat is jaren geleden, jaren – dan kan dat alleen maar zijn geweest omdat ik ooit seks met haar heb gehad. Nou, dat is toch heel eerlijk van mij?'

'Ik weet waarom ze bij u heeft aangebeld, meneer Keyworth. Ze kende u niet. Als ze u wel had gekend, zou ze juist hard de andere kant op zijn gehold. Dan zou ze zich niet in het hol van de leeuw hebben gewaagd. Ze hoopte bij u een veilig toevluchtsoord te vinden.'

Keyworth gaf zijn draaistoel een zwaai, zodat hij nu naar een wit bureau met gouden randjes gekeerd zat. Hij trok een lade open en zei: 'Ik zou u graag iets willen betalen voor de moeite. U bent niet van de politie. Ik denk niet dat de politie al te veel aandacht aan u besteedt. En erg hoog zal uw pensioen ook wel niet zijn, hè?'

Wexford zei niets. De man was te belachelijk om hem boos te maken. Hij was gewoon benieuwd om te weten hoeveel hem geboden zou worden. Er werd een stukje papier over het bureau geschoven en omhooggehouden. Het was een cheque voor tienduizend pond. Hij keek ernaar, naar het lichtblauwe oppervlak met een patroontje dat aan behang deed denken, het handschrift een onbegrijpelijke krabbel, op de cijfers na, die volkomen duidelijk waren. Hij gaf de cheque terug en zei: 'Gebruik het maar om paspoorten voor die arme meisjes te kopen.' En hij was nog wel een voormalig politieman. Het moest toch niet gekker worden!

Hij liep terug via de route waarlangs hij was gekomen en trok de voordeur open, stak de weg over en ging zitten op het bankje waar Vladlena gezeten had, terwijl hij zich afvroeg waarom dat hier stond en wie het daar had neergezet. Misschien was het alleen maar bedoeld om een rustplaats te bieden aan forensen die uitgeput waren door hun worsteling met het Londense openbaar vervoer voordat ze aan de wandeling naar huis begonnen. Terwijl hij bij Keyworth in huis was, had iemand een witte bestelwagen op een gele lijn voor het huis geparkeerd. Waarom zou dat voor hem een waarschuwing vormen dat er iets onverwachts te gebeuren stond? Deze bestelwagens zag je overal. Er moesten er in Londen duizenden van rondrijden. Het was tijd dat hij zelf ook naar huis ging. Nadat hij had toegekeken hoe een zo te zien uiterst respectabele oudere heer zijn auto afsloot, aanbelde bij het bordeel en onmiddellijk werd binnengelaten, stond hij op. Zijn auto stond verder weg dan hij zich herinnerde. Hij liep langs de auto die de hoerenloper (als dat in dit geval het juiste woord was) zojuist op een dubbele gele streep had geparkeerd, en toen hij langs de witte bestelwagen kwam, bleef hij even staan om naar de kronkelige kras boven het achterwiel te kijken voordat hij door de stille straat verder liep. De huizen waren hel verlicht, maar over het algemeen gingen ze schuil achter heggen of hoge bomen en struiken. Straatlantaarns legden een laagje geel licht op de klamme stenen.

Achter zich hoorde hij voetstappen en hij ging wat dichter bij de weg staan om degene die nu achter hem liep te laten passeren. Het was een jonge vrouw die op hakken van meer dan tien centimeter hoog langs hem heen sprintte. Onder aan de glooiende helling zag hij nu zijn auto staan, altijd een baken van rust en veiligheid, een toevluchtsoord, een middel om overal waar je maar wilde heen te gaan zonder dat je ook maar iets van je privacy hoefde prijs te geven. Hoe ongemakkelijk moest het zijn geweest toen je je moest verlaten op een paard, een rijtuig of een kar. Zonder beschermd te zijn tegen het weer, zonder manier om je vervoermiddel veilig achter te laten tenzij je over een bediende beschikte die je bij het paard kon laten waken, wat weer andere problemen met zich mee zou brengen. Terwijl hij over dergelijke dingen liep te mijmeren en een poging deed om zich in het verleden te verplaatsen, zag hij hoe iemand wegliep van een plek onder de overhangende takken van een boom en haastig om de hoek verdween. Zou de man daar hebben staan schuilen tegen de regen? Maar het had al een uur niet meer geregend. Maar ach, het maakte niet uit. De man was verdwenen.

Wexford ontgrendelde het portier met de afstandsbediening en liep om de auto heen naar de van het trottoir afgekeerde kant. Hij had zijn hand net op het portier gelegd toen hij een zware tabakswalm opsnoof. Hij draaide zich snel om en kreeg daarom het mes in zijn schouder in plaats van in zijn rug. Het voelde als een harde klap, niet als een snijdend gevoel maar als een klap, alsof hij met een zware knuppel was geslagen. Zo moest het ook voor Sylvia zijn geweest, dacht hij, toen ze werd neergestoken zoals ik nu ben neergestoken. De man onder de boom die leek weg te lopen, heeft me neergestoken. Hij schopte en raakte iets zachts, iets diks, maar toen voelde hij de kracht uit zijn benen verdwijnen en terwijl hij in elkaar zakte was de laatste gedachte die door hem heen ging, dat ze wel heel veel belang aan deze kwestie hechtten: tienduizend pond of dit. Toen werd het donker en onder zich voelde hij de vochtige, harde straatstenen.

30

Er was ooit een poging gedaan om hem op te blazen, een vrouw had geprobeerd hem aan te rijden en er waren nog wel andere pogingen gedaan om hem zwaar lichamelijk letsel toe te brengen, maar tot nu toe was hij nog nooit neergestoken, ook al was dat in Groot-Brittannië de meest geliefde manier om mensen te vermoorden. Het had veel erger kunnen zijn, en zou ook veel erger zijn geweest als hij zich niet op het allerlaatste moment had omgedraaid. In de schouder bevinden zich geen vitale organen. Het was kennelijk een heel lang mes geweest. Als hij daarmee in zijn rug was gestoken, tussen de ribben, had het door een long heen kunnen gaan, of door zijn hart. Hij had zijn leven dus niet alleen te danken aan Tom, maar ook aan zijn eigen neus, die tijdig de geur van tabak had opgesnoven.

Na Dora was Tom de eerste die op bezoek kwam. Hij had geen bloemen of druiven meegenomen en daar was Wexford hem dankbaar voor.

'Vertel eens: hoe heb je me zo snel gevonden? Je was er op zijn hoogst tien minuten nadat ik dat berichtje had ingesproken.'

'Ik zat om de hoek,' zei Tom. 'In de kerk.'

Wexford herinnerde zich die frustrerende rit langs de winkels, de garage en het kapelletje. 'De United Free Church?'

'Precies. Daar zit ik altijd op zondagavond.' Tom glimlachte. 'Mijn telefoon ging tijdens een hymne en ik had je bericht bijna niet afgeluisterd. En het zat me niet lekker. Ik weet niet waarom, want jij klonk heel ontspannen.' Hij lachte. 'Iedereen zat me aan te gapen en het waren geen vriendelijke blikken.'

'En ik heb je uit de avonddienst gehaald.'

'Ach,' zei Tom, 'hoe heiliger de dag, hoe heiliger de daad.'

Hij vertelde Wexford dat er een inval was gedaan in het huis aan Churchlands Road en dat Trevor Oswin, zijn vrouw en Damian Keyworth waren gearresteerd en in staat van beschuldiging waren gesteld wegens het drijven van een bordeel, mensenhandel en wederrechtelijke vrijheidsberoving. Zodra het Openbaar Ministerie de zaak rond had, zou Oswin ook in staat van beschuldiging worden gesteld wegens de moord op Alyona Krasnikova.

'En dat gaat wel lukken. Die man is doodsbang, en ik heb goede hoop dat we wel een bekentenis uit hem loskrijgen.'

Daarna kwam Sylvia. Ze kuste hem, en glimlachte een beetje treurig toen ze het verband om zijn schouder zag. 'Verdorie!'

'Ja, maar het had heel wat erger kunnen zijn... voor ons allebei.'

'We verhuizen morgen. Dan hebben jullie je huis weer terug.'

'Ik ga pas naar huis als ik hier weg mag.' Naar huis, dat is terug naar Kingsmarkham, dacht hij. Niet naar het koetshuis, hoe heerlijk het ook was geweest om daar te logeren, en hoe heerlijk dat opnieuw zal zijn. Op een goede dag.

'Ik ben heel... nou ja, lomp geweest, papa. En dat terwijl je ons allemaal zo lang in jouw huis hebt laten wonen. Lomp en ondankbaar. Maar alsnog bedankt. Ik weet niet wat we anders hadden moeten beginnen.'

Het ergste aan gewond raken op zijn leeftijd, dacht hij, en misschien wel op elke leeftijd, was dat je je zo moe voelde. Hij realiseerde zich nu dat hij zich het grootste gedeelte van de tijd nooit moe had gevoeld, maar nu was hij moe, sterker nog, hij voelde een overweldigende uitputting. Hij genoot ervan om Dora te zien, want als zij aan zijn bed zat, hoefde hij alleen maar haar hand vast te houden, zonder iets te zeggen. Hij kon gewoon zijn ogen dichtdoen en langzaam in slaap vallen, weer wakker worden, en tot zijn genoegen merken dat ze nog steeds bij hem was. Maar als Burden kwam, dan zou hij praten. Hij zou Mike alles vertellen over hoe hij erachter was gekomen wat er aan de hand was. Dan zou hij niet moe zijn.

'Ze willen je hier nog een paar dagen houden,' zei Dora.

'Ik weet het. Ze zijn bang voor infectie.'

'Mike zegt dat hij morgen komt.'

Het zou misschien pijnlijk voor haar zijn als hij nu te enthousiast reageerde. 'Dat is aardig van hem,' zei hij dus met matte stem. 'Prima, als hij het niet te druk heeft.'

Ze trok haar wenkbrauwen op. 'Hoe komt het nou dat ik hier een ondertoon van hevig verlangen in bespeur?'

Hij lachte, maar zei verder niets. De volgende dag, toen Burden kwam, zat Wexford op het toilet, en toen hij terugliep naar de ziekenzaal, fluisterde een jonge verpleegster, voor wie hij inmiddels een favoriete patiënt was geworden, hem toe: 'Uw zoon is er.'

'Ik wist dat ik ouder was geworden,' zei hij tegen Burden, 'maar niet zóveel ouder. Of misschien komt het wel doordat jij er vandaag zo opmerkelijk jong uitziet.'

'Ik heb niets voor je meegenomen. Kan een man een andere man bloemen geven? Het lijkt me een beetje raar.'

'Ik wil geen bloemen, ik heb helemaal niets nodig. Ze komen straks weer rond met de thee. Ben je ertegen opgewassen om wat meer over de grafkelder te horen?'

'Het is een beetje raar dat je me daar in een ziekenhuis over gaat vertellen. We zouden nu in de Olive moeten zitten.' Burden nam een slokje thee. 'En dit zou wijn moeten zijn.'

'Ik mag hier zo nu en dan een glaasje rode wijn hebben, maar wel op de juiste tijd. Maar goed, de grafkelder. Het zat zo...'

Twee dagen later werd hij ontslagen. Ziekenhuizen sturen hun patiënten het liefste voor het weekend naar huis. Hij werd teruggereden naar Kingsmarkham door Dora en met ijzeren zelfbeheersing wist hij zichzelf ervan te weerhouden om commentaar te leveren op haar rijstijl. Elke keer dat hij de opwelling voelde om te waarschuwen dat ze te hard reed of zonder noodzaak remde, onderzocht hij zijn reactie en stelde zich de vraag of hij dat ook gezegd zou hebben als er een man achter het stuur zat. Hij besloot dat dat niet het geval was. Nou, misschien als de man zijn kleinzoon Robin was, maar dat zou dan zijn omdat Robin nog zo jong was. En Dora was zijn vrouw. Dat was juist een reden te meer om niet al te veel kritiek op haar te hebben. Stel dat het een van zijn dochters zou zijn? Ja, dan zou hij misschien wel kritiek hebben. Maar eigenlijk was het wel een goede leefregel om nooit commentaar te leveren op de rijstijl van iemand anders. Mensen hielden daar toch nooit rekening mee.

En dus bracht hij de rit door met prettig en misschien ook wel waardevol gemijmer, en toen ze Kingsmarkham bereikten, vroeg Dora hem of hij zich nog wel goed voelde. 'Prima hoor, hoezo?'

'O, ik vroeg me gewoon af waarom je me geen enkele keer hebt gevraagd of ik mijn ogen wel op de weg gericht hield, of dat ik misschien liever zou willen dat jij het overnam.'

'Ik heb ongetwijfeld zitten slapen.'

Hij had niet geslapen, maar zodra hij thuis was, ging hij naar bed en sliep drie uur lang. Hij schrok wakker toen de telefoon ging en nam op. Burden zei heel beslist dat ze vandaag niet naar de Olive and Dove gingen, maar als Wexford daar geen bezwaar tegen had zou hij straks wel langskomen.

'Doe geen rare dingen,' zei Dora, al voegde ze daar niet aan toe wat voor rare dingen ze bedoelde, maar het zou ongetwijfeld iets te maken hebben met eten of drinken. 'Ik ga Sylvia's nieuwe huis bekijken.'

Burden was vroeg. Hij wil de rest van het verhaal wel erg graag horen, dacht Wexford, en tegelijkertijd realiseerde hij zich dat ooit, niet lang geleden, die gedachte niet eens bij hem opgekomen zou zijn. Een plotselinge scheut van pijn in zijn schouder bracht hem weer met zijn gedachten in het heden. Het verhaal van het meisje, het begin en het einde.

'Ik heb een tijd gedacht,' begon hij, terwijl Burden de wijn inschonk, 'dat het een schoonmaakster moest zijn die in dienst was van een zekere "mevrouw" Jones.'

'Waarom zeg je "een zekere 'mevrouw'"?'

'Omdat het wel een vrouw is, maar echt geen dame. Zij is degene die bij de IPCC een klacht heeft ingediend. Niet over mij natuurlijk, maar over die arme Lucy Blanch, de rechercheur met wie ik "meeliep". Je hebt geen idee hoe vaak ik mezelf er de afgelopen maanden aan heb moeten herinneren dat ik geen politieman meer ben.'

Burden zat vrijwel zonder iets te zeggen te luisteren terwijl Wexford vertelde over zijn speurtocht naar Vladlena, en over de ontsnapping van Alyona en hoe die haar toevlucht had gezocht bij Damian Keyworth. 'Trevor Oswin kende Keyworth al jaren, zij het niet al te goed. Zijn broer Kevin had ooit iets voor hem gebouwd en Trevor had toen het busje gereden. Kennelijk is Kevin te bijziend om zelf te kunnen rijden. Rond die tijd raakte Keyworth zijn rijbewijs kwijt omdat hij stomdronken achter het stuur had gezeten. Trevor begon ook voor hem te rijden, en zo leerden ze elkaar beter kennen. Keyworth wilde verhuizen. Trevor vertelde hem dat het huis naast dat van hem in Churchlands Road te koop stond. Keyworth kocht het en omdat geld voor hem kennelijk geen rol speelde, vroeg Trevor hem om te investeren in het bedrijf dat zijn vrouw en hij dreven in het huis ernaast. Kennelijk vertrok Keyworth geen spier toen hij erachter kwam wat dat precies voor een bedrijf was. Ze noemden het een modellenbureau, maar Keyworth wist heel goed wat zich daar werkelijk afspeelde.

Keyworth toonde Alyona geen genade, dat spreekt vanzelf. Zelf had hij geen auto, maar op de avond dat Alyona bij hem aanbelde, heeft hij haar zover gekregen dat ze in een van Oswins auto's stapte, waarschijnlijk door haar iets te beloven, en toen is hij weggereden. Hij moet tegen die tijd wel beseft hebben dat Trevor Oswin of hijzelf haar moest vermoorden. Als hij haar zou laten gaan, zou ze misschien naar de politie stappen, omdat ze wel besefte dat mensenhandel in dit land een ernstig misdrijf is. En zelfs als ze dat niet zou durven, zou ze het ongetwijfeld wel aan iemand vertellen. Ze zou iemand vertellen dat ze een seksslavin was geweest – een afschuwelijke term, maar in dit geval wel de juiste – en dat er in dat huis aan Churchlands Road nog andere meisjes waren die in dezelfde situatie verkeerden als zij.

Een andere ernstige consequentie van dit alles, voor Keyworth, was dat zijn verloofde Louise Fortescue, die bij hem was ingetrokken, het meisje had gezien en de voor de hand liggende conclusies trok. Zodra hij Alyona had overgedragen aan Trevor Oswin – of, wat waarschijnlijker lijkt, is dat hij Oswin had gebeld en hem had gevraagd naar een afgesproken plek te rijden en het meisje en hem daar op te wachten – hoefde hij zich er verder niet meer mee te bemoeien. Maar toen hij thuiskwam, zag hij dat Louise haar spullen aan het pakken was. Wat hij tegen haar heeft gezegd om zijn gedrag te rechtvaardigen, weet ik niet, maar ze is bij hem weggegaan, en dat was het einde van hun verloving.'

'Hij had toch moeilijk tegen haar kunnen zeggen: "Nee, het was mijn vriendinnetje niet,"' zei Burden. '"Ze was gewoon een slachtoffer van mensenhandel dat ik samen met mijn buurman de prostitutie in heb gedwongen."'

'Precies. Ik denk dat Alyona is toevertrouwd aan de goede zorgen van Trevor Oswin, de man die mij heeft neergestoken. Hij heeft haar vermoord, misschien door haar te wurgen, misschien ook door haar met een knuppel dood te slaan. Ze had een schedelbasisfractuur, net als Harriet Merton.'

'En hij heeft het lijk gedumpt in die kolenkelder onder Orcadia Cottage? Was dat vanuit zijn gezichtspunt nou werkelijk de veiligste plek waar hij haar had kunnen dumpen?'

'Volgens mij wel, Mike. Anders had hij de stad uit moeten rijden, en ergens een bos of weiland moeten zien te vinden waar hij het lijk kon achterlaten, en daar zou het ongetwijfeld al heel snel gevonden zijn. Subearth Structures, het bedrijf van Trevors broer Kevin, was de laatste firma die daar was komen kijken nadat Rokeby had besloten dat hij een ondergrondse ruimte wilde. Zoals je je nog wel zult herinneren, is Trevor toen ook meegegaan en terwijl Kevin samen met Rokeby in huis was, is hij een kijkje gaan nemen in de grafkelder. Hij zag de lijken daar liggen en moet hebben begrepen dat niemand anders die gezien had. En daarmee bedoel ik dat niemand van de andere loodgieters, bouwers, bouwinspecteurs en wat er verder nog rondgelopen mag hebben, die lijken had opgemerkt. Want als ze die wel gezien zouden hebben, is het onvoorstelbaar dat die vondst niet zou zijn gemeld, en dan zou daar in de media grote aandacht aan zijn besteed.

Daarom vormde dit een veilige plek om die arme Alyona te dumpen. En dus is hij, met het lijk in zijn auto, het laantje achter het huis in gereden en heeft aan de deur in de achtermuur gemorreld. Zoals gebruikelijk was die niet op slot. Het lijk werd de patio op gesleept, de plantenbak werd weggehaald, het deksel werd van het stortgat getild en het lijk werd in de kelder gedumpt.

Trevor had hetzelfde plan als Teddy Brex tien jaar eerder: hij zou hier binnenkort een keer 's avonds naartoe gaan en een paar stenen over dat gat heen metselen, zodat die lijken nooit gevonden zouden worden. Voor hem zou dat een eenvoudig klusje zijn geweest. Hij was zelf ook ooit bouwvakker geweest. Maar toen hij terugging, zat de deur in de tuinmuur op slot, zoals altijd wanneer meneer en mevrouw Rokeby voor lange tijd van huis waren. Trevor moest het risico nemen dat de lijken op een dag gevonden zouden worden, zoals twee jaar later inderdaad gebeurd is.'

Burden vulde de glazen nog eens bij, en zei dat dat inhield dat hij nu naar huis zou moeten lopen, maar dat deed er niet toe. De wijn, die op de een of andere manier bij dit tweede glas heel wat beter van kwaliteit leek dan bij het eerste, was door Burden meegebracht. Dat bezorgde Wexford een prettig gevoel en vormde ook een soort kleine triomf. Hij dacht na over de laatste fase van zijn verhaal toen zijn vriend zei: 'Hoe zit het met de chauffeur? Over hem heb je het nooit meer gehad. Is hij gearresteerd?'

'O ja, hoor. Tom Ede heeft daar alles over verteld. Goldberg – weet je nog wie dat was? – had een vriendin, een zekere Sophie Baird. Het is een van die "beste vrienden"-situaties die vaak ontstaan tussen een vrouw en een homo. Ze woonde met haar partner eveneens in St. John's Wood, in een huis dat gelukkig haar eigendom was. Ze werkte als persoonlijk assistente van een of andere bedrijfsdirecteur, en haar partner heeft, of had, een verhuisbedrijfje dat zich onder andere ook bezighield met het vervoer van vrouwen uit Oost-Europa naar Engeland.

Ik had daar geen idee van. Maar toen ik met haar zat te praten over die twee meisjes, en ze me vertelde over de enorme woedeaanval die hij kreeg toen ze hem had verteld dat ze een illegale immigrante had leren kennen, dat hij haar had geslagen en uiteindelijk bij haar was weggegaan, vond ik die reactie zo extreem dat ik me begon af te vragen wat erachter zou kunnen zitten. En toen kwam zijn naam weer in me op. John, ze noemde hem altijd John, maar zijn achternaam was Scott-McGregor. Dat leek best veel op Grigori of Gregory. Ik neem aan dat ik het eigenlijk al wel wist toen ik een witte bestelwagen voor dat huis in Churchlands Road zag staan. De ene witte bestelwagen lijkt heel sterk op de andere, dat is waar, maar deze had iets bijzonders: een kras op de carrosserie boven het achterwiel.'

Wexford en Dora hadden twee lange vakanties achter de rug, de ene naar Charleston en Savannah in het zuiden van de Verenigde Staten, en de andere naar Turkije, waar ze Efeze en de opgravingen bij Troje hadden bezocht. Ze reisden nog steeds heen en weer tussen Londen en Kingsmarkham, maar hij had te weinig omhanden en dat maakte hem onrustig. Toen werd er een envelop bezorgd die was geadresseerd aan 'de heer Wexford' en die was doorgestuurd door Tom Ede. Er stond een poststempel op van de stad Kiev.

Op het gedrukte kaartje dat erin zat, was te lezen dat Colin en Vladlena Jones de geboorte bekendmaakten van hun zoon Igor op 10 april 2011. Het adres dat op het kaartje vermeld stond, was zo te zien een privéadres, en kennelijk woonden ze nu daar. Wexford nam zich voor om terug te schrijven en uit te zoeken hoe dat zat, maar hij was er zeker van dat hij zich over Vladlena geen zorgen meer hoefde te maken.